NOVALIS

HYMNEN AN DIE NACHT

HEINRICH VON OFTERDINGEN

Mit einem Nachwort, einer Zeittafel zu Novalis, Erläuterungen
und bibliographischen Hinweisen
von Helmut Pfotenhauer

GOLDMANN VERLAG

Vollständiger Text der „Hymnen an die Nacht"
und des „Heinrich von Ofterdingen"
Nachdruck aus: Novalis: Schriften. Die Werke Friedrich von Hardenbergs. Herausgegeben von Paul Kluckhohn (†) und Richard Samuel. Dritte, nach den Handschriften ergänzte, erweiterte und verbesserte Auflage in vier Bänden und einem Begleitband. Erster Band: Das dichterische Werk. Herausgegeben von Paul Kluckhohn (†) und Richard Samuel unter Mitarbeit von Heinz Ritter und Gerhard Schulz. Revidiert von Richard Samuel. Stuttgart 1977

Umschlagbild: Der kleine Morgen.
Ölgemälde von Philipp Otto Runge (1808, Ausschnitt).
Hamburg, Kunsthalle

Der Goldmann Verlag
ist ein Unternehmen der Verlagsgruppe Bertelsmann

Made in Germany · 7. Auflage · 5/91
Umschlagentwurf: Design Team München
Umschlagfoto: Bildarchiv Preußischer Kulturbesitz, Berlin
Druck: Presse-Druck Augsburg
Verlagsnummer: 7572
Lektorat: Martin Vosseler · Herstellung: Sebastian Strohmaier
ISBN 3-442-07572-6

INHALT

Von den Herausgebern Paul Kluckhohn und Richard Samuel
im Text verwendete Zeichen:

[ ]   von den Herausgebern hinzugefügt

‹ ›   von Novalis gestrichen

⟨ ⟩   von Novalis bei späterer Überarbeitung gestrichen

. . . Handschrift bricht ab, Fortsetzung verloren

[.?.] Handschrift unleserlich

⌣ bzw. ⌐ von Novalis über der Zeile eingefügt

⌊⌋   von Novalis in der Zeile eingefügt

Hymnen an die Nacht

HYMNEN AN DIE NACHT
[HANDSCHRIFT]

Welcher Lebendige,
Sinnbegabte,
Liebt nicht vor allen
Wundererscheinungen
Des verbreiteten Raums um ihn
Das allerfreuliche Licht —
Mit seinen Stralen und Wogen
Seinen Farben,
Seiner milden Allgegenwart
Im Tage.
Wie des Lebens
Innerste Seele
Athmet es die Riesenwelt
Der rastlosen Gestirne
Die in seinem blauen Meere
    schwimmen,
Athmet es der funkelnde Stein,
Die ruhige Pflanze
Und der Thiere
Vielgestaltete,
Immerbewegte Kraft —
Athmen es vielfarbige
Wolken u[nd] Lüfte
Und vor allen
Die herrlichen Fremdlinge
Mit den sinnvollen Augen
Dem schwebenden Gange
Und dem tönenden Munde.
Wie ein König
Der irrdischen Natur
Ruft es jede Kraft
Zu zahllosen Verwandlungen
Und seine Gegenwart allein
Offenbart die Wunderherrlichkeit
Des irrdischen Reichs.
Abwärts wend ich mich
Zu der heiligen, unaussprechlichen
Geheimnißvollen Nacht —
Fernab liegt die Welt,
Wie versenkt in eine tiefe Gruft

Wie wüst und einsam
Ihre Stelle!
Tiefe Wehmuth
Weht in den Sayten der Brust
Fernen der Errinnerung
Wünsche der Jugend
Der Kindheit Träume
Des ganzen, langen Lebens
Kurze Freuden
Und vergebliche Hoffnungen
Kommen in grauen Kleidern
Wie Abendnebel
Nach der Sonne,
Untergang.
Fernab liegt die Welt
Mit ihren bunten Genüssen.
In andern Räumen
Schlug das Licht auf
Die lustigen Gezelte.
Sollt es nie wiederkommen
Zu seinen treuen Kindern,
Seinen Gärten
In sein herrliches Haus?
Doch was quillt
So kühl u[nd] erquicklich
So ahndungsvoll
Unterm Herzen
Und verschluckt
Der Wehmuth weiche Luft,
Hast auch du
Ein menschliches Herz
Dunkle Macht?
Was hältst du
Unter deinem Mantel
Das mir unsichtbar kräftig
An die Seele geht?
Du scheinst nur furchtbar —
Köstlicher Balsam
Träuft aus deiner Hand
Aus dem Bündel Mohn

HYMNEN AN DIE NACHT
[ATHENAEUMSDRUCK]

1.

Welcher Lebendige, Sinnbegabte, liebt nicht vor allen Wundererscheinungen des verbreiteten Raums um ihn, das allerfreuliche Licht — mit seinen Farben, seinen Stralen und Wogen; seiner milden Allgegenwart, als weckender Tag. Wie des Lebens innerste Seele athmet es der rastlosen Gestirne Riesenwelt, und schwimmt tanzend in seiner blauen Flut — athmet es der funkelnde, ewigruhende Stein, die sinnige, saugende Pflanze, und das wilde, brennende, vielgestaltete Thier — vor allen aber der herrliche Fremdling mit den sinnvollen Augen, dem schwebenden Gange, und den zartgeschlossenen, tonreichen Lippen. Wie ein König der irdischen Natur ruft es jede Kraft zu zahllosen Verwandlungen, knüpft und löst unendliche Bündnisse, hängt sein himmlisches Bild jedem irdischen Wesen um. — Seine Gegenwart allein offenbart die Wunderherrlichkeit der Reiche der Welt.

Abwärts wend ich mich zu der heiligen, unaussprechlichen, geheimnißvollen Nacht. Fernab liegt die Welt — in eine tiefe Gruft versenkt — wüst und einsam ist ihre Stelle. In den Sayten der Brust weht tiefe Wehmuth. In Thautropfen will ich hinuntersinken und mit der Asche mich vermischen. — Fernen der Erinnerung, Wünsche der Jugend, der Kindheit Träume, des ganzen langen Lebens kurze Freuden und vergebliche Hoffnungen kommen in grauen Kleidern, wie Abendnebel nach der Sonne Untergang. In andern Räumen schlug die lustigen Gezelte das Licht auf. Sollte es nie zu seinen Kindern wiederkommen, die mit der Unschuld Glauben seiner harren?

Was quillt auf einmal so ahndungsvoll unterm Herzen, und verschluckt der Wehmuth weiche Luft? Hast auch du ein Gefallen an uns, dunkle Nacht? Was hältst du unter deinem Mantel, das mir unsichtbar kräftig an die Seele geht? Köstlicher Balsam träuft aus deiner Hand, aus dem Bündel Mohn. Die schweren Flügel des Gemüths hebst du empor.

In süßer Trunkenheit
Entfaltest du die schweren Flügel
  des Gemüths.
Und schenkst uns Freuden
Dunkel und unaussprechlich
Heimlich, wie du selbst, bist
Freuden, die uns
Einen Himmel ahnden lassen.
Wie arm und kindisch
Dünkt mir das Licht,
Mit seinen bunten Dingen
Wie erfreulich und gesegnet
Des Tages Abschied.
Also nur darum
Weil die Nacht dir
Abwendig macht die Dienenden
Säetest du
In des Raums Weiten
Die leuchtenden Kugeln
Zu verkünden deine Allmacht
Deine Widerkehr
In den Zeiten deiner Entfernung.
Himmlischer als jene blitzenden
In jenen Weiten   [Sterne
Dünken uns die unendlichen Augen
Die die Nacht
In uns geöffnet.

Weiter sehn sie
Als die blässesten
Jener zahllosen Heere
Unbedürftig des Lichts
Durchschaun sie die Tiefen
Eines liebenden Gemüths,
Was einen höhern Raum
Mit unsäglicher Wollust füllt.
Preis der Weltköniginn,
Der hohen Verkündigerinn
Heiliger Welt,
Der Pflegerinn
Seliger Liebe
Du kommst, Geliebte —
Die Nacht, ist da —
Entzückt ist meine Seele —
Vorüber ist der irrdische Tag
Und du bist wieder Mein.
Ich schaue dir ins tiefe dunkle Auge,
Sehe nichts als Lieb u[nd] Seligkeit.
Wir sinken auf der Nacht Altar
Aufs weiche Lager —
Die Hülle fällt
Und angezündet von dem warmen
  Druck
Entglüht des süßen Opfers
Reine Glut.

Muß immer der Morgen
  wiederkommen?
Endet nie des Irrdischen Gewalt?
Unselige Geschäftigkeit verzehrt
Den himmlischen Anflug der Nacht?
Wird nie der Liebe geheimes
  Opfer
Ewig brennen?
Zugemessen ward
Dem Lichte Seine Zeit
Und dem Wachen —
Aber zeitlos ist der Nacht
  Herrschaft,
Ewig ist die Dauer des Schlafs.

Heiliger Schlaf!
Beglücke zu selten nicht
Der Nacht Geweihte —
In diesem irrdischen Tagwerck.
Nur die Thoren verkennen dich
Und wissen von keinem Schlafe
Als den Schatten
Den du mitleidig auf uns wirfst
In jener Dämmrung
Der wahrhaften Nacht.
Sie fühlen dich nicht
In der goldnen Flut der Trauben
In des Mandelbaums
Wunderöl

Dunkel und unaussprechlich fühlen wir uns bewegt — ein ernstes Antlitz seh ich froh erschrocken, das sanft und andachtsvoll sich zu mir neigt, und unter unendlich verschlungenen Locken der Mutter liebe Jugend zeigt. Wie arm und kindisch dünkt mir das Licht nun — wie erfreulich und gesegnet des Tages Abschied — Also nur darum, weil die Nacht dir abwendig macht die Dienenden, säetest du in des Raumes Weiten die leuchtenden Kugeln, zu verkünden deine Allmacht — deine Wiederkehr — in den Zeiten deiner Entfernung. Himmlischer, als jene blitzenden Sterne, dünken uns die unendlichen Augen, die die Nacht in uns geöffnet. Weiter sehn sie, als die blässesten jener zahllosen Heere — unbedürftig des Lichts durchschaun sie die Tiefen eines liebenden Gemüths — was einen höhern Raum mit unsäglicher Wollust füllt. Preis der Weltköniginn, der hohen Verkündigerinn heiliger Welten, der Pflegerinn seliger Liebe — sie sendet mir dich — zarte Geliebte — liebliche Sonne der Nacht, — nun wach ich — denn ich bin Dein und Mein — du hast die Nacht mir zum Leben verkündet — mich zum Menschen gemacht — zehre mit Geisterglut meinen Leib, daß ich luftig mit dir inniger mich mische und dann ewig die Brautnacht währt.

2.

Muß immer der Morgen wiederkommen? Endet nie des Irdischen Gewalt? unselige Geschäftigkeit verzehrt den himmlischen Anflug der Nacht. Wird nie der Liebe geheimes Opfer ewig brennen? Zugemessen ward dem Lichte seine Zeit; aber zeitlos und raumlos ist der Nacht Herrschaft. — Ewig ist die Dauer des Schlafs. Heiliger Schlaf — beglücke zu selten nicht der Nacht Geweihte in diesem irdischen Tagewerk. Nur die Thoren verkennen dich und wissen von keinem Schlafe, als den Schatten, den du in jener Dämmerung der wahrhaften Nacht mitleidig auf uns wirfst. Sie fühlen dich nicht in der goldnen Flut der Trauben — in des Mandelbaums Wunderöl, und dem braunen

Und dem braunen Safte des Mohns. Ahnden nicht
Sie wissen nicht Daß aus alten Geschichten
Daß du es bist Du himmelöffnend entgegentrittst
Der des zarten Mädchens Und den Schlüssel trägst
Busen umschwebt Zu den Wohnungen der Seligen,
Und zum Himmel den Schoos Unendlicher Geheimnisse
 macht — Schweigender Bote.

Einst, da ich bittre Thränen vergoß —
 Da in Schmerz aufgelößt meine Hoffnung zerrann
und ich einsam stand an dem dürren Hügel, der in engen
dunkeln Raum die Gestalt meines Lebens begrub, Einsam,
wie noch kein Einsamer war, von unsäglicher Angst getrieben, Kraftlos, nur ein Gedanken des Elends noch, —
Wie ich da nach Hülfe umherschaute, Vorwärts nicht könnte
und rückwärts nicht — und am fliehenden, verlöschten Leben
mit unendlicher Sehnsucht hing — da kam aus blauen Fernen,
Von den Höhen meiner alten Seligkeit ein Dämmrungs Schauer —
Und mit einemmale riß das Band der Geburt, des
Lichtes Fessel — Hin floh die irrdische Herrlichkeit und
meine Trauer mit ihr. Zusammen floß die Wehmuth
in eine neue unergründliche Welt — Du Nachtbegeisterung, Schlummer des Himmels kamst über mich.
Die Gegend hob sich sacht empor — über der Gegend
schwebte mein entbundner neugeborner Geist. Zur Staubwolke
wurde der Hügel und durch die Wolke sah ich die
verklärten Züge der Geliebten — In Ihren Augen
ruhte die Ewigkeit — ich faßte ihre Hände und die
Thränen wurden ein funkelndes, unzerreißliches
Band. Jahrtausende zogen abwärts in die Ferne,
wie Ungewitter — An ihrem Halse weint ich dem
neuen Leben entzückende Thränen. Das war der
Erste Traum in dir. Er zog vorüber aber sein Abglanz
blieb der ewige unerschütterliche Glauben an den
Nachthimmel und seine Sonne, die Geliebte.

---

4. Sehnsucht nach dem Tode. Er saugt an mir. 5. Xstus. Er hebt den
Stein v[om] Grabe.

Nun weiß ich wenn der letzte Morgen seyn wird — wenn
das Licht nicht mehr die Nacht und die Liebe scheucht, wenn
der Schlummer ewig, und nur Ein unerschöpflicher Traum seyn

Safte des Mohns. Sie wissen nicht, daß du es bist der des zarten Mädchens Busen umschwebt und zum Himmel den Schoß macht — ahnden
nicht, daß aus alten Geschichten du himmelöffnend entgegentrittst
und den Schlüssel trägst zu den Wohnungen der Seligen, unendlicher
Geheimnisse schweigender Bote.

3.

Einst da ich bittre Thränen vergoß, da in Schmerz aufgelöst meine
Hoffnung zerrann, und ich einsam stand am dürren Hügel, der in
engen, dunkeln Raum die Gestalt meines Lebens barg — einsam, wie
noch kein Einsamer war, von unsäglicher Angst getrieben — kraftlos,
nur ein Gedanken des Elends noch. — Wie ich da nach Hülfe umherschaute, vorwärts nicht konnte und rückwärts nicht, und am fliehenden, verlöschten Leben mit unendlicher Sehnsucht hing: — da kam aus
blauen Fernen — von den Höhen meiner alten Seligkeit ein Dämme-
rungsschauer — und mit einemmale riß das Band der Geburt — des
Lichtes Fessel. Hin floh die irdische Herrlichkeit und meine Trauer
mit ihr — zusammen floß die Wehmuth in eine neue, unergründliche
Welt — du Nachtbegeisterung, Schlummer des Himmels kamst über
mich — die Gegend hob sich sacht empor; über der Gegend schwebte
mein entbundner, neugeborner Geist. Zur Staubwolke wurde der
Hügel — durch die Wolke sah ich die verklärten Züge der Geliebten.
In ihren Augen ruhte die Ewigkeit — ich faßte ihre Hände, und die
Thränen wurden ein funkelndes, unzerreißliches Band. Jahrtausende
zogen abwärts in die Ferne, wie Ungewitter. An Ihrem Halse weint
ich dem neuen Leben entzückende Thränen. — Es war der erste, einzige
Traum — und erst seitdem fühl ich ewigen, unwandelbaren Glauben
an den Himmel der Nacht und sein Licht, die Geliebte.

4.

Nun weiß ich, wenn der letzte Morgen seyn wird — wenn das Licht
nicht mehr die Nacht und die Liebe scheucht — wenn der Schlummer
ewig und nur Ein unerschöpflicher Traum seyn wird. Himmlische

wird. Himmlische Müdigkeit verläßt mich nun nicht wieder.
Weit und mühsam war der Weg zum heilgen Grabe und das
Kreutz war schwer. Wessen Mund einmal die krystallene
Woge nezte, die gemeinen Sinnen unsichtbar, quillt
in des Hügels dunkeln Schoos, an dessen Fuß die irrdische
Flut bricht, wer oben stand auf diesem Grenzgebürge der **Welt und**
hinüber sah, in das neue Land, in der Nacht Wohnsitz,
Warlich der kehrt nicht in das Treiben der Welt zurück,
in das Land, wo das Licht regiert und
ewige Unruh haußt. Oben baut er sich Hütten
Hütten des Friedens, sehnt sich und liebt, schaut hinüber,
bis die willkommenste aller Stunden hinunter ihn
In den Brunnen der Quelle zieht. Alles Irrdische
schwimmt oben auf und wird von
der Höhe hinabgespült, aber was Heilig ward durch
Der Liebe Berührung rinnt aufgelößt in verborg-
nen Gängen auf das jenseitige Gebiet, wo es, wie
Wolken sich Mit entschlummerten Lieben mischt.

Noch weckst du,
Muntres Licht,
Den Müden zur Arbeit —
Flößest fröliches Leben mir ein.
Aber du lockst mich
Von der Errinnerung
Moosigen Denkmal nicht.
Gern will ich
Die fleißigen Hände rühren
Überall umschauen
Wo du mich brauchst,
Rühmen deines Glanzes
Volle Pracht
Unverdroßen verfolgen
Den schönen Zusammenhang
Deines künstlichen Wercks
Gern betrachten
Den sinnvollen Gang
Deiner gewaltigen
Leuchtenden Uhr,
Ergründen der Kräfte
Ebenmaaß
Und die Regeln
Des Wunderspiels

Unzähliger Räume
Und ihrer Zeiten.
Aber getreu der Nacht
Bleibt mein geheimes Herz
Und ihrer Tochter
Der schaffenden Liebe.
Kannst du mir zeigen
Ein ewigtreues Herz?
Hat deine Sonne
Freundliche Augen
Die mich erkennen?
Fassen deine Sterne
Meine verlangende Hand?
Geben mir wieder
Den zärtlichen Druck?
Hast du mit Farben
Und leichten Umriß
Sie geschmückt?
Oder war Sie es
Die Deinem Schmuck
Höhere, liebere Bedeutung **gab**?
Welche Wollust,
Welchen Genuß,
Bietet dein Leben

Müdigkeit fühl ich in mir. — Weit und ermüdend ward mir die Wallfahrt zum heiligen Grabe, drückend das Kreutz. Die krystallene Woge,
die gemeinen Sinnen unvernehmlich, in des Hügels dunkeln Schooß
quillt, an dessen Fuß die irdische Flut bricht, wer sie gekostet, wer
oben stand auf dem Grenzgebürge der Welt, und hinübersah in das
neue Land, in der Nacht Wohnsitz — warlich der kehrt nicht in das
Treiben der Welt zurück, in das Land, wo das Licht in ewiger Unruh
hauset.

Oben baut er sich Hütten, Hütten des Friedens, sehnt sich und liebt,
schaut hinüber, bis die willkommenste aller Stunden hinunter ihn
in den Brunnen der Quelle zieht — das Irdische schwimmt obenauf,
wird von Stürmen zurückgeführt, aber was heilig durch der Liebe
Berührung ward, rinnt aufgelöst in verborgenen Gängen auf das
jenseitige Gebiet, wo es, wie Düfte, sich mit entschlummerten Lieben
mischt.

Noch weckst du, muntres Licht den Müden zur Arbeit — flößest
fröhliches Leben mir ein — aber du lockst mich von der Erinnerung moosigem Denkmal nicht. Gern will ich die fleißigen Hände
rühren, überall umschaun, wo du mich brauchst — rühmen deines
Glanzes volle Pracht — unverdroßen verfolgen deines künstlichen
Werks schönen Zusammenhang — gern betrachten deiner gewaltigen, leuchtenden Uhr sinnvollen Gang — ergründen der Kräfte
Ebenmaß und die Regeln des Wunderspiels unzähliger Räume und
ihrer Zeiten. Aber getreu der Nacht bleibt mein geheimes Herz, und
der schaffenden Liebe, ihrer Tochter. Kannst du mir zeigen ein ewig
treues Herz? hat deine Sonne freundliche Augen, die mich erkennen?
fassen deine Sterne meine verlangende Hand? Geben mir wieder den
zärtlichen Druck und das kosende Wort? Hast du mit Farben und
leichtem Umriß Sie geziert — oder war Sie es, die deinem Schmuck
höhere, liebere Bedeutung gab? Welche Wollust, welchen Genuß
bietet dein Leben, die aufwögen des Todes Entzückungen? Trägt nicht

Die aufwögen
Des Todes Entzückungen.
Trägt nicht alles
Was uns begeistert
Die Farbe der Nacht —
Sie trägt dich mütterlich
Und ihr verdankst du
All deine Herrlichkeit.
Du verflögst
In dir selbst
In endlosen Raum
Zergingst du,
Wenn sie dich nicht hielte —
Dich nicht bände
Daß du warm würdest
Und flammend
Die Welt zeugtest.
Warlich ich war eh du warst,
Mit meinem Geschlecht
Schickte die Mutter mich
Zu bewohnen deine Welt
Und zu heiligen sie
Mit Liebe.
Zu geben
Menschlichen Sinn
Deinen Schöpfungen.
Noch reiften sie nicht

Diese göttlichen Gedanken.
Noch sind der Spuren
Unsrer Gegenwart
Wenig.
Einst zeigt deine Uhr
Das Ende der Zeit
Wenn du wirst,
Wie unser Einer
Und voll Sehnsucht
Auslöschest u[nd] stirbst.
In mir fühl ich
Der Geschäftigkeit Ende
Himmlische Freyheit,
Selige Rückkehr.
In wilden Schmerzen
Erkenn ich deine Entfernung
Von unsrer Heymath
Deinen Widerstand
Gegen den alten,
Herrlichen Himmel.
Umsonst ist deine Wuth
Dein Toben.
Unverbrennlich
Steht das Kreutz,
Eine Siegesfahne
Unsres Geschlechts.

Hinüber wall ich
Und jede Pein
Wird einst ein Stachel
Der Wollust seyn.
Noch wenig Zeiten
So bin ich los
Und liege trunken
Der Lieb' im Schoos.
Unendliches Leben
Kommt über mich
Ich sehe von oben
Herunter auf Dich.

An jenem Hügel
Verlischt dein Glanz
Ein Schatten bringet
Den kühlen Kranz
O! sauge Geliebter
Gewaltig mich an
Daß ich bald ewig
Entschlummern kann.
Ich fühle des Todes
Verjüngende Flut
Und harr in den Stürmen
Des Lebens voll Muth.

———————

alles, was uns begeistert, die Farbe der Nacht? Sie trägt dich mütterlich und ihr verdankst du all deine Herrlichkeit. Du verflögst in dir selbst — in endlosen Raum zergingst du, wenn sie dich nicht hielte, dich nicht bände, daß du warm würdest und flammend die Welt zeugtest. Warlich ich war, eh du warst — die Mutter schickte mit meinen Geschwistern mich, zu bewohnen deine Welt, sie zu heiligen mit Liebe, daß sie ein ewig angeschautes Denkmal werde — zu bepflanzen sie mit unverwelklichen Blumen. Noch reiften sie nicht diese göttlichen Gedanken — Noch sind der Spuren unserer Offenbarung wenig — Einst zeigt deine Uhr das Ende der Zeit, wenn du wirst wie unser einer, und voll Sehnsucht und Inbrunst auslöschest und stirbst. In mir fühl ich deiner Geschäftigkeit Ende — himmlische Freyheit, selige Rückkehr. In wilden Schmerzen erkenn ich deine Entfernung von unsrer Heymath, deinen Widerstand gegen den alten, herrlichen Himmel. Deine Wuth und dein Toben ist vergebens. Unverbrennlich steht das Kreutz — eine Siegesfahne unsers Geschlechts.

Hinüber wall ich,
Und jede Pein
Wird einst ein Stachel
Der Wollust seyn.
Noch wenig Zeiten,
So bin ich los,
Und liege trunken
Der Lieb' im Schooß.
Unendliches Leben
Wogt mächtig in mir
Ich schaue von oben
Herunter nach dir.
An jenem Hügel
Verlischt dein Glanz —

Ein Schatten bringet
Den kühlenden Kranz.
O! sauge, Geliebter,
Gewaltig mich an,
Daß ich entschlummern
Und lieben kann.
Ich fühle des Todes
Verjüngende Flut,
Zu Balsam und Aether
Verwandelt mein Blut —
Ich lebe bey Tage
Voll Glauben und Muth
Und sterbe die Nächte
In heiliger Glut.

‹Von ihm will ich reden
Und liebend verkünden
So lang ich
Unter Menschen noch bin.
Denn ohne ihn
Was wär unser Geschlecht,
Und was sprächen die Menschen,
Wenn sie nicht sprächen von ihm
Ihrem Stifter,
Ihrem Geiste.›

Über der Menschen
Weitverbreitete Stämme
Herrschte vor Zeiten
Ein eisernes Schicksal
Mit stummer Gewalt.
Eine dunkle
schwere Binde
lag um ihre
bange Seele.
Unendlich war die Erde.
Der Götter Aufenthalt
Und ihre Heymath.

Reich an Kleinoden
Und herrlichen Wundern.
Seit Ewigkeiten
Stand ihr geheimnißvoller Bau.
Über des Morgens
Blauen Bergen
In des Meeres
Heiligen Schoos
Wohnte die Sonne
Das allzündende
Lebendige Licht.

Alte Welt. Der Tod. *Xstus — neue Welt.* Die Welt der
Zukunft — Sein Leiden — Jugend — Botschaft.
Auferstehung. *Mit den Menschen ändert die
Welt sich.* Schluß — Aufruf.

Ein alter Riese
Trug die selige Welt
Fest unter Bergen
lagen die Ursöhne
Der Mutter Erde —
Ohnmächtig
In ihrer zerstörenden Wuth
Gegen das neue
Herrliche Göttergeschlecht,

Und die befreundeten
Frölichen Menschen.
Des Meeres dunkle
Blaue Tiefe
War einer Göttin Schoos.
Himmlische Schaaren
Wohnten in frölicher Lust
In den krystallenen Grotten —
Flüsse und Bäume

5.

Über der Menschen weitverbreitete Stämme herrschte vor Zeiten ein eisernes Schicksal mit stummer Gewalt. Eine dunkle, schwere Binde lag um ihre bange Seele — Unendlich war die Erde — der Götter Aufenthalt, und ihre Heymath. Seit Ewigkeiten stand ihr geheimnißvoller Bau. Ueber des Morgens rothen Bergen, in des Meeres heiligem Schooß wohnte die Sonne, das allzündende, lebendige Licht.

Ein alter Riese trug die selige Welt. Fest unter Bergen lagen die Ursöhne der Mutter Erde. Ohnmächtig in ihrer zerstörenden Wuth gegen das neue herrliche Göttergeschlecht und dessen Verwandten, die frölichen Menschen. Des Meers dunkle, grüne Tiefe war einer Göttin Schooß. In den krystallenen Grotten schwelgte ein üppiges Volk. Flüsse, Bäume, Blumen und Thiere hatten menschlichen Sinn. Süßer

Blumen und Thiere
Hatten menschlichen Sinn.
Süßer schmeckte der Wein
Weil ihn blühende Götterjugend
Den Menschen gab —
Des goldnen Korns
Volle Garben
Waren ein göttliches Geschenk.
Der Liebe trunkne Freuden
ein heiliger Dienst

Der himmlischen Schönheit.
So war das Leben
Ein ewiges Fest
Der Götter und Menschen.
Und kindlich verehrten
Alle Geschlechter
Die zarte, köstliche Flamme
Als das Höchste der Welt.
Nur Ein Gedanke wars

Der furchtbar zu den frohen Tischen trat
Und das Gemüth in wilde Schrecken hüllte.
Hier wußten selbst die Götter keinen Rath,
Der das Gemüth mit süßen Troste füllte,
Geheimnißvoll war dieses Unholds Pfad
Des Wuth kein Flehn und keine Gabe stillte —
Es war der Tod, der dieses Lustgelag
Mit Angst u[nd] Schmerz u[nd] Thränen unterbrach.

Auf ewig nun von allem abgeschieden
Was hier das Herz in süßer Wollust regt —
Getrennt von den Geliebten, die hienieden
Vergebne Sehnsucht, langes Weh bewegt —
Schien nur dem Todten matter Traum beschieden
Ohnmächtges Ringen nur ihm auferlegt.
Zerbrochen war die Woge des Genusses
Am Felsen des unendlichen Verdrusses.

Mit kühnem Geist und hoher Sinnenglut
Verschönte sich der Mensch die grause Larve —
Ein blasser Jüngling löscht das Licht u[nd] ruht —
Sanft ist das Ende, wie ein Wehn der Harfe —
Errinnrung schmilzt in kühler Schattenflut
Die Dichtung sangs dem traurigen Bedarfe
Doch unenträthselt blieb die ewge Nacht
Das ernste Zeichen einer fernen Macht.

schmeckte der Wein von sichtbarer Jugendfülle geschenkt — ein Gott in den Trauben — eine liebende, mütterliche Göttin, empor wachsend in vollen goldenen Garben — der Liebe heilger Rausch ein süßer Dienst der schönsten Götterfrau — ein ewig buntes Fest der Himmelskinder und der Erdbewohner rauschte das Leben, wie ein Frühling, durch die Jahrhunderte hin — Alle Geschlechter verehrten kindlich die zarte, tausendfältige Flamme, als das höchste der Welt. Ein Gedanke nur war es, Ein entsetzliches Traumbild,

Das furchtbar zu den frohen Tischen trat
Und das Gemüth in wilde Schrecken hüllte.
Hier wußten selbst die Götter keinen Rath
Der die beklommne Brust mit Trost erfüllte.
Geheimnißvoll war dieses Unholds Pfad
Des Wuth kein Flehn und keine Gabe stillte;
Es war der Tod, der dieses Lustgelag
Mit Angst und Schmerz und Thränen unterbrach.

Auf ewig nun von allem abgeschieden,
Was hier das Herz in süßer Wollust regt,
Getrennt von den Geliebten, die hienieden
Vergebne Sehnsucht, langes Weh bewegt,
Schien matter Traum dem Todten nur beschieden,
Ohnmächtiges Ringen nur ihm auferlegt.
Zerbrochen war die Woge des Genusses
Am Felsen des unendlichen Verdrusses.

Mit kühnem Geist und hoher Sinnenglut
Verschönte sich der Mensch die grause Larve,
Ein sanfter Jüngling löscht das Licht und ruht —
Sanft wird das Ende, wie ein Wehn der Harfe.
Erinnerung schmilzt in kühler Schattenflut,
So sang das Lied dem traurigen Bedarfe.
Doch unenträthselt blieb die ewge Nacht,
Das ernste Zeichen einer fernen Macht.

Zu Ende neigte
Die Alte Welt sich.
Der lustige Garten
Des jungen Geschlechts
Verwelkte
Und hinaus
In den freyeren Raum
Strebten die erwachsenen
Unkindlichen Menschen.
Verschwunden waren die Götter.
Einsam und leblos
Stand die Natur
Entseelt von der strengen Zahl
Und der eisernen Kette
Gesetze wurden.
Und in Begriffe
Wie in Staub und Lüfte
Zerfiel die unermeßliche Blüthe
Des tausendfachen Lebens.
Entflohn war
Der allmächtige Glauben
Und die allverwandelnde
Allverschwisternde
Himmelsgenossinn
Die Fantasie.
Unfreundlich blies
Ein kalter Nordwind
Über die erstarrte Flur
Und die Wunderheymath
Verflog in den Aether
Und des Himmels
Unendliche Fernen
Füllten mit leuchtenden Welten
    sich.
Ins tiefere Heiligthum
In des Gemüths höhern Raum
Zog die Seele der Welt
Mit ihren Mächten
Zu walten dort
Bis zum Anbruch
Des neuen Tags,
Der höhern Weltherrlichkeit.
Nicht mehr war das Licht

Der Götter Aufenthalt
Und himmlisches Zeichen —
Den Schleyer der Nacht
Warfen Sie über sich
Die Nacht ward
Der Offenbarungen
Fruchtbarer Schoos.
Mitten unter den Menschen
Im Volk, das vor allen
Verachtet,
Zu früh reif
Und der seligen Unschuld der
    Jugend
Trotzig fremd geworden war,
Erschien die neue Welt
Mit niegesehnen Angesicht —
In der Armuth
Wunderbarer Hütte —
Ein Sohn der ersten Jungfrau u[nd]
    Mutter —
Geheimnißvoller Umarmung
Unendliche Frucht.
Des Morgenlands
Ahndende, blüthenreiche
Weisheit
Erkannte zuerst
Der neuen Zeit Beginn.
Ein Stern wies ihr den Weg
Zu des Königs
Demüthiger Wiege.
In der weiten Zukunft Namen
Huldigte sie ihm
Mit Glanz u[nd] Duft
Den höchsten Wundern der Natur.
Einsam entfaltete
Das himmlische Herz sich
Zu der Liebe
Glühenden Schoos
Des Vaters hohen Antlitz
    zugewandt —
Und ruhend an dem ahndungs
    selgen Busen
Der lieblichernsten Mutter.

Zu Ende neigte die alte Welt sich. Des jungen Geschlechts Lustgarten verwelkte — hinauf in den freyeren, wüsten Raum strebten die unkindlichen, wachsenden Menschen. Die Götter verschwanden mit ihrem Gefolge — Einsam und leblos stand die Natur. Mit eiserner Kette band sie die dürre Zahl und das strenge Maaß. Wie in Staub und Lüfte zerfiel in dunkle Worte die unermeßliche Blüthe des Lebens. Entflohn war der beschwörende Glauben, und die allverwandelnde, allverschwisternde Himmelsgenossin, die Fantasie. Unfreundlich blies ein kalter Nordwind über die erstarrte Flur, und die erstarrte Wunderheymath verflog in den Aether. Des Himmels Fernen füllten mit leuchtenden Welten sich. Ins tiefre Heiligthum, in des Gemüths höhern Raum zog mit ihren Mächten die Seele der Welt — zu walten dort bis zum Anbruch der tagenden Weltherrlichkeit. Nicht mehr war das Licht der Götter Aufenthalt und himmlisches Zeichen — den Schleyer der Nacht warfen sie über sich. Die Nacht ward der Offenbarungen mächtiger Schoos — in ihn kehrten die Götter zurück — schlummerten ein, um in neuen herrlichern Gestalten auszugehn über die veränderte Welt. Im Volk, das vor allen verachtet zu früh reif und der seligen Unschuld der Jugend trotzig fremd geworden war, erschien mit niegesehenem Angesicht die neue Welt — In der Armuth dichterischer Hütte — Ein Sohn der ersten Jungfrau und Mutter — Geheimnißvoller Umarmung unendliche Frucht. Des Morgenlands ahndende, blüt[h]enreiche Weisheit erkannte zuerst der neuen Zeit Beginn — Zu des Königs demüthiger Wiege wies ihr ein Stern den Weg. In der weiten Zukunft Namen huldigten sie ihm mit Glanz und Duft, den höchsten Wundern der Natur. Einsam entfaltete das himmlische Herz sich zu einem Blüthenkelch allmächtger Liebe — des Vaters hohem Antlitz zugewandt und ruhend an dem ahndungsselgen Busen der lieblich ernsten Mutter. Mit vergötternder Inbrunst schaute das

Mit vergötternder Inbrunst
Schaute das weissagende Auge
Des blühenden Kindes
Auf die Tage der Zukunft,
Nach seinen Geliebten,
Den Sprossen seines Götterstamms,
Unbekümmert über seiner Tage
Irrdisches Schicksal.
Bald sammelten die kindlichsten
     Gemüther
Von allmächtiger Liebe
Wundersam ergriffen
Sich um ihn her.
Wie Blumen keimte

Ein neues, fremdes Leben
In seiner Nähe —
Unerschöpfliche Worte
Und der Botschaften Fröhligste
Fielen wie Funken
Eines göttlichen Geistes
Von seinen freundlichen Lippen.
Von ferner Küste
Unter Hellas
Heitern Himmel geboren
Kam ein Sänger
Nach Palaestina.
Und ergab sein ganzes Herz
Dem Wunderkinde:

Der Jüngling bist du, der seit langer Zeit
Auf unsren Gräbern steht in tiefen Sinnen —
Ein tröstlich Zeichen in der Dunkelheit
Der höhern Menschheit freudiges Beginnen.
Was uns gesenkt in tiefe Traurigkeit
Zieht uns mit süßer Sehnsucht nun vonhinnen.
Im Tode ward das ewge Leben kund —
Du bist der Tod und machst uns erst gesund.

Der Sänger zog
Voll Freudigkeit
Nach Indostan
Und nahm ein Herz
Voll ewger Liebe mit,
Und schüttete
In feurigen Gesängen
Es unter jenem milden Himmel aus
Der traulicher
An die Erde sich schmiegt,
Daß tausend Herzen
Sich zu ihm neigten
Und die frölige Botschaft
Tausendzweigig emporwuchs.
Bald nach des Sängers Abschied
Ward das köstliche Leben
Ein Opfer des menschlichen
Tiefen Verfalls —
Er starb in jungen Jahren

Weggerissen
Von der geliebten Welt
Von der weinenden Mutter
Und seinen Freunden.
Der unsäglichen Leiden
Dunkeln Kelch
Leerte der heilige Mund,
In entsezlicher Angst
Naht't ihm die Stunde der Geburt
Der neuen Welt.
Hart rang er mit des alten
                    Todes Schrecken
Schwer lag der Druck der alten
     Welt auf ihn
Noch einmal sah er freundlich
     nach der Mutter —
Da kam der ewigen Liebe
Lösende Hand —
Und er entschlief.

weissagende Auge des blühenden Kindes auf die Tage der Zukunft, nach seinen Geliebten, den Sprossen seines Götterstamms, unbekümmert über seiner Tage irdisches Schicksal. Bald sammelten die kindlichsten Gemüther von inniger Liebe wundersam ergriffen sich um ihn her. Wie Blumen keimte ein neues fremdes Leben in seiner Nähe. Unerschöpfliche Worte und der Botschaften fröhlichste fielen wie Funken eines göttlichen Geistes von seinen freundlichen Lippen. Von ferner Küste, unter Hellas heiterm Himmel geboren, kam ein Sänger nach Palästina und ergab sein ganzes Herz dem Wunderkinde:

> Der Jüngling bist du, der seit langer Zeit
> Auf unsern Gräbern steht in tiefen Sinnen;
> Ein tröstlich Zeichen in der Dunkelheit —
> Der höhern Menschheit freudiges Beginnen.
> Was uns gesenkt in tiefe Traurigkeit
> Zieht uns mit süßer Sehnsucht nun von hinnen.
> Im Tode ward das ewge Leben kund,
> Du bist der Tod und machst uns erst gesund.

Der Sänger zog voll Freudigkeit nach Indostan — das Herz von süßer Liebe trunken; und schüttete in feurigen Gesängen es unter jenem milden Himmel aus, daß tausend Herzen sich zu ihm neigten, und die fröhliche Botschaft tausendzweigig emporwuchs. Bald nach des Sängers Abschied ward das köstliche Leben ein Opfer des menschlichen tiefen Verfalls — Er starb in jungen Jahren, weggerissen von der geliebten Welt, von der weinenden Mutter und seinen zagenden Freunden. Der unsäglichen Leiden dunkeln Kelch leerte der liebliche Mund — In entsetzlicher Angst nahte die Stunde der Geburt der neuen Welt. Hart rang er mit des alten Todes Schrecken — Schwer lag der Druck der alten Welt auf ihm. Noch einmal sah er freundlich nach der Mutter — da kam der ewigen Liebe lösende Hand — und er entschlief.

Nur wenig Tage
Hieng ein tiefer Schleyer
Über das brausende Meer — über
  das finstre bebende Land
Unzählige Thränen
Weinten die Geliebten.
Entsiegelt ward das Geheimniß
Himmlische Geister hoben
Den uralten Stein
Vom dunklen Grabe —
Engel saßen bey dem Schlum-
  mernden,
Lieblicher Träume
Zartes Sinnbild.
Er stieg in neuer Götter
  herrlichkeit
Erwacht auf die Höhe
Der verjüngten, neugebornen Welt
Begrub mit eigner Hand
Die alte mit ihm gestorbne Welt
In die verlaßne Höhle
Und legte mit allmächtiger Kraft
Den Stein, den keine Macht erhebt,
  darauf.
Noch weinen deine Lieben
Thränen der Freude
Thränen der Rührung
Und des unendlichen Danks
An deinem Grabe —
Sehn dich noch immer
Freudig erschreckt

Auferstehn
Und sich mit dir —
Mit süßer Inbrunst
Weinen an der Mutter
Seligen Busen
Und an der Freunde
Treuem Herzen —
Eilen mit voller Sehnsucht
In des Vaters Arm
Bringend die junge
Kindliche Menschheit
Und der goldnen Zukunft
Unversieglichen Trank.
Die Mutter eilte bald dir nach
In himmlischen Triumpf —
Sie war die Erste
In der neuen Heymath
Bey dir.
Lange Zeiten
Entflossen seitdem
Und in immer höhern Glanze
Regte deine neue Schöpfung sich
Und Tausende zogen
Aus Schmerzen u[nd] Qualen
Voll Glauben und Sehnsucht
Und Treue dir nach.
Und walten mit dir
Und der himmlischen Jungfrau
Im Reiche der Liebe;
Und dienen im Tempel
Des himmlischen Todes.

Gehoben ist der Stein
Die Menschheit ist erstanden
Wir alle bleiben dein
Und fühlen keine Banden
Der herbste Kummer fleucht
2. Vor deiner goldnen Schaale
1. Im lezten Abendmale
Wenn Erd und Leben weicht.

Nur wenig Tage hing ein tiefer Schleyer über das brausende Meer, über das bebende Land — unzählige Thränen weinten die Geliebten — Entsiegelt ward das Geheimniß — himmlische Geister hoben den uralten Stein vom dunkeln Grabe. Engel saßen bey dem Schlummernden — aus seinen Träumen zartgebildet — Erwacht in neuer Götterherrlichkeit erstieg er die Höhe der neugebornen Welt — begrub mit eigner Hand der Alten Leichnam in die verlaßne Höhle, und legte mit allmächtiger Hand den Stein, den keine Macht erhebt, darauf.

Noch weinen deine Lieben Thränen der Freude, Thränen der Rührung und des unendlichen Danks an deinem Grabe — sehn dich noch immer, freudig erschreckt, auferstehn — und sich mit dir; sehn dich weinen mit süßer Inbrunst an der Mutter seligem Busen, ernst mit den Freunden wandeln, Worte sagen, wie vom Baum des Lebens gebrochen; sehen dich eilen mit voller Sehnsucht in des Vaters Arm, bringend die junge Menschheit, und der goldnen Zukunft unversieglichen Becher. Die Mutter eilte bald dir nach — in himmlischem Triumf — Sie war die Erste in der neuen Heymath bey dir. Lange Zeiten entflossen seitdem, und in immer höherm Glanze regte deine neue Schöpfung sich — und tausende zogen aus Schmerzen und Qualen, voll Glauben und Sehnsucht und Treue dir nach — wallen mit dir und der himmlischen Jungfrau im Reiche der Liebe — dienen im Tempel des himmlischen Todes und sind in Ewigkeit dein.

> Gehoben ist der Stein —
> Die Menschheit ist erstanden —
> Wir alle bleiben dein
> Und fühlen keine Banden.
> Der herbste Kummer fleucht
> Vor deiner goldnen Schaale,
> Wenn Erd und Leben weicht
> Im letzten Abendmahle.

Zur Hochzeit ruft der Tod
Die Lampen brennen helle
Die Jungfraun sind zur Stelle
Um Oel ist keine Noth.
Erklänge doch die Ferne
Von deinem Zuge schon
Und ruften uns die Sterne
Mit Menschenzung und Ton.

Nach dir, Maria, heben
Schon tausend Herzen sich
In diesem Schattenleben
Verlangten sie nur dich.
Sie hoffen zu genesen
Mit ahndungsvoller Lust
Drückst du sie, heiliges Wesen
An deine treue Brust.

So manche die sich glühend
In bittrer Qual verzehrt
Und dieser Welt entfliehend
Nur dir sich zugekehrt
Die hülfreich uns erschienen
In mancher Noth und Pein —
Wir kommen nun zu ihnen
Um ewig da zu seyn.

Nun weint an keinem Grabe
Für Schmerz, wer liebend glaubt.
Der Liebe süße Habe
Wird keinem nicht geraubt.
Von treuen Himmelskindern
Wird ihm sein Herz bewacht
Die Sehnsucht ihm zu lindern
Begeistert ihn die Nacht.

Zur Hochzeit ruft der Tod —
Die Lampen brennen helle —
Die Jungfraun sind zur Stelle —
Um Oel ist keine Noth —
Erklänge doch die Ferne
Von deinem Zuge schon,
Und ruften uns die Sterne
Mit Menschenzung' und Ton.

Nach dir, Maria, heben
Schon tausend Herzen sich.
In diesem Schattenleben
Verlangten sie nur dich.
Sie hoffen zu genesen
Mit ahndungsvoller Lust —
Drückst du sie, heilges Wesen,
An deine treue Brust.

So manche, die sich glühend
In bittrer Qual verzehrt
Und dieser Welt entfliehend
Nach dir sich hingekehrt;
Die hülfreich uns erschienen
In mancher Noth und Pein —
Wir kommen nun zu ihnen
Um ewig da zu seyn.

Nun weint an keinem Grabe,
Für Schmerz, wer liebend glaubt,
Der Liebe süße Habe
Wird keinem nicht geraubt —
Die Sehnsucht ihm zu lindern,
Begeistert ihn die Nacht —
Von treuen Himmelskindern
Wird ihm sein Herz bewacht.

Getrost das Leben schreitet
Zum ewgen Leben hin
Von innrer Glut geweitet
Verklärt sich unser Sinn.
Die Sternwelt wird zerfließen
zum goldnen Lebens Wein
Wir werden sie genießen
Und lichte Sterne seyn.

Die Lieb' ist frey gegeben
Und keine Trennung mehr
Es wogt das volle Leben
Wie ein unendlich Meer —
Nur Eine Nacht der Wonne
Ein ewiges Gedicht —
Und unser aller Sonne
Ist Gottes Angesicht.

———————

Hinunter in der Erde Schoos
Weg aus des Lichtes Reichen
Der Schmerzen Wuth und wilder Stoß
Ist froher Abfahrt Zeichen.
Wir kommen in dem engen Kahn
Geschwind am Himmelsufer an.

Gelobt sey uns die ewge Nacht,
Gelobt der ewge Schlummer,
Wohl hat der Tag uns warm gemacht
Und welck der lange Kummer.
Die Lust der Fremde gieng uns aus.
Zum Vater wollen wir nach Haus.

Getrost, das Leben schreitet
Zum ewgen Leben hin;
Von innrer Glut geweitet
Verklärt sich unser Sinn.
Die Sternwelt wird zerfließen
Zum goldnen Lebenswein,
Wir werden sie genießen
Und lichte Sterne seyn.

Die Lieb' ist frey gegeben,
Und keine Trennung mehr.
Es wogt das volle Leben
Wie ein unendlich Meer.
Nur Eine Nacht der Wonne —
Ein ewiges Gedicht —
Und unser aller Sonne
Ist Gottes Angesicht.

6.

SEHNSUCHT NACH DEM TODE

Hinunter in der Erde Schooß,
Weg aus des Lichtes Reichen,
Der Schmerzen Wuth und wilder Stoß
Ist froher Abfahrt Zeichen.
Wir kommen in dem engen Kahn
Geschwind am Himmelsufer an.

Gelobt sey uns die ewge Nacht,
Gelobt der ewge Schlummer.
Wohl hat der Tag uns warm gemacht,
Und welk der lange Kummer.
Die Lust der Fremde ging uns aus,
Zum Vater wollen wir nach Haus.

Was sollen wir auf dieser Welt
Mit unsrer Lieb' u[nd] Treue —
Das Alte wird hintangestellt,
Was kümmert uns das Neue.
O! einsam steht und tiefbetrübt
Wer heiß und fromm die Vorzeit liebt.

3

Die Vorzeit, wo in Jugendglut
Gott selbst sich kundgegeben
Und frühem Tod in Liebesmuth
Geweiht sein süßes Leben
Und Angst und Schmerz nicht von sich trieb
Damit er uns nur theuer blieb.

2

Die Vorzeit wo an Blüthen reich
Uralte Stämme prangten,
Und Kinder für das Himmelreich
Nach Tod u[nd] Qual verlangten
Und wenn auch Lust u[nd] Leben sprach
Doch manches Herz für Liebe brach.

1

Die Vorzeit wo die Sinne licht
In hohen Flammen brannten,
Des Vaters Hand und Angesicht
Die Menschen noch erkannten,
Und hohen Sinns, einfältiglich
Noch mancher seinem Urbild glich.

Mit banger Sehnsucht sehn wir sie
In dunkle Nacht gehüllet
Und hier auf dieser Welt wird nie
Der heiße Durst gestillet.
Wir müssen nach der Heymath gehn
Um diese heilge Zeit zu sehn.

Was sollen wir auf dieser Welt
Mit unsrer Lieb' und Treue.
Das Alte wird hintangestellt,
Was soll uns dann das Neue.
O! einsam steht und tiefbetrübt,
Wer heiß und fromm die Vorzeit liebt.

Die Vorzeit wo die Sinne licht
In hohen Flammen brannten,
Des Vaters Hand und Angesicht
Die Menschen noch erkannten.
Und hohen Sinns, einfältiglich
Noch mancher seinem Urbild glich.

Die Vorzeit, wo noch blüthenreich
Uralte Stämme prangten,
Und Kinder für das Himmelreich
nach Quaal und Tod verlangten.
Und wenn auch Lust und Leben sprach,
Doch manches Herz für Liebe brach.

Die Vorzeit, wo in Jugendglut
Gott selbst sich kundgegeben
Und frühem Tod in Liebesmuth
Geweiht sein süßes Leben.
Und Angst und Schmerz nicht von sich trieb,
Damit er uns nur theuer blieb.

Mit banger Sehnsucht sehn wir sie
In dunkle Nacht gehüllet,
In dieser Zeitlichkeit wird nie
Der heiße Durst gestillet.
Wir müssen nach der Heymath gehn,
Um diese heilge Zeit zu sehn.

Was hält noch unsre Rückkehr auf —
Die Liebsten ruhn schon lange
Ihr Grab schließt unsern Lebenslauf
Nun wird uns weh und bange.
Zu suchen haben wir nichts mehr —
Das Herz ist satt, die Welt ist leer.

Unendlich und geheimnißvoll
Durchströmt uns süßer Schauer
Mir däucht aus tiefen Fernen scholl
Ein Echo unsrer Trauer
Die Lieben sehnen sich wol auch
Und sandten uns der Sehnsucht Hauch.

Hinunter zu der süßen Braut,
Zu Jesus dem Geliebten,
Getrost die Abenddämmrung graut
Den Liebenden Betrübten.
Ein Traum bricht unsre Banden los
Und senkt uns in des Vaters Schoos.

———————

Was hält noch unsre Rückkehr auf,
Die Liebsten ruhn schon lange.
Ihr Grab schließt unsern Lebenslauf,
Nun wird uns weh und bange.
Zu suchen haben wir nichts mehr —
Das Herz ist satt — die Welt ist leer.

Unendlich und geheimnißvoll
Durchströmt uns süßer Schauer —
Mir däucht, aus tiefen Fernen scholl
Ein Echo unsrer Trauer.
Die Lieben sehnen sich wohl auch
Und sandten uns der Sehnsucht Hauch.

Hinunter zu der süßen Braut,
Zu Jesus, dem Geliebten —
Getrost, die Abenddämmrung graut
Den Liebenden, Betrübten.
Ein Traum bricht unsre Banden los
Und senkt uns in des Vaters Schooß.

1.

Der Bruder Karl an Novalis in Tennstedt

Lucklum. d. 11ten May 1797.

Ich kenne keine prächtigere Natur Scene als ein Gewitter; eben als ich Dir schreiben wollte, zog ein solches fürchterliches Phänomen bey uns vorüber, doch iezt ist es vorbey, der Donner rollt nur noch fern, und der Himmel ist wieder völlig heiter; die furchtbar dunkeln Wolken standen meinem Fenster gerade gegenüber, nur am äußersten Ende des Horizonts lief ein glänzender, lichtblauer schmaler Streif hin, wie ein schöner Gedanke eines künftigen glücklichen Lebens. — Mit wahrer Heiterkeit konnte ich an den plözlichen Tod durch den Blitz denken, er schien mir so schneller, so ein sanfter Uebergang, daß ich den Wunsch nach ihm für erlaubt gehalten hätte; Ein Augenblik, und man wär — *Dort*, lieber guter Friz, in der ewigen Umarmung unserer Geliebten. Schon, den Gedanken einer Ewigkeit denken zu können, halte ich für einen unendlichen Reichthum des Menschen.

2.

Nach Tisch gieng ich spatzieren — dann Kaffee — das Wetter trübte sich — erst Gewitter dann wolkig und stürmisch — sehr lüstern — ich fieng an in Shakesp[eare] zu lesen — ich las mich recht hinein. Abends gieng ich zu Sophieen. Dort war ich unbeschreiblich freudig — aufblitzende Enthusiasmus Momente — Das Grab blies ich wie Staub, vor mir hin — Jahrhunderte waren wie Momente — ihre Nähe war fühlbar — ich glaubte, sie solle immer vortreten — Wie ich nach Hause kam — hatte ich einige Rührungen im Gespräch mit Machere . . . Abends hatte ich noch einige gute Ideen. Shakespeare gab mir viel zu dencken.

(Tagebuch nach Sophieens Tod, 13. Mai 1797)

Heinrich von Ofterdingen

EIN

NACHGELASSENER ROMAN

VON

NOVALIS

———

ZWEI THEILE

———————————

Berlin 1802

In der Buchhandlung der Realschule.

ZUEIGNUNG

Du hast in mir den edeln Trieb erregt
   Tief ins Gemüth der weiten Welt zu schauen;
   Mit deiner Hand ergriff mich ein Vertrauen,
   Das sicher mich durch alle Stürme trägt.

Mit Ahndungen hast du das Kind gepflegt,
   Und zogst mit ihm durch fabelhafte Auen;
   Hast, als das Urbild zartgesinnter Frauen,
   Des Jünglings Herz zum höchsten Schwung bewegt.

Was fesselt mich an irdische Beschwerden?
   Ist nicht mein Herz und Leben ewig Dein?
   Und schirmt mich Deine Liebe nicht auf Erden?

Ich darf für Dich der edlen Kunst mich weihn;
   Denn Du, Geliebte, willst die Muse werden,
   Und stiller Schutzgeist meiner Dichtung seyn.

In ewigen Verwandlungen begrüßt
   Uns des Gesangs geheime Macht hienieden,
   Dort segnet sie das Land als ew'ger Frieden,
   Indeß sie hier als Jugend uns umfließt.

Sie ist's, die Licht in unsre Augen gießt,
   Die uns den Sinn für jede Kunst beschieden,
   Und die das Herz der Frohen und der Müden
   In trunkner Andacht wunderbar genießt.

An ihrem vollen Busen trank ich Leben;
   Ich ward durch sie zu allem, was ich bin,
   Und durfte froh mein Angesicht erheben.

Noch schlummerte mein allerhöchster Sinn;
   Da sah ich sie als Engel zu mir schweben,
   Und flog, erwacht, in ihrem Arm dahin.

HEINRICH VON OFTERDINGEN

DIE ERWARTUNG

ERSTES KAPITEL

Die Eltern lagen schon und schliefen, die Wanduhr schlug ihren einförmigen Takt, vor den klappernden Fenstern sauste der Wind; abwechselnd wurde die Stube hell von dem Schimmer des Mondes. Der Jüngling lag unruhig auf seinem Lager, und gedachte des Fremden und seiner Erzählungen. Nicht die Schätze sind es, die ein so unaussprechliches Verlangen in mir geweckt haben, sagte er zu sich selbst; fern ab liegt mir alle Habsucht: aber die blaue Blume sehn' ich mich zu erblicken. Sie liegt mir unaufhörlich im Sinn, und ich kann nichts anders dichten und denken. So ist mir noch nie zu Muthe gewesen: es ist, als hätt' ich vorhin geträumt, oder ich wäre in eine andere Welt hinübergeschlummert; denn in der Welt, in der ich sonst lebte, wer hätte da sich um Blumen bekümmert, und gar von einer so seltsamen Leidenschaft für eine Blume hab' ich damals nie gehört. Wo eigentlich nur der Fremde herkam? Keiner von uns hat je einen ähnlichen Menschen gesehn; doch weiß ich nicht, warum nur ich von seinen Reden so ergriffen worden bin; die Andern haben ja das Nämliche gehört, und Keinem ist so etwas begegnet. Daß ich auch nicht einmal von meinem wunderlichen Zustande reden kann! Es ist mir oft so entzückend wohl, und nur dann, wenn ich die Blume nicht recht gegenwärtig habe, befällt mich so ein tiefes, inniges Treiben: das kann und wird Keiner verstehn. Ich glaubte, ich wäre wahnsinnig, wenn ich nicht so klar und hell sähe und dächte, mir ist seitdem alles viel bekannter. Ich hörte einst von alten Zeiten reden; wie da die Thiere und Bäume und Felsen mit den Menschen gesprochen hätten. Mir ist grade so, als wollten sie allaugenblicklich anfangen, und als könnte ich es ihnen ansehen, was sie mir sagen wollten. Es muß noch viel Worte geben, die ich nicht weiß: wüßte ich mehr, so könnte ich viel besser alles begreifen.

Sonst tanzte ich gern; jezt denke ich lieber nach der Musik. Der
Jüngling verlohr sich allmählich in süßen Fantasien und entschlum-
merte. Da träumte ihm erst von unabsehlichen Fernen, und wilden,
unbekannten Gegenden. Er wanderte über Meere mit unbegreiflicher
Leichtigkeit; wunderliche Thiere sah er; er lebte mit mannichfaltigen
Menschen, bald im Kriege, in wildem Getümmel, in stillen Hütten. Er
gerieth in Gefangenschaft und die schmählichste Noth. Alle Empfindungen stiegen bis zu einer niegekannten Höhe in ihm. Er durchlebte
ein unendlich buntes Leben; starb und kam wieder, liebte bis zur
höchsten Leidenschaft, und war dann wieder auf ewig von seiner Geliebten getrennt. Endlich gegen Morgen, wie draußen die Dämmerung anbrach, wurde es stiller in seiner Seele, klarer und bleibender
wurden die Bilder. Es kam ihm vor, als ginge er in einem dunkeln
Walde allein. Nur selten schimmerte der Tag durch das grüne Netz.
Bald kam er vor eine Felsenschlucht, die bergan stieg. Er mußte über
bemooste Steine klettern, die ein ehemaliger Strom herunter gerissen
hatte. Je höher er kam, desto lichter wurde der Wald. Endlich ge-
langte er zu einer kleinen Wiese, die am Hange des Berges lag. Hinter
der Wiese erhob sich eine hohe Klippe, an deren Fuß er eine Öefnung
erblickte, die der Anfang eines in den Felsen gehauenen Ganges zu
seyn schien. Der Gang führte ihn gemächlich eine Zeitlang eben fort,
bis zu einer großen Weitung, aus der ihm schon von fern ein helles
Licht entgegen glänzte. Wie er hineintrat, ward er einen mächtigen
Strahl gewahr, der wie aus einem Springquell bis an die Decke des
Gewölbes stieg, und oben in unzählige Funken zerstäubte, die sich
unten in einem großen Becken sammelten; der Strahl glänzte wie ent-
zündetes Gold; nicht das mindeste Geräusch war zu hören, eine heilige Stille umgab das herrliche Schauspiel. Er näherte sich dem Becken,
das mit unendlichen Farben wogte und zitterte. Die Wände der Höhle
waren mit dieser Flüssigkeit überzogen, die nicht heiß, sondern kühl
war, und an den Wänden nur ein mattes, bläuliches Licht von sich
warf. Er tauchte seine Hand in das Becken und benetzte seine Lippen.
Es war, als durchdränge ihn ein geistiger Hauch, und er fühlte sich
innigst gestärkt und erfrischt. Ein unwiderstehliches Verlangen ergriff ihn sich zu baden, er entkleidete sich und stieg in das Becken. Es
dünkte ihn, als umflösse ihn eine Wolke des Abendroths; eine himm-

lische Empfindung überströmte sein Inneres; mit inniger Wollust
strebten unzählbare Gedanken in ihm sich zu vermischen; neue, nie-
gesehene Bilder entstanden, die auch in einander flossen und zu sichtbaren Wesen um ihn wurden, und jede Welle des lieblichen Elements
schmiegte sich wie ein zarter Busen an ihn. Die Flut schien eine Auflösung reizender Mädchen, die an dem Jünglinge sich augenblicklich
verkörperten.

Berauscht von Entzücken und doch jedes Eindrucks bewußt, schwamm
er gemach dem leuchtenden Strome nach, der aus dem Becken in den
Felsen hineinfloß. Eine Art von süßem Schlummer befiel ihn, in welchem er unbeschreibliche Begebenheiten träumte, und woraus ihn eine
andere Erleuchtung weckte. Er fand sich auf einem weichen Rasen
am Rande einer Quelle, die in die Luft hinausquoll und sich darin zu
verzehren schien. Dunkelblaue Felsen mit bunten Adern erhoben sich
in einiger Entfernung; das Tageslicht [,] das ihn umgab, war heller
und milder als das gewöhnliche, der Himmel war schwarzblau und völlig rein. Was ihn aber mit voller Macht anzog, war eine hohe lichtblaue
Blume, die zunächst an der Quelle stand, und ihn mit ihren breiten,
glänzenden Blättern berührte. Rund um sie her standen unzählige
Blumen von allen Farben, und der köstlichste Geruch erfüllte die Luft.
Er sah nichts als die blaue Blume, und betrachtete sie lange mit un-
nennbarer Zärtlichkeit. Endlich wollte er sich ihr nähern, als sie auf
einmal sich zu bewegen und zu verändern anfing; die Blätter wurden
glänzender und schmiegten sich an den wachsenden Stengel, die Blume
neigte sich nach ihm zu, und die Blüthenblätter zeigten einen blauen
ausgebreiteten Kragen, in welchem ein zartes Gesicht schwebte. Sein
süßes Staunen wuchs mit der sonderbaren Verwandlung, als ihn plötzlich die Stimme seiner Mutter weckte, und er sich in der elterlichen
Stube fand, die schon die Morgensonne vergoldete. Er war zu entzückt,
um unwillig über diese Störung zu seyn; vielmehr bot er seiner Mutter
freundlich guten Morgen und erwiederte ihre herzliche Umarmung.

Du Langschläfer, sagte der Vater, wie lange sitze ich schon hier,
und feile. Ich habe deinetwegen nichts hämmern dürfen; die Mutter
wollte den lieben Sohn schlafen lassen. Aufs Frühstück habe ich auch
warten müssen. Klüglich hast du den Lehrstand erwählt, für den wir
wachen und arbeiten. Indeß ein tüchtiger Gelehrter, wie ich mir habe

sagen lassen, muß auch Nächte zu Hülfe nehmen, um die großen Werke der weisen Vorfahren zu studiren.   Lieber Vater, antwortete Heinrich, werdet nicht unwillig über meinen langen Schlaf, den ihr sonst nicht an mir gewohnt seid. Ich schlief erst spät ein, und habe viele unruhige Träume gehabt, bis zuletzt ein anmuthiger Traum mir erschien, den ich lange nicht vergessen werde, und von dem mich dünkt, als sey es mehr als bloßer Traum gewesen.   Lieber Heinrich, sprach die Mutter, du hast dich gewiß auf den Rücken gelegt, oder beim Abendsegen fremde Gedanken gehabt. Du siehst auch noch ganz wunderlich aus. Iß und trink, daß du munter wirst.

Die Mutter ging hinaus, der Vater arbeitete emsig fort und sagte: Träume sind Schäume, mögen auch die hochgelahrten Herren davon denken, was sie wollen, und du thust wohl, wenn du dein Gemüth von dergleichen unnützen und schädlichen Betrachtungen abwendest. Die Zeiten sind nicht mehr, wo zu den Träumen göttliche Gesichte sich gesellten, und wir können und werden es nicht begreifen, wie es jenen auserwählten Männern, von denen die Bibel erzählt, zu Muthe gewesen ist. Damals muß es eine andere Beschaffenheit mit den Träumen gehabt haben, so wie mit den menschlichen Dingen.

In dem Alter der Welt, wo wir leben, findet der unmittelbare Verkehr mit dem Himmel nicht mehr Statt. Die alten Geschichten und Schriften sind jetzt die einzigen Quellen, durch die uns eine Kenntniß von der überirdischen Welt, so weit wir sie nöthig haben, zu Theil wird; und statt jener ausdrücklichen Offenbarungen redet jetzt der heilige Geist mittelbar durch den Verstand kluger und wohlgesinnter Männer und durch die Lebensweise und die Schicksale frommer Menschen zu uns. Unsre heutigen Wunderbilder haben mich nie sonderlich erbaut, und ich habe nie jene großen Thaten geglaubt, die unsre Geistlichen davon erzählen. Indeß mag sich daran erbauen, wer will, und ich hüte mich wohl jemanden in seinem Vertrauen irre zu machen. — Aber, lieber Vater, aus welchem Grunde seyd Ihr so den Träumen entgegen, deren seltsame Verwandlungen und leichte zarte Natur doch unser Nachdenken gewißlich rege machen müssen? Ist nicht jeder, auch der verworrenste Traum, eine sonderliche Erscheinung, die auch ohne noch an göttliche Schickung dabey zu denken, ein bedeutsamer Riß in den geheimnißvollen Vorhang ist, der mit tausend Falten in unser In-

neres hereinfällt? In den weisesten Büchern findet man unzählige
Traumgeschichten von glaubhaften Menschen, und erinnert Euch nur
noch des Traums, den uns neulich der ehrwürdige Hofkaplan erzählte,
und der Euch selbst so merkwürdig vorkam.

Aber, auch ohne diese Geschichten, wenn Ihr zuerst in Eurem Leben
einen Traum hättet, wie würdet Ihr nicht erstaunen, und Euch die
Wunderbarkeit dieser uns nur alltäglich gewordenen Begebenheit gewiß nicht abstreiten lassen! Mich dünkt der Traum eine Schutzwehr
gegen die Regelmäßigkeit und Gewöhnlichkeit des Lebens, eine freye
Erholung der gebundenen Fantasie, wo sie alle Bilder des Lebens
durcheinanderwirft, und die beständige Ernsthaftigkeit des erwachsenen Menschen durch ein fröhliches Kinderspiel unterbricht. Ohne
die Träume würden wir gewiß früher alt, und so kann man den
Traum, wenn auch nicht als unmittelbar von oben gegeben, doch als
eine göttliche Mitgabe, einen freundlichen Begleiter auf der Wallfahrt zum heiligen Grabe betrachten. Gewiß ist der Traum, den ich
heute Nacht träumte, kein unwirksamer Zufall in meinem Leben gewesen, denn ich fühle es, daß er in meine Seele wie ein weites Rad hin-
eingreift, und sie in mächtigem Schwunge forttreibt.

Der Vater lächelte freundlich und sagte, indem er die Mutter, die eben
hereintrat, ansah: Mutter, Heinrich kann die Stunde nicht verläug-
nen, durch die er in der Welt ist. In seinen Reden kocht der feurige
wälsche Wein, den ich damals von Rom mitgebracht hatte, und der
unsern Hochzeitsabend verherrlichte. Damals war ich auch noch ein
andrer Kerl. Die südliche Luft hatte mich aufgethaut, von Muth und
Lust floß ich über, und du warst auch ein heißes köstliches Mädchen.
Bey Deinem Vater gings damals herrlich zu; Spielleute und Sänger
waren weit und breit herzugekommen, und lange war in *Augsburg*
keine lustigere Hochzeit gefeyert worden.

Ihr spracht vorhin von Träumen, sagte die Mutter, weißt du wohl,
daß du mir damals auch von einem Traume erzähltest, den du in Rom
gehabt hattest, und der dich zuerst auf den Gedanken gebracht, zu
uns nach Augsburg zu kommen, und um mich zu werben?   Du
erinnerst mich eben zur rechten Zeit, sagte der Alte; ich habe diesen seltsamen Traum ganz vergessen, der mich damals lange genug
beschäftigte; aber eben er ist mir ein Beweis dessen, was ich von den

Träumen gesagt habe. Es ist unmöglich einen geordneteren und helle-
ren zu haben; noch jetzt entsinne ich mich jedes Umstandes ganz genau; und doch, was hat er bedeutet? Daß ich von dir träumte, und
mich bald darauf von Sehnsucht ergriffen fühlte, dich zu besitzen, war
ganz natürlich: denn ich kannte dich schon. Dein freundliches holdes
Wesen hatte mich gleich anfangs lebhaft gerührt, und nur die Lust
nach der Fremde hielt damals meinen Wunsch nach deinem Besitz
noch zurück. Um die Zeit des Traums war meine Neugierde schon
ziemlich gestillt, und nun konnte die Neigung leichter durchdringen.

Erzählt uns doch jenen seltsamen Traum, sagte der Sohn.   Ich
war eines Abends, fing der Vater an, umhergestreift. Der Himmel
war rein, und der Mond bekleidete die alten Säulen und Mauern mit
seinem bleichen schauerlichen Lichte. Meine Gesellen gingen den
Mädchen nach, und mich trieb das Heimweh und die Liebe ins Freye.
Endlich ward ich durstig und ging ins erste beste Landhaus hinein,
um einen Trunk Wein oder Milch zu fordern. Ein alter Mann kam
heraus, der mich wohl für einen verdächtigen Besuch halten mochte.
Ich trug ihm mein Anliegen vor; und als er erfuhr, daß ich ein Aus-
länder und ein Deutscher sey, lud er mich freundlich in die Stube und
brachte eine Flasche Wein. Er hieß mich niedersetzen, und fragte mich
nach meinem Gewerbe. Die Stube war voll Bücher und Alterthümer.
Wir geriethen in ein weitläufiges Gespräch; er erzählte mir viel von
alten Zeiten, von Mahlern, Bildhauern und Dichtern. Noch nie hatte
ich so davon reden hören. Es war mir, als sey ich in einer neuen Welt
ans Land gestiegen. Er wies mir Siegelsteine und andre alte Kunst-
arbeiten; dann las er mir mit lebendigem Feuer herrliche Gedichte
vor, und so verging die Zeit, wie ein Augenblick. Noch jetzt heitert
mein Herz sich auf, wenn ich mich des bunten Gewühls der wunderlichen Gedanken und Empfindungen erinnere, die mich in dieser
Nacht erfüllten. In den heidnischen Zeiten war er wie zu Hause, und
sehnte sich mit unglaublicher Inbrunst in dies graue Alterthum zurück.
Endlich wies er mir eine Kammer an, wo ich den Rest der Nacht zu-
bringen könnte, weil es schon zu spät sey, um noch zurückzukehren.
Ich schlief bald, und da dünkte michs ich sey in meiner Vaterstadt und
wanderte aus dem Thore. Es war, als müßte ich irgend wohin gehn, um

etwas zu bestellen, doch wußte ich nicht wohin, und was ich verrichten
solle. Ich ging nach dem Harze mit überaus schnellen Schritten, und
wohl war mir, als sey es zur Hochzeit. Ich hielt mich nicht auf dem
Wege, sondern immer feldein durch Thal und Wald, und bald kam ich
an einen hohen Berg. Als ich oben war, sah ich die goldne Aue vor
mir, und überschaute Thüringen weit und breit, also daß kein Berg in
der Nähe umher mir die Aussicht wehrte. Gegenüber lag der Harz
mit seinen dunklen Bergen, und ich sah unzählige Schlösser, Klöster
und Ortschaften. Wie mir nun da recht wohl innerlich ward, fiel mir
der alte Mann ein, bei dem ich schlief, und es gedäuchte mir, als sey
das vor geraumer Zeit geschehn, daß ich bey ihm gewesen sey. Bald ge-
wahrte ich eine Stiege, die in den Berg hinein ging, und ich machte
mich hinunter. Nach langer Zeit kam ich in eine große Höhle, da saß
ein Greis in einem langen Kleide vor einem eisernen Tische, und
schaute unverwandt nach einem wunderschönen Mädchen, die in Marmor gehauen vor ihm stand. Sein Bart war durch den eisernen Tisch
gewachsen und bedeckte seine Füße. Er sah ernst und freundlich aus,
und gemahnte mich wie ein alter Kopf, den ich den Abend bey dem
Manne gesehn hatte. Ein glänzendes Licht war in der Höhle verbreitet. Wie ich so stand und den Greis ansah, klopfte mir plötzlich mein
Wirth auf die Schulter, nahm mich bei der Hand und führte mich
durch lange Gänge mit sich fort. Nach einer Weile sah ich von weitem
eine Dämmerung, als wollte das Tageslicht einbrechen. Ich eilte darauf zu, und befand mich bald auf einem grünen Plane; aber es schien
mir alles ganz anders, als in Thüringen. Ungeheure Bäume mit großen
glänzenden Blättern verbreiteten weit umher Schatten. Die Luft war
sehr heiß und doch nicht drückend. Überall Quellen und Blumen, und
unter allen Blumen gefiel mir Eine ganz besonders, und es kam mir
vor, als neigten sich die Andern gegen sie.
Ach! liebster Vater, sagt mir doch, welche Farbe sie hatte, rief der
Sohn mit heftiger Bewegung.
Das entsinne ich mich nicht mehr, so genau ich mir auch sonst alles
eingeprägt habe.
War sie nicht blau?
Es kann seyn, fuhr der Alte fort, ohne auf Heinrichs seltsame Hef-
tigkeit Achtung zu geben. Soviel weiß ich nur noch, daß mir ganz

unaussprechlich zu Muthe war, und ich mich lange nicht nach meinem
Begleiter umsah. Wie ich mich endlich zu ihm wandte, bemerkte
ich, daß er mich aufmerksam betrachtete und mir mit inniger Freude
zulächelte. Auf welche Art ich von diesem Orte wegkam, erinnere ich
mir nicht mehr. Ich war wieder oben auf dem Berge. Mein Begleiter
stand bey mir, und sagte: du hast das Wunder der Welt gesehn. Es
steht bey dir, das glücklichste Wesen auf der Welt und noch über das
ein berühmter Mann zu werden. Nimm wohl in Acht, was ich dir sage:
wenn du am Tage Johannis gegen Abend wieder hieher kommst, und
Gott herzlich um das Verständniß dieses Traumes bittest, so wird dir
das höchste irdische Loos zu Theil werden; dann gieb nur acht, auf ein
blaues Blümchen, was du hier oben finden wirst, brich es ab, und über-
laß dich dann demüthig der himmlischen Führung. Ich war darauf im
Traume unter den herrlichsten Gestalten und Menschen, und unendliche Zeiten gaukelten mit mannichfaltigen Veränderungen vor meinen Augen vorüber. Wie gelöst war meine Zunge, und was ich sprach,
klang wie Musik. Darauf ward alles wieder dunkel und eng und gewöhnlich; ich sah deine Mutter mit freundlichem, verschämten Blick
vor mir; sie hielt ein glänzendes Kind in den Armen, und reichte mir
es hin, als auf einmal das Kind zusehends wuchs, immer heller und
glänzender ward, und sich endlich mit blendendweißen Flügeln über
uns erhob, uns beyde in seinen Arm nahm, und so hoch mit uns flog,
daß die Erde nur wie eine goldene Schüssel mit dem saubersten Schnitz-
werk aussah. Dann erinnere ich mir nur, daß wieder jene Blume und
der Berg und der Greis vorkamen; aber ich erwachte bald darauf und
fühlte mich von heftiger Liebe bewegt. Ich nahm Abschied von meinem gastfreyen Wirth, der mich bat, ihn oft wieder zu besuchen, was
ich ihm zusagte, und auch Wort gehalten haben würde, wenn ich nicht
bald darauf Rom verlassen hätte, und ungestüm nach Augsburg gereist wäre.

ZWEYTES KAPITEL

Johannis war vorbey, die Mutter hatte längst einmal nach Augsburg
ins väterliche Haus kommen und dem Großvater den noch unbekann-

ten lieben Enkel mitbringen sollen. Einige gute Freunde des alten
Ofterdingen, ein paar Kaufleute, mußten in Handelsgeschäften dahin
reisen. Da faßte die Mutter den Entschluß, bey dieser Gelegenheit
jenen Wunsch auszuführen, und es lag ihr dieß um so mehr am Herzen, weil sie seit einiger Zeit merkte, daß Heinrich weit stiller und in
sich gekehrter war, als sonst. Sie glaubte, er sey mißmüthig oder krank,
und eine weite Reise, der Anblick neuer Menschen und Länder, und
wie sie verstohlen ahndete, die Reize einer jungen Landsmännin würden die trübe Laune ihres Sohnes vertreiben, und wieder einen so theil-
nehmenden und lebensfrohen Menschen aus ihm machen, wie er sonst
gewesen. Der Alte willigte in den Plan der Mutter, und Heinrich war
über die Maßen erfreut, in ein Land zu kommen, was er schon lange,
nach den Erzählungen seiner Mutter und mancher Reisenden, wie ein
irdisches Paradies sich gedacht, und wohin er oft vergeblich sich gewünscht hatte.

Heinrich war eben zwanzig Jahr alt geworden. Er war nie über die
umliegenden Gegenden seiner Vaterstadt hinausgekommen; die Welt
war ihm nur aus Erzählungen bekannt. Wenig Bücher waren ihm zu
Gesichte gekommen. Bey der Hofhaltung des Landgrafen ging es nach
der Sitte der damaligen Zeiten einfach und still zu; und die Pracht
und Bequemlichkeit des fürstlichen Lebens dürfte sich schwerlich mit
den Annehmlichkeiten messen, die in spätern Zeiten ein bemittelter
Privatmann sich und den Seinigen ohne Verschwendung verschaffen
konnte. Dafür war aber der Sinn für die Geräthschaften und Habseelig-
keiten, die der Mensch zum mannichfachen Dienst seines Lebens um
sich her versammelt, desto zarter und tiefer. Sie waren den Menschen
werther und merkwürdiger. Zog schon das Geheimniß der Natur und
die Entstehung ihrer Körper den ahndenden Geist an: so erhöhte die
seltnere Kunst ihrer Bearbeitung die romantische Ferne, aus der man
sie erhielt, und die Heiligkeit ihres Alterthums, da sie sorgfältiger bewahrt, oft das Besitzthum mehrerer Nachkommenschaften wurden, die
Neigung zu diesen stummen Gefährten des Lebens. Oft wurden sie zu
dem Rang von geweihten Pfändern eines besondern Segens und Schicksals erhoben, und das Wohl ganzer Reiche und weitverbreiteter Fami-
lien hing an ihrer Erhaltung. Eine *liebliche* Armuth schmückte diese
Zeiten mit einer eigenthümlichen ernsten und unschuldigen Einfalt;

und die sparsam vertheilten Kleinodien glänzten desto bedeutender in dieser Dämmerung, und erfüllten ein sinniges Gemüth mit wunderbaren Erwartungen. Wenn es wahr ist, daß erst eine geschickte Vertheilung von Licht, Farbe und Schatten die verborgene Herrlichkeit der sichtbaren Welt offenbart, und sich hier ein neues höheres Auge aufzuthun scheint: so war damals überall eine ähnliche Vertheilung und Wirthschaftlichkeit wahrzunehmen; da hingegen die neuere wohlhabendere Zeit das einförmige und unbedeutendere Bild eines allgemeinen Tages darbietet. In allen Übergängen scheint, wie in einem Zwischenreiche, eine höhere, geistliche Macht durchbrechen zu wollen; und wie auf der Oberfläche unseres Wohnplatzes, die an unterirdischen und überirdischen Schätzen reichsten Gegenden in der Mitte zwischen den wilden, unwirthlichen Urgebirgen und den unermeßlichen Ebenen liegen, so hat sich auch zwischen den rohen Zeiten der Barbarey, und dem kunstreichen, vielwissenden und begüterten Weltalter eine tiefsinnige und romantische Zeit niedergelassen, die unter schlichtem Kleide eine höhere Gestalt verbirgt. Wer wandelt nicht gern im Zwielichte, wenn die Nacht am Lichte und das Licht an der Nacht in höhere Schatten und Farben zerbricht; und also vertiefen wir uns willig in die Jahre, wo Heinrich lebte und jetzt neuen Begebenheiten mit vollem Herzen entgegenging. Er nahm Abschied von seinen Gespielen und seinem Lehrer, dem alten weisen Hofkaplan, der Heinrichs fruchtbare Anlagen kannte, und ihn mit gerührtem Herzen und einem stillen Gebete entließ. Die Landgräfin war seine Pathin; er war oft auf der Wartburg bey ihr gewesen. Auch jetzt beurlaubte er sich bey seiner Beschützerin, die ihm gute Lehren und eine goldene Halskette verehrte, und mit freundlichen Äußerungen von ihm schied.

In wehmüthiger Stimmung verließ Heinrich seinen Vater und seine Geburtsstadt. Es ward ihm jetzt erst deutlich, was Trennung sey; die Vorstellungen von der Reise waren nicht von dem sonderbaren Gefühle begleitet gewesen, was er jetzt empfand, als zuerst seine bisherige Welt von ihm gerissen und er wie auf ein fremdes Ufer gespült ward. Unendlich ist die jugendliche Trauer bey dieser ersten Erfahrung der Vergänglichkeit der irdischen Dinge, die dem unerfahrnen Gemüth so nothwendig, und unentbehrlich, so fest verwachsen mit dem eigenthümlichsten Daseyn und so unveränderlich, wie dieses, vorkom-

men müssen. Eine erste Ankündigung des Todes, bleibt die erste Trennung unvergeßlich, und wird, nachdem sie lange wie ein nächtliches Gesicht den Menschen beängstigt hat, endlich bey abnehmender Freude
an den Erscheinungen des Tages, und zunehmender Sehnsucht nach
einer bleibenden sichern Welt, zu einem freundlichen Wegweiser und
einer tröstenden Bekanntschaft. Die Nähe seiner Mutter tröstete den
Jüngling sehr. Die alte Welt schien noch nicht ganz verlohren, und er
umfaßte sie mit verdoppelter Innigkeit. Es war früh am Tage, als die
Reisenden aus den Thoren von Eisenach fortritten, und die Dämmerung begünstigte Heinrichs gerührte Stimmung. Je heller es ward,
desto bemerklicher wurden ihm die neuen unbekannten Gegenden;
und als auf einer Anhöhe die verlassene Landschaft von der aufgehenden Sonne auf einmal erleuchtet wurde, so fielen dem überraschten
Jüngling alte Melodien seines Innern in den trüben Wechsel seiner
Gedanken ein. Er sah sich an der Schwelle der Ferne, in die er oft vergebens von den nahen Bergen geschaut, und die er sich mit sonderbaren
Farben ausgemahlt hatte. Er war im Begriff, sich in ihre blaue Flut
zu tauchen. Die Wunderblume stand vor ihm, und er sah nach Thüringen, welches er jetzt hinter sich ließ mit der seltsamen Ahndung
hinüber, als werde er nach langen Wanderungen von der Weltgegend
her, nach welcher sie jetzt reisten, in sein Vaterland zurückkommen,
und als reise er daher diesem eigentlich zu. Die Gesellschaft, die anfänglich aus ähnlichen Ursachen still gewesen war, fing nach gerade an
aufzuwachen, und sich mit allerhand Gesprächen und Erzählungen die
Zeit zu verkürzen. Heinrichs Mutter glaubte ihren Sohn aus den
Träumereien reißen zu müssen, in denen sie ihn versunken sah, und
fing an ihm von ihrem Vaterlande zu erzählen, von dem Hause ihres
Vaters und dem frölichen Leben in Schwaben. Die Kaufleute stimm-
ten mit ein, und bekräftigten die mütterlichen Erzählungen, rühmten
die Gastfreyheit des alten Schwaning, und konnten nicht aufhören, die
schönen Landsmänninnen ihrer Reisegefährtin zu preisen. Ihr thut
wohl, sagten sie, daß ihr euren Sohn dorthin führt. Die Sitten
eures Vaterlandes sind milder und gefälliger. Die Menschen wissen
das Nützliche zu befördern, ohne das Angenehme zu verachten. Jedermann sucht seine Bedürfnisse auf eine gesellige und reitzende Art zu
befriedigen. Der Kaufmann befindet sich wohl dabey, und wird ge-

ehrt. Die Künste und Handwerke vermehren und veredeln sich, den
Fleißigen dünkt die Arbeit leichter, weil sie ihm zu mannichfachen
Annehmlichkeiten verhilft, und er, indem er eine einförmige Mühe
übernimmt, sicher ist, die bunten Früchte mannichfacher und beloh-
nender Beschäftigungen dafür mitzugenießen. Geld, Thätigkeit und
Waren erzeugen sich gegenseitig, und treiben sich in raschen Kreisen,
und das Land und die Städte blühen auf. Je eifriger der Erwerbfleiß
die Tage benutzt, desto ausschließlicher ist der Abend, den reitzenden
Vergnügungen der schönen Künste und des geselligen Umgangs gewidmet. Das Gemüth sehnt sich nach Erholung und Abwechselung,
und wo sollte es diese auf eine anständigere und reitzendere Art finden,
als in der Beschäftigung mit den freyen Spielen und Erzeugnissen
seiner edelsten Kraft, des bildenden Tiefsinns. Nirgends hört man so
anmuthige Sänger, findet so herrliche Mahler, und nirgends sieht man
auf den Tanzsälen leichtere Bewegungen und lieblichere Gestalten.
Die Nachbarschaft von Wälschland zeigt sich in dem ungezwungenen
Betragen und den einnehmenden Gesprächen. Euer Geschlecht darf
die Gesellschaften schmücken, und ohne Furcht vor Nachrede mit hold-
seligem Bezeigen einen lebhaften Wetteifer, seine Aufmerksamkeit
zu fesseln, erregen. Die rauhe Ernsthaftigkeit und die wilde Ausge-
lassenheit der Männer macht einer milden Lebendigkeit und sanfter
bescheidner Freude Platz, und die Liebe wird in tausendfachen Gestalten der leitende Geist der glücklichen Gesellschaften. Weit entfernt, daß Ausschweifungen und unziemende Grundsätze dadurch
sollten herbeygelockt werden, scheint es, als flöhen die bösen Geister
die Nähe der Anmuth, und gewiß sind in ganz Deutschland keine un-
bescholtenere Mädchen und keine treuere Frauen, als in Schwaben.
Ja junger Freund, in der klaren warmen Luft des südlichen Deutsch-
lands werdet ihr eure ernste Schüchternheit wohl ablegen; die frölichen Mädchen werden euch wohl geschmeidig und gesprächig machen. Schon euer Name, als Fremder, und eure nahe Verwandt-
schaft mit dem alten Schwaning, der die Freude jeder frölichen Gesellschaft ist, werden die reitzenden Augen der Mädchen auf sich ziehn;
und wenn ihr eurem Großvater folgt, so werdet ihr gewiß unsrer
Vaterstadt eine ähnliche Zierde in einer holdseligen Frau mitbringen,
wie euer Vater. Mit freundlichem Erröthen dankte Heinrichs Mutter

für das schöne Lob ihres Vaterlandes, und die gute Meynung von
ihren Landsmänninnen, und der gedankenvolle Heinrich hatte nicht
umhin gekonnt, aufmerksam und mit innigem Wohlgefallen der Schil-
derung des Landes, dessen Anblick ihm bevorstand, zuzuhören. Wenn
ihr auch, fuhren die Kaufleute fort, die Kunst eures Vaters nicht
ergreifen, und lieber, wie wir gehört haben, euch mit gelehrten Dingen befassen wollt: so braucht ihr nicht Geistlicher zu werden, und
Verzicht auf die schönsten Genüsse dieses Lebens zu leisten. Es ist
eben schlimm genug, daß die Wissenschaften in den Händen eines so
von dem weltlichen Leben abgesonderten Standes, und die Fürsten von
so ungeselligen und wahrhaft unerfahrenen Männern berathen sind.
In der Einsamkeit in welcher sie nicht selbst Theil an den Weltgeschäf-
ten nehmen, müssen ihre Gedanken eine unnütze Wendung erhalten,
und können nicht auf die wirklichen Vorfälle passen. In Schwaben
trefft ihr auch wahrhaft kluge und erfahrne Männer unter den
Layen; und ihr mögt nun wählen, welchen Zweig menschlicher Kenntnisse ihr wollt: so wird es euch nicht an den besten Lehrern und Rat-
gebern fehlen. Nach einer Weile sagte Heinrich, dem bey dieser Rede
sein Freund der Hofkaplan in den Sinn gekommen war: Wenn ich
bey meiner Unkunde von der Beschaffenheit der Welt euch auch eben
nicht abfällig seyn kann, in dem was ihr von der Unfähigkeit der
Geistlichen zu Führung und Beurtheilung weltlicher Angelegenheiten
behauptet: so ist mirs doch wohl erlaubt, euch an unsern trefflichen
Hofkaplan zu erinnern, der gewiß ein Muster eines weisen Mannes ist,
und dessen Lehren und Rathschläge mir unvergessen seyn werden.
Wir ehren, erwiederten die Kaufleute, diesen trefflichen Mann von
ganzem Herzen; aber dennoch können wir nur in sofern eurer Meinung Beyfall geben, daß er ein weiser Mann sey, wenn ihr von jener
Weisheit sprecht, die einen Gott wohlgefälligen Lebenswandel angeht.
Haltet ihr ihn für eben so weltklug, als er in den Sachen des Heils
geübt und unterrichtet ist: so erlaubt uns, daß wir euch nicht bey-
stimmen. Doch glauben wir, daß dadurch der heilige Mann nichts
von seinem verdienten Lobe verliert; da er viel zu vertieft in der
Kunde der überirdischen Welt ist, als daß er nach Einsicht und Ansehn in irdischen Dingen streben sollte.
Aber, sagte Heinrich, sollte nicht jene höhere Kunde ebenfalls ge-

schickt machen, recht unpartheiisch den Zügel menschlicher Angelegenheiten zu führen? sollte nicht jene kindliche unbefangene Einfalt sicherer den richtigen Weg durch das Labyrinth der hiesigen Begebenheiten treffen, als die durch Rücksicht auf eigenen Vortheil irregeleitete und gehemmte, von der unerschöpflichen Zahl neuer Zufälle und Verwickelungen geblendete Klugheit? Ich weiß nicht, aber mich dünkt, ich sähe zwey Wege um zur Wissenschaft der menschlichen Geschichte zu gelangen. Der eine, mühsam und unabsehlich, mit unzähligen Krümmungen, der Weg der Erfahrung; der andere, fast Ein Sprung nur, der Weg der innern Betrachtung. Der Wanderer des ersten muß eins aus dem andern in einer langwierigen Rechnung finden, wenn der andere die Natur jeder Begebenheit und jeder Sache gleich unmittelbar anschaut, und sie in ihrem lebendigen, mannichfaltigen Zusammenhange betrachten, und leicht mit allen übrigen, wie Figuren auf einer Tafel, vergleichen kann. Ihr müßt verzeihen, wenn ich wie aus kindischen Träumen vor euch rede: nur das Zutrauen zu eurer Güte und das Andenken meines Lehrers, der den zweyten Weg mir als seinen eignen von weitem gezeigt hat, machte mich so dreist.

Wir gestehen Euch gern, sagten die gutmüthigen Kaufleute, daß wir eurem Gedankengange nicht zu folgen vermögen: doch freut es uns, daß ihr so warm euch des trefflichen Lehrers erinnert, und seinen Unterricht wohl gefaßt zu haben scheint.

Es dünkt uns, ihr habt Anlage zum Dichter. Ihr sprecht so geläufig von den Erscheinungen eures Gemüths, und es fehlt Euch nicht an gewählten Ausdrücken und passenden Vergleichungen. Auch neigt Ihr Euch zum Wunderbaren, als dem Elemente der Dichter.

Ich weiß nicht, sagte Heinrich, wie es kommt. Schon oft habe ich von Dichtern und Sängern sprechen gehört, und habe noch nie einen gesehn. Ja, ich kann mir nicht einmal einen Begriff von ihrer sonderbaren Kunst machen, und doch habe ich eine große Sehnsucht davon zu hören. Es ist mir, als würde ich manches besser verstehen, was jetzt nur dunkle Ahndung in mir ist. Von Gedichten ist oft erzählt worden, aber nie habe ich eins zu sehen bekommen, und mein Lehrer hat nie Gelegenheit gehabt Kenntnisse von dieser Kunst einzuziehn. Alles, was er mir davon gesagt, habe ich nicht deutlich begreifen können. Doch meynte er immer, es sey eine edle Kunst, der ich mich ganz ergeben würde, wenn ich sie einmal kennen lernte. In alten Zeiten sey sie weit gemeiner gewesen, und habe jedermann einige Wissenschaft davon gehabt, jedoch Einer vor dem Andern. Sie sey noch mit andern verlohrengegangenen herrlichen Künsten verschwistert gewesen. Die Sänger hätte göttliche Gunst hoch geehrt, so daß sie begeistert durch unsichtbaren Umgang, himmlische Weisheit auf Erden in lieblichen Tönen verkündigen können.

Die Kaufleute sagten darauf: Wir haben uns freylich nie um die Geheimnisse der Dichter bekümmert, wenn wir gleich mit Vergnügen ihrem Gesange zugehört. Es mag wohl wahr seyn, daß eine besondere Gestirnung dazu gehört, wenn ein Dichter zur Welt kommen soll; denn es ist gewiß eine recht wunderbare Sache mit dieser Kunst. Auch sind die andern Künste gar sehr davon unterschieden, und lassen sich weit eher begreifen. Bey den Mahlern und Tonkünstlern kann man leicht einsehn, wie es zugeht, und mit Fleiß und Geduld läßt sich beydes lernen. Die Töne liegen schon in den Saiten, und es gehört nur eine Fertigkeit dazu, diese zu bewegen um jene in einer reitzenden Folge aufzuwecken. Bey den Bildern ist die Natur die herrlichste Lehrmeisterin. Sie erzeugt unzählige schöne und wunderliche Figuren, giebt die Farben, das Licht und den Schatten, und so kann eine geübte Hand, ein richtiges Auge, und die Kenntniß von der Bereitung und Vermischung der Farben, die Natur auf das vollkommenste nachahmen. Wie natürlich ist daher auch die Wirkung dieser Künste, das Wohlgefallen an ihren Werken, zu begreifen. Der Gesang der Nachtigall, das Sausen des Windes, und die herrlichen Lichter, Farben und Gestalten gefallen uns, weil sie unsere Sinne angenehm beschäftigen; und da unsere Sinne dazu von der Natur, die auch jenes hervorbringt, so eingerichtet sind, so muß uns auch die künstliche Nachahmung der Natur gefallen. Die Natur will selbst auch einen Genuß von ihrer großen Künstlichkeit haben, und darum hat sie sich in Menschen verwandelt, wo sie nun selber sich über ihre Herrlichkeit freut, das Angenehme und Liebliche von den Dingen absondert, und es auf solche Art allein hervorbringt, daß sie es auf mannichfaltigere Weise, und zu allen Zeiten und allen Orten haben und genießen kann. Dagegen ist von der Dichtkunst sonst nirgends äußerlich etwas anzutreffen. Auch schafft sie nichts mit Werkzeugen und Händen; das Auge und das Ohr vernehmen nichts davon: denn das bloße Hören der Worte ist nicht die eigentliche Wirkung dieser geheimen Kunst. Es ist alles innerlich, und wie jene Künstler die äußern Sinne mit angenehmen Empfindungen erfüllen, so erfüllt der Dichter das inwendige Heiligthum des Gemüths mit neuen, wunderbaren und gefälligen Gedanken. Er weiß jene geheimen Kräfte in uns nach Belieben zu erregen, und giebt uns durch Worte eine unbekannte herrliche Welt zu vernehmen. Wie aus tiefen Höhlen steigen alte und künftige Zeiten, unzählige Menschen, *wunderbare* Gegenden, und die seltsamsten Begebenheiten in uns herauf, und entreißen uns der bekannten Gegenwart. Man hört fremde Worte und weiß doch, was sie bedeuten sollen. Eine magische Gewalt üben die Sprüche des Dichters aus; auch die gewöhnlichen Worte kommen in reizenden Klängen vor, und berauschten die festgebannten Zuhörer.

Ihr verwandelt meine Neugierde in heiße Ungeduld, sagte Heinrich. Ich bitte euch, erzählt mir von allen Sängern, die ihr gehört habt. Ich kann nicht genug von diesen besondern Menschen hören. Mir ist auf einmal, als hätte ich irgendwo schon davon in meiner tiefsten Jugend reden hören, doch kann ich mich schlechterdings nichts mehr davon entsinnen. Aber mir ist das, was ihr sagt, so klar, so bekannt, und ihr macht mir ein außerordentliches Vergnügen mit euren schönen Beschreibungen.

Wir erinnern uns selbst gern, fuhren die Kaufleute fort, mancher frohen Stunden, die wir in Welschland, Frankreich und Schwaben in der Gesellschaft von Sängern zugebracht haben, und freuen uns, daß ihr so lebhaften Antheil an unsern Reden nehmet. Wenn man so in Gebirgen reist, spricht es sich mit doppelter Annehmlichkeit, und die Zeit vergeht spielend. Vielleicht ergötzt es euch einige artige Geschichten von Dichtern zu hören, die wir auf unsern Reisen erfuhren. Von den Gesängen selbst, die wir gehört haben, können wir wenig sagen, da die Freude und der Rausch des Augenblicks das Gedächtniß hindert viel zu behalten, und die unaufhörlichen Handelsgeschäfte manches Andenken auch wieder verwischt haben.

In alten Zeiten muß die ganze Natur lebendiger und sinnvoller gewesen seyn, als heut zu Tage. Wirkungen, die jetzt kaum noch die Thiere zu bemerken scheinen, und die Menschen eigentlich allein noch empfinden und genießen, bewegten damals leblose Körper; und so war es möglich, daß kunstreiche Menschen allein Dinge möglich machten und Erscheinungen hervorbrachten, die uns jetzt völlig unglaublich und fabelhaft dünken. So sollen vor uralten Zeiten in den Ländern des jetzigen Griechischen Kaiserthums, wie uns Reisende berichtet, die diese Sagen noch dort unter dem gemeinen Volke angetroffen haben, Dichter gewesen seyn, die durch den seltsamen Klang wunderbarer Werkzeuge das geheime Leben der Wälder, die in den Stämmen verborgenen Geister aufgeweckt, in wüsten, verödeten Gegenden den todten Pflanzensaamen erregt, und blühende Gärten hervorgerufen, grausame Thiere gezähmt und verwilderte Menschen zu Ordnung und Sitte gewöhnt, sanfte Neigungen und Künste des Friedens in ihnen rege gemacht, reißende Flüsse in milde Gewässer verwandelt, und selbst die todtesten Steine in regelmäßige tanzende Bewegungen hingerissen haben. Sie sollen zugleich Wahrsager und Priester, Gesetzgeber und Ärzte gewesen seyn, indem selbst die höhern Wesen durch ihre zauberische Kunst herabgezogen worden sind, und sie in den Geheimnissen der Zukunft unterrichtet, das Ebenmaß und die natürliche Einrichtung aller Dinge, auch die innern Tugenden und Heilkräfte der Zahlen, Gewächse und aller Kreaturen, ihnen offenbart. Seitdem sollen, wie die Sage lautet, erst die mannichfaltigen Töne und die sonderbaren Sympathien und Ordnungen in die Natur gekommen seyn, indem vorher alles wild, unordentlich und feindselig gewesen ist. Seltsam ist nur hiebey, daß zwar diese schönen Spuren, zum Andenken der Gegenwart jener wohlthätigen Menschen, geblieben sind, aber entweder ihre Kunst, oder jene zarte Gefühligkeit der Natur verlohren gegangen ist. In diesen Zeiten hat es sich unter andern einmal zugetragen, daß einer jener sonderbaren Dichter oder mehr Tonkünstler — wiewohl die Musik und Poesie wohl ziemlich eins seyn mögen und vielleicht eben so zusammen gehören, wie Mund und Ohr, da der erste nur ein bewegliches und antwortendes Ohr ist — daß also dieser Tonkünstler übers Meer in ein fremdes Land reisen wollte. Er war reich an schönen Kleinodien und köstlichen Dingen, die ihm aus Dankbarkeit verehrt worden waren. Er fand ein Schiff am Ufer, und die Leute darinn schienen bereitwillig, ihn für den verheißenen Lohn nach der verlangten Gegend zu fahren. Der Glanz und die Zierlichkeit seiner Schätze reizten aber bald ihre Habsucht so sehr, daß sie unter einander verabredeten, sich seiner zu bemächtigen, ihn ins Meer zu werfen, und nachher seine Habe unter einander zu vertheilen. Wie sie also mitten im Meere waren, fielen sie über ihn her, und sagten ihm, daß er sterben müsse, weil sie beschlossen hätten, ihn ins Meer zu werfen. Er bat sie auf die rührendste Weise um sein Leben, bot ihnen seine Schätze zum Lösegeld an, und prophezeyte ihnen großes Unglück, wenn sie ihren Vorsatz ausführen würden. Aber weder das eine, noch das andere konnte sie bewegen: denn sie fürchteten sich, daß er ihre bösliche That einmal verrathen möchte. Da er sie nun einmal so fest entschlossen sah, bat er sie ihm wenigstens zu erlauben, daß er noch vor seinem Ende seinen Schwanengesang spielen dürfe, dann wolle er mit seinem schlichten hölzernen Instrumente, vor ihren Augen freywillig ins Meer springen. Sie wußten recht wohl, daß wenn sie seinen Zaubergesang hörten, ihre Herzen erweicht, und sie von Reue ergriffen werden würden; daher nahmen sie sich vor, ihm zwar diese letzte Bitte zu gewähren, während des Gesanges aber sich die Ohren fest zu verstopfen, daß sie nichts davon vernähmen, und so bey ihrem Vorhaben bleiben könnten. Dies geschah. Der Sänger stimmte einen herrlichen, unendlich rührenden Gesang an. Das ganze Schiff tönte mit, die Wellen klangen, die Sonne und die Gestirne erschienen zugleich am Himmel, und aus den grünen Fluten tauchten tanzende Schaaren von Fischen und Meerungeheuern hervor. Die Schiffer standen feindselig allein mit festverstopften Ohren, und warteten voll Ungeduld auf das Ende des Liedes. Bald war es vorüber. Da sprang der Sänger mit heitrer Stirn in den dunkeln Abgrund hin, sein wunderthätiges Werkzeug im Arm. Er hatte kaum die glänzenden Wogen berührt, so hob sich der breite Rücken eines dankbaren Unthiers unter ihm hervor, und es schwamm schnell mit dem erstaunten Sänger davon. Nach kurzer Zeit hatte es mit ihm die Küste erreicht, nach der er hingewollt hatte, und setzte ihn sanft im Schilfe nieder. Der Dichter sang seinem Retter ein frohes Lied, und ging dankbar von dannen. Nach einiger Zeit ging er einmal am Ufer des Meers allein, und klagte in süßen Tönen über seine verlohrenen Kleinode, die ihm, als Erinnerungen glücklicher Stunden und als Zeichen der Liebe und Dankbarkeit so werth gewesen waren. Indem er so sang, kam plözlich sein alter Freund im Meere fröhlich daher gerauscht, und ließ aus seinem

Rachen die geraubten Schätze auf den Sand fallen. Die Schiffer hatten, nach des Sängers Sprunge, sich sogleich in seine Hinterlassenschaft zu theilen angefangen. Bey dieser Theilung war Streit unter ihnen entstanden, und hatte sich in einen mörderischen Kampf geendigt, der den Meisten das Leben gekostet; die wenigen, die übrig geblieben, hatten allein das Schiff nicht regieren können, und es war bald auf den Strand gerathen, wo es scheiterte und unterging. Sie brachten mit genauer Noth das Leben davon, und kamen mit leeren Händen und zerrissenen Kleidern ans Land, und so kehrten durch die Hülfe des dankbaren Meerthiers, das die Schätze im Meere aufsuchte, dieselben in die Hände ihres alten Besitzers zurück.

DRITTES KAPITEL

Eine andere Geschichte, fuhren die Kaufleute nach einer Pause fort, die freylich nicht so wunderbar und auch aus späteren Zeiten ist, wird euch vielleicht doch gefallen, und euch mit den Wirkungen jener wunderbaren Kunst noch bekannter machen. Ein alter König hielt einen glänzenden Hof. Weit und breit strömten Menschen herzu, um Theil an der Herrlichkeit seines Lebens zu haben, und es gebrach weder den täglichen Festen an Überfluß köstlicher Waaren des Gaume[n]s, noch an Musik, prächtigen Verzierungen und Trachten, und tausend abwechselnden Schauspielen und Zeitvertreiben, noch endlich an sinnreicher Anordnung, an klugen, gefälligen, und unterrichteten Männern zur Unterhaltung und Beseelung der Gespräche, und an schöner, anmuthiger Jugend von beyden Geschlechtern, die die eigentliche Seele reitzender Feste ausmachen. Der alte König, der sonst ein strenger und ernster Mann war, hatte zwey Neigungen, die der wahre Anlaß dieser prächtigen Hofhaltung waren, und denen sie ihre schöne Einrichtung zu danken hatte. Eine war die Zärtlichkeit für seine Tochter, die ihm als Andenken seiner früh verstorbenen Gemahlin und als ein unaussprechlich liebenswürdiges Mädchen unendlich theuer war, und für die er gern alle Schätze der Natur und alle Macht des menschlichen Geistes aufgeboten hätte, um ihr einen Himmel auf Erden zu verschaffen. Die Andere war eine wahre Leidenschaft für die Dichtkunst und ihre

Meister. Er hatte von Jugend auf die Werke der Dichter mit innigem
Vergnügen gelesen; an ihre Sammlung aus allen Sprachen großen
Fleiß und große Summen gewendet, und von jeher den Umgang der
Sänger über alles geschätzt. Von allen Enden zog er sie an seinen Hof
und überhäufte sie mit Ehren. Er ward nicht müde ihren Gesängen
zuzuhören, und vergaß oft die wichtigsten Angelegenheiten, ja die
Bedürfnisse des Lebens über einem neuen, hinreißenden Gesange.
Seine Tochter war unter Gesängen aufgewachsen, und ihre ganze Seele
war ein zartes Lied geworden, ein einfacher Ausdruck der Wehmuth
und Sehnsucht. Der wohlthätige Einfluß der beschützten und geehrten
Dichter zeigte sich im ganzen Lande, besonders aber am Hofe. Man
genoß das Leben mit langsamen, kleinen Zügen wie einen köstlichen
Trank, und mit desto reinerem Wohlbehagen, da alle widrige gehäs-
sige Leidenschaften, wie Mißtöne von der sanften harmonischen Stimmung verscheucht wurden, die in allen Gemüthern herrschend war.
Frieden der Seele und innres seeliges Anschauen einer selbst geschaffe-
nen, glücklichen Welt war das Eigenthum dieser wunderbaren Zeit
geworden, und die Zwietracht erschien nur in den alten Sagen der
Dichter, als eine ehemalige Feindinn der Menschen. Es schien, als hätten
die Geister des Gesanges ihrem Beschützer kein lieblicheres Zeichen
der Dankbarkeit geben können, als seine Tochter, die alles besaß, was
die süßeste Einbildungskraft nur in der zarten Gestalt eines Mädchens
vereinigen konnte. Wenn man sie an den schönen Festen unter einer
Schaar reitzender Gespielen, im weißen glänzenden Gewande erblickte,
wie sie den Wettgesängen der begeisterten Sänger mit tiefem Lauschen
zuhörte, und erröthend einen duftenden Kranz auf die Locken des
Glücklichen drückte, dessen Lied den Preis gewonnen hatte: so hielt
man sie für die sichtbare Seele jener herrlichen Kunst, die jene Zau-
bersprüche beschworen hätten, und hörte auf sich über die Entzük-
kungen und Melodien der Dichter zu wundern.
Mitten in diesem irdischen Paradiese schien jedoch ein geheimnißvolles Schicksal zu schweben. Die einzige Sorge der Bewohner dieser
Gegenden betraf die Vermählung der aufblühenden Prinzessin, von
der die Fortdauer dieser seligen Zeiten und das Verhängniß des ganzen
Landes abhing. Der König ward immer älter. Ihm selbst schien diese
Sorge lebhaft am Herzen zu liegen, und doch zeigte sich keine Aus-

sicht zu einer Vermählung für sie, die allen Wünschen angemessen gewesen wäre. Die heilige Ehrfurcht für das königliche Haus erlaubte keinem Unterthan, an die Möglichkeit zu denken, die Prinzessin zu besitzen. Man betrachtete sie wie ein überirdisches Wesen, und alle Prinzen aus andern Ländern, die sich mit Ansprüchen auf sie am Hofe gezeigt hatten, schienen so tief unter ihr zu seyn, daß kein Mensch auf den Einfall kam, die Prinzessin oder der König werde die Augen auf einen unter ihnen richten. Das Gefühl des Abstandes hatte sie auch allmählich alle verscheucht, und das ausgesprengte Gerücht des ausschweifenden Stolzes dieser königlichen Familie schien Andern alle Lust zu benehmen, sich ebenfalls gedemüthigt zu sehn. Ganz ungegründet war auch dieses Gerücht nicht. Der König war bey aller Milde beynah unwillkührlich in ein Gefühl der Erhabenheit gerathen, was ihm jeden Gedanken an die Verbindung seiner Tochter mit einem Manne von niedrigerem Stande und dunklerer Herkunft unmöglich oder unerträglich machte. Ihr hoher, einziger Werth hatte jenes Gefühl in ihm immer mehr bestätigt. Er war aus einer uralten Morgenländischen Königsfamilie entsprossen. Seine Gemahlin war der letzte Zweig der Nachkommenschaft des berühmten Helden Rustan gewesen. Seine Dichter hatten ihm unaufhörlich von seiner Verwand[t]schaft mit den ehemaligen übermenschlichen Beherrschern der Welt vorgesungen, und in dem Zauberspiegel ihrer Kunst war ihm der Abstand seiner Herkunft von dem Ursprunge der andern Menschen, die Herrlichkeit seines Stammes noch heller erschienen, so daß es ihn dünkte, nur durch die edlere Klasse der Dichter mit dem übrigen Menschengeschlechte zusammenzuhängen. Vergebens sah er sich mit voller Sehnsucht nach einem zweyten Rustan um, indem er fühlte, daß das Herz seiner aufblühenden Tochter, der Zustand seines Reichs, und sein zunehmendes Alter ihre Vermählung in aller Absicht sehr wünschenswerth machten. Nicht weit von der Hauptstadt lebte auf einem abgelegenen Landgute ein alter Mann, der sich ausschließlich mit der Erziehung seines einzigen Sohnes beschäftigte, und nebenher den Landleuten in wichtigen Krankheiten Rath erteilte. Der junge Mensch war ernst und ergab sich einzig der Wissenschaft der Natur, in welcher ihn sein Vater von Kindheit auf unterrichtete. Aus fernen Gegenden war der Alte vor mehreren Jahren in dies friedliche und blühende Land gezogen, und

begnügte sich den wohlthätigen Frieden, den der König um sich ver-
breitete, in der Stille zu genießen. Er benutzte sie, die Kräfte der
Natur zu erforschen, und diese hinreißenden Kenntnisse seinem Sohne
mitzutheilen, der viel Sinn dafür verrieth und dessen tiefem Gemüth
die Natur bereitwillig ihre Geheimnisse anvertraute. Die Gestalt des
jungen Menschen schien gewöhnlich und unbedeutend, wenn man
nicht einen höhern Sinn für die geheimere Bildung seines edlen Gesichts und die ungewöhnliche Klarheit seiner Augen mitbrachte. Je
länger man ihn ansah, desto anziehender ward er, und man konnte
sich kaum wieder von ihm trennen, wenn man seine sanfte, eindrin-
gende Stimme und seine anmuthige Gabe zu sprechen hörte. Eines
Tages hatte die Prinzessin, deren Lustgärten an den Wald stießen, der
das Landgut des Alten in einem kleinen Thale verbarg, sich allein zu
Pferde in den Wald begeben, um desto ungestörter ihren Fantasien
nachhängen und einige schöne Gesänge sich wiederhohlen zu können.
Die Frische des hohen Waldes lockte sie immer tiefer in seine Schatten, und so kam sie endlich an das Landgut, wo der Alte mit seinem
Sohne lebte. Es kam ihr die Lust an, Milch zu trinken, sie stieg ab,
band ihr Pferd an einen Baum, und trat in das Haus, um sich einen
Trunk Milch auszubitten. Der Sohn war gegenwärtig, und erschrak
beynah über diese zauberhafte Erscheinung eines majestätischen weiblichen Wesens, das mit allen Reizen der Jugend und Schönheit geschmückt, und von einer unbeschreiblich anziehenden Durchsichtig-
keit der zartesten, unschuldigsten und edelsten Seele beynah vergöttlicht wurde. Während er eilte ihre wie Geistergesang tönende Bitte zu
erfüllen, trat ihr der Alte mit bescheidner Ehrfurcht entgegen, und
lud sie ein, an dem einfachen Herde, der mitten im Hause stand, und
auf welchem eine leichte blaue Flamme ohne Geräusch emporspielte,
Platz zu nehmen. Es fiel ihr, gleich beym Eintritt, der mit tausend
seltenen Sachen gezierte Hausraum, die Ordnung und Reinlichkeit
des Ganzen, und eine seltsame Heiligkeit des Ortes auf, deren Eindruck noch durch den schlicht gekleideten ehrwürdigen Greis und den
bescheidenen Anstand des Sohnes erhöhet wurde. Der Alte hielt sie
gleich für eine zum Hof gehörige Person, wozu ihre kostbare Tracht,
und ihr edles Betragen ihm Anlaß genug gab. Während der Abwesen-
heit des Sohnes befragte sie ihn um einige Merkwürdigkeiten, die ihr

vorzüglich in die Augen fielen, worunter besonders einige alte, sonderbare Bilder waren, die neben ihrem Sitze auf dem Heerde standen, und er war bereitwillig sie auf eine anmuthige Art damit bekannt zu machen. Der Sohn kam bald mit einem Kruge voll frischer Milch zurück, und reichte ihr denselben mit ungekünsteltem und ehrfurchtsvollem Wesen. Nach einigen anziehenden Gesprächen mit beyden, dankte sie auf die lieblichste Weise für die freundliche Bewirthung, bat erröthend den Alten um die Erlaubniß wieder kommen, und seine lehrreichen Gespräche über die vielen wunderbaren Sachen genießen zu dürfen, und ritt zurück, ohne ihren Stand verrathen zu haben, da sie merkte, daß Vater und Sohn sie nicht kannten. Ohnerachtet die Hauptstadt so nahe lag, hatten beyde, in ihre Forschungen vertieft, das Gewühl der Menschen zu vermeiden gesucht, und es war dem Jüngling nie eine Lust angekommen, den Festen des Hofes beyzuwohnen; besonders da er seinen Vater höchstens auf eine Stunde zu verlassen pflegte, um zuweilen im Walde nach Schmetterlingen, Käfern und Pflanzen umher zu gehn, und die Eingebungen des stillen Naturgeistes durch den Einfluß seiner mannichfaltigen äußeren Lieblichkeiten zu vernehmen. Dem Alten, der Prinzessin und dem Jüngling war die einfache Begebenheit des Tages gleich wichtig. Der Alte hatte leicht den neuen tiefen Eindruck bemerkt, den die Unbekannte auf seinen Sohn machte. Er kannte diesen genug, um zu wissen, daß jeder tiefe Eindruck bey ihm ein lebenslänglicher seyn würde. Seine Jugend und die Natur seines Herzens mußten die erste Empfindung dieser Art zur unüberwindlichen Neigung machen. Der Alte hatte lange eine solche Begebenheit herannahen sehen. Die hohe Liebenswürdigkeit der Erscheinung flößte ihm unwillkührlich eine innige Theilnahme ein, und sein zuversichtliches Gemüth entfernte alle Besorgnisse über die Entwickelung dieses sonderbaren Zufalls. Die Prinzessin hatte sich nie in einem ähnlichen Zustande befunden, wie der war, in welchem sie langsam nach Hause ritt. Es konnte vor der einzigen, helldunklen wunderbar beweglichen Empfindung einer neuen Welt, kein eigentlicher Gedanke in ihr entstehen. Ein magischer Schleyer dehnte sich in weiten Falten um ihr klares Bewußtseyn. Es war ihr, als würde sie sich, wenn er aufgeschlagen würde, in einer überirdischen Welt befinden. Die Erinnerung an die Dichtkunst, die bisher ihre ganze Seele beschäftigt hatte, war zu

einem fernen Gesange geworden, der ihren seltsam lieblichen Traum
mit den ehemaligen Zeiten verband. Wie sie zurück in den Pallast kam,
erschrak sie beynah über seine Pracht und sein buntes Leben, noch
mehr aber bey der Bewillkommung ihres Vaters, dessen Gesicht zum
erstenmale in ihrem Leben eine scheue Ehrfurcht in ihr erregte. Es
schien ihr eine unabänderliche Nothwendigkeit, nichts von ihrem Aben-
theuer zu erwähnen. Man war ihre schwärmerische Ernsthaftigkeit,
ihren in Fantasieen und tiefes Sinnen verlornen Blick schon zu gewohnt, um etwas Außerordentliches darin zu bemerken. Es war ihr
jetzt nicht mehr so lieblich zu Muthe; sie schien sich unter lauter Fremden, und eine sonderbare Bänglichkeit begleitete sie bis an den Abend,
wo das frohe Lied eines Dichters, der die Hoffnung pries, und von den
Wundern des Glaubens an die Erfüllung unsrer Wünsche mit hin-
reißender Begeisterung sang, sie mit süßem Trost erfüllte und in die
angenehmsten Träume wiegte. Der Jüngling hatte sich gleich nach
ihrem Abschiede in den Wald verlohren. An der Seite des Weges war er
in Gebüschen bis an die Pforten des Gartens ihr gefolgt, und dann auf
dem Wege zurückgegangen. Wie er so ging, sah er vor seinen Füßen
einen hellen Glanz. Er bückte sich danach und hob einen dunkelrothen
Stein auf, der auf einer Seite außerordentlich funkelte, und auf der
Andern eingegrabene unverständliche Chiffern zeigte. Er erkannte
ihn für einen kostbaren Karfunkel, und glaubte ihn in der Mitte des
Halsbandes an der Unbekannten bemerkt zu haben. Er eilte mit be-
flügelten Schritten nach Hause, als wäre sie noch dort, und brachte
den Stein seinem Vater. Sie wurden einig, daß der Sohn den andern
Morgen auf den Weg zurückgehn und warten sollte, ob der Stein
gesucht würde, wo er ihn dann zurückgeben könnte; sonst wollten sie
ihn bis zu einem zweyten Besuche der Unbekannten aufheben, um
ihr selbst ihn zu überreichen. Der Jüngling betrachtete fast die ganze
Nacht den Karfunkel und fühlte gegen Morgen ein unwiderstehliches
Verlangen einige Worte auf den Zettel zu schreiben, in welchen er
den Stein einwickelte. Er wußte selbst nicht genau, was er sich bey den
Worten dachte, die er hinschrieb:

> Es ist dem Stein ein räthselhaftes Zeichen
> Tief eingegraben in sein glühend Blut,

> Er ist mit einem Herzen zu vergleichen,
> In dem das Bild der Unbekannten ruht.
> Man sieht um jenen tausend Funken streichen,
> Um dieses woget eine lichte Flut.
> In jenem liegt des Glanzes Licht begraben,
> Wird dieses auch das Herz des Herzens haben?

Kaum daß der Morgen anbrach, so begab er sich schon auf den Weg, und eilte der Pforte des Gartens zu.

Unterdessen hatte die Prinzessin Abends beim Auskleiden den theuren Stein in ihrem Halsbande vermißt, der ein Andenken ihrer Mutter und noch dazu ein Talisman war, dessen Besitz ihr die Freyheit ihrer Person sicherte, indem sie damit nie in fremde Gewalt ohne ihren Willen gerathen konnte.

Dieser Verlust befremdete sie mehr, als daß er sie erschreckt hätte. Sie erinnerte sich, ihn gestern bey dem Spazierritt noch gehabt zu haben, und glaubte fest, daß er entweder im Hause des Alten, oder auf dem Rückwege im Walde verloren gegangen seyn müsse; der Weg war ihr noch in frischem Andenken, und so beschloß sie gleich früh den Stein aufzusuchen, und ward bey diesem Gedanken so heiter, daß es fast das Ansehn gewann, als sey sie gar nicht unzufrieden mit dem Verluste, weil er Anlaß gäbe jenen Weg sogleich noch einmal zu machen. Mit dem Tage ging sie durch den Garten nach dem Walde, und weil sie eilfertiger ging als gewöhnlich, so fand sie es ganz natürlich, daß ihr das Herz lebhaft schlug, und ihr die Brust beklomm. Die Sonne fing eben an, die Wipfel der alten Bäume zu vergolden, die sich mit sanftem Flüstern bewegten, als wollten sie sich gegenseitig aus nächtlichen Gesichtern erwecken, um die Sonne gemeinschaftlich zu begrüßen, als die Prinzessin durch ein fernes Geräusch veranlaßt, den Weg hinunter und den Jüngling auf sich zueilen sah, der in demselben Augenblick ebenfalls sie bemerkte.

Wie angefesselt blieb er eine Weile stehn, und blickte unverwandt sie an, gleichsam um sich zu überzeugen, daß ihre Erscheinung wirklich und keine Täuschung sey. Sie begrüßten sich mit einem zurückgehaltenen Ausdruck von Freude, als hätten sie sich schon lange gekannt und geliebt. Noch ehe die Prinzessin die Ursache ihres frühen Spazier-

ganges ihm entdecken konnte, überreichte er ihr mit Erröthen und
Herzklopfen den Stein in dem beschriebenen Zettel. Es war, als ahndete die Prinzessin den Inhalt der Zeilen. Sie nahm ihn stillschwei-
gend mit zitternder Hand und hing ihm zur Belohnung für seinen
glücklichen Fund beynah unwillkührlich eine goldne Kette um, die sie
um den Hals trug. Beschämt kniete er vor ihr und konnte, da sie sich
nach seinem Vater erkundigte, einige Zeit keine Worte finden. Sie
sagte ihm halbleise, und mit niedergeschlagenen Augen, daß sie bald
wieder zu ihnen kommen, und die Zusage des Vaters sie mit seinen
Seltenheiten bekannt zu machen, mit vieler Freude benutzen würde.
Sie dankte dem Jünglinge noch einmal mit ungewöhnlicher Innigkeit,
und ging hierauf langsam, ohne sich umzusehen, zurück. Der Jüngling
konnte kein Wort vorbringen. Er neigte sich ehrfurchtsvoll und sah
ihr lange nach, bis sie hinter den Bäumen verschwand. Nach dieser
Zeit vergingen wenig Tage bis zu ihrem zweyten Besuche, dem bald
mehrere folgten. Der Jüngling ward unvermerkt ihr Begleiter bey diesen Spaziergängen. Er holte sie zu bestimmten Stunden am Garten ab,
und brachte sie dahin zurück. Sie beobachtete ein unverbrüchliches
Stillschweigen über ihren Stand, so zutraulich sie auch sonst gegen
ihren Begleiter wurde, dem bald kein Gedanke in ihrer himmlischen
Seele verborgen blieb. Es war, als flößte ihr die Erhabenheit ihrer
Herkunft eine geheime Furcht ein. Der Jüngling gab ihr ebenfalls
seine ganze Seele. Vater und Sohn hielten sie für ein vornehmes Mädchen vom Hofe. Sie hing an dem Alten mit der Zärtlichkeit einer
Tochter. Ihre Liebkosungen gegen ihn waren die entzückenden Vor-
boten ihrer Zärtlichkeit gegen den Jüngling. Sie ward bald einhei-
misch in dem wunderbaren Hause; und wenn sie dem Alten und dem
Sohne, der zu ihren Füßen saß, auf ihrer Laute reitzende Lieder mit
einer überirdischen Stimme vorsang, und letzteren in dieser lieblichen
Kunst unterrichtete: so erfuhr sie dagegen von seinen begeisterten
Lippen die Enträthselung der überall verbreiteten Naturgeheimnisse.
Er lehrte ihr, wie durch wundervolle Sympathie die Welt entstanden
sey, und die Gestirne sich zu melodischen Reigen vereinigt hätten. Die
Geschichte der Vorwelt ging durch seine heiligen Erzählungen in
ihrem Gemüth auf; und wie entzückt war sie, wenn ihr Schüler, in der
Fülle seiner Eingebungen, die Laute ergriff und mit unglaublicher

Gelehrigkeit in die wundervollsten Gesänge ausbrach. Eines Tages, wo ein besonders kühner Schwung sich seiner Seele in ihrer Gesellschaft bemächtigt hatte, und die mächtige Liebe auf dem Rückwege ihre jungfräuliche Zurückhaltung mehr als gewöhnlich überwand, so daß sie beyde ohne selbst zu wissen wie einander in die Arme sanken, und der erste glühende Kuß sie auf ewig zusammenschmelzte, fing mit einbrechender Dämmerung ein gewaltiger Sturm in den Gipfeln der Bäume plötzlich zu toben an. Drohende Wetterwolken zogen mit tiefem nächtlichen Dunkel über sie her. Er eilte sie in Sicherheit vor dem fürchterlichen Ungewitter und den brechenden Bäumen zu bringen: aber er verfehlte in der Nacht und voll Angst wegen seiner Geliebten den Weg, und gerieth immer tiefer in den Wald hinein. Seine Angst wuchs, wie er seinen Irrthum bemerkte. Die Prinzessin dachte an das Schrecken des Königs und des Hofes; eine unnennbare Ängstlichkeit fuhr zuweilen, wie ein zerstörender Strahl, durch ihre Seele, und nur die Stimme ihres Geliebten, der ihr unaufhörlich Trost zusprach, gab ihr Muth und Zutrauen zurück, und erleichterte ihre beklommne Brust. Der Sturm wüthete fort; alle Bemühungen den Weg zu finden waren vergeblich, und sie priesen sich beyde glücklich, bey der Erleuchtung eines Blitzes eine nahe Höhle an dem steilen Abhang eines waldigen Hügels zu entdecken, wo sie eine sichere Zuflucht gegen die Gefahren des Ungewitters zu finden hoften, und eine Ruhestätte für ihre erschöpften Kräfte. Das Glück begünstigte ihre Wünsche. Die Höhle war trocken und mit reinlichem Moose bewachsen. Der Jüngling zündete schnell ein Feuer von Reisern und Moos an, woran sie sich trocknen konnten, und die beyden Liebenden sahen sich nun auf eine wunderbare Weise von der Welt entfernt, aus einem gefahrvollen Zustande gerettet, und auf einem bequemen, warmen Lager allein nebeneinander.

Ein wilder Mandelstrauch hing mit Früchten beladen in die Höhle hinein, und ein nahes Rieseln ließ sie frisches Wasser zur Stillung ihres Durstes finden. Die Laute hatte der Jüngling mitgenommen, und sie gewährte ihnen jetzt eine aufheiternde und beruhigende Unterhaltung bey dem knisternden Feuer. Eine höhere Macht schien den Knoten schneller lösen zu wollen, und brachte sie unter sonderbaren Umständen in diese romantische Lage. Die Unschuld ihrer Herzen,

die zauberhafte Stimmung ihrer Gemüther, und die verbundene unwiderstehliche Macht ihrer süßen Leidenschaft und ihrer Jugend ließ
sie bald die Welt und ihre Verhältnisse vergessen, und wiegte sie unter dem Brautgesange des Sturms und den Hochzeitfackeln der Blitze
in den süßesten Rausch ein, der je ein sterbliches Paar beseligt haben
mag. Der Anbruch des lichten blauen Morgens war für sie das Erwachen in einer neuen seligen Welt. Ein Strom heißer Thränen, der
jedoch bald aus den Augen der Prinzessin hervorbrach, verrieth ihrem
Geliebten die erwachenden tausendfachen Bekümmernisse ihres Herzens. Er war in dieser Nacht um mehrere Jahre älter, aus einem Jünglinge zum Manne geworden. Mit überschwenglicher Begeisterung tröstete er seine Geliebte, erinnerte sie an die Heiligkeit der wahrhaften
Liebe, und an den hohen Glauben, den sie einflöße, und bat sie, die
heiterste Zukunft von dem Schutzgeist ihres Herzens mit Zuversicht
zu erwarten. Die Prinzessin fühlte die Wahrheit seines Trostes, und
entdeckte ihm, sie sey die Tochter des Königs, und nur bange wegen
des Stolzes und der Bekümmernisse ihres Vaters. Nach langen reif-
lichen Überlegungen wurden sie über die zu fassende Entschließung
einig, und der Jüngling machte sich sofort auf den Weg, um seinen
Vater aufzusuchen, und diesen mit ihrem Plane bekannt zu machen.
Er versprach in kurzen wieder bey ihr zu seyn, und verließ sie beru-
higt und in süßen Vorstellungen der künftigen Entwicklung dieser Begebenheiten. Der Jüngling hatte bald seines Vaters Wohnung erreicht,
und der Alte war sehr erfreut, ihn unverletzt ankommen zu sehen. Er
erfuhr nun die Geschichte und den Plan der Liebenden, und bezeigte
sich nach einigem Nachdenken bereitwillig ihn zu unterstützen. Sein
Haus lag ziemlich versteckt, und hatte einige unterirdische Zimmer,
die nicht leicht aufzufinden waren. Hier sollte die Wohnung der Prinzessin seyn. Sie ward also in der Dämmerung abgeholt, und mit tiefer
Rührung von dem Alten empfangen. Sie weinte nachher oft in der
Einsamkeit, wenn sie ihres traurigen Vaters gedachte: doch verbarg
sie ihren Kummer vor ihrem Geliebten, und sagte es nur dem Alten,
der sie freundlich tröstete, und ihr die nahe Rückkehr zu ihrem Vater
vorstellte.

Unterdeß war man am Hofe in große Bestürzung gerathen, als Abends
die Prinzessin vermißt wurde. Der König war ganz außer sich, und

schickte überall Leute aus, sie zu suchen. Kein Mensch wußte sich ihr
Verschwinden zu erklären. Keinem kam ein heimliches Liebesver-
ständniß in die Gedanken, und so ahndete man keine Entführung, da
ohnedies kein Mensch weiter fehlte. Auch nicht zu der entferntesten
Vermuthung war Grund da. Die ausgeschickten Boten kamen unver-
richteter Sache zurück, und der König fiel in tiefe Traurigkeit. Nur
wenn Abends seine Sänger vor ihn kamen und schöne Lieder mitbrach-
ten, war es, als ließe sich die alte Freude wieder vor ihm blicken; seine
Tochter dünkte ihm nah, und er schöpfte Hofnung, sie bald wieder
zu sehen. War er aber wieder allein, so zerriß es ihm von neuem das
Herz und er weinte laut. Dann gedachte er bey sich selbst: Was hilft
mir nun alle die Herrlichkeit, und meine hohe Geburt. Nun bin ich
doch elender als die andern Menschen. Meine Tochter kann mir nichts
ersetzen. Ohne sie sind auch die Gesänge nichts, als leere Worte und
Blendwerk. Sie war der Zauber, der ihnen Leben und Freude, Macht
und Gestalt gab. Wollt' ich doch lieber, ich wäre der geringste meiner
Diener. Dann hätte ich meine Tochter noch; auch wohl einen Eydam
dazu und Enkel, die mir auf den Knieen säßen: dann wäre ich ein anderer König, als jetzt. Es ist nicht die Krone und das Reich, was einen
König macht. Es ist jenes volle, überfließende Gefühl der Glückseligkeit, der Sättigung mit irdischen Gütern, jenes Gefühl der über-
schwänglichen Gnüge. So werd' ich nun für meinen Übermuth be-
straft. Der Verlust meiner Gattin hat mich noch nicht genug erschüt-
tert. Nun hab' ich auch ein grenzenloses Elend. So klagte der König in
den Stunden der heißesten Sehnsucht. Zuweilen brach auch seine alte
Strenge und sein Stolz wieder hervor. Er zürnte über seine Klagen;
wie ein König wollte er dulden und schweigen. Er meinte dann, er
leide mehr, als alle Anderen, und gehöre ein großer Schmerz zum Kö-
nigthum; aber wenn es dann dämmerte, und er in die Zimmer seiner
Tochter trat, und sah ihre Kleider hängen, und ihre kleineren Habseligkeiten stehn, als habe sie eben das Zimmer verlassen: so vergaß er
seine Vorsätze, gebehrdete sich wie ein trübseliger Mensch, und rief
seine geringsten Diener um Mitleid an. Die ganze Stadt und das ganze
Land weinten und klagten von ganzem Herzen mit ihm. Sonderlich
war es, daß eine Sage umherging, die Prinzessin lebe noch, und werde
bald mit einem Gemahl wiederkommen. Kein Mensch wußte, woher

die Sage kam: aber alles hing sich mit frohem Glauben daran, und sah
mit ungeduldiger Erwartung ihrer baldigen Wiederkunft entgegen.
So vergingen mehrere Monden, bis das Frühjahr wieder herankam.
Was gilts, sagten einige in wunderlichem Muthe, nun kommt auch
die Prinzessin wieder. Selbst der König ward heitrer und hoffnungs-
voller. Die Sage dünkte ihm wie die Verheißung einer gütigen Macht.
Die ehemaligen Feste fingen wieder an, und es schien zum völligen
Aufblühen der alten Herrlichkeit nur noch die Prinzessin zu fehlen.
Eines Abends, da es gerade jährig wurde, daß sie verschwand, war der
ganze Hof im Garten versammelt. Die Luft war warm und heiter; ein
leiser Wind tönte nur oben in den alten Wipfeln, wie die Ankündigung eines fernen fröhlichen Zuges. Ein mächtiger Springquell stieg
zwischen den vielen Fackeln mit zahllosen Lichtern hinauf in die
Dunkelheit der tönenden Wipfel, und begleitete mit melodischem
Plätschern die mannichfaltigen Gesänge, die unter den Bäumen her-
vorklangen. Der König saß auf einem köstlichen Teppich, und um ihn
her war der Hof in festlichen Kleidern versammelt. Eine zahlreiche
Menge erfüllte den Garten, und umgab das prachtvolle Schauspiel.
Der König saß eben in tiefen Gedanken. Das Bild seiner verlornen
Tochter stand mit ungewöhnlicher Klarheit vor ihm; er gedachte der
glücklichen Tage, die um diese Zeit im vergangenen Jahre ein plötz-
liches Ende nahmen. Eine heiße Sehnsucht übermannte ihn, und es
flossen häufige Thränen von seinen ehrwürdigen Wangen; doch empfand er eine ungewöhnliche Heiterkeit. Es dünkte ihm das traurige
Jahr nur ein schwerer Traum zu seyn, und er hob die Augen auf,
gleichsam um ihre hohe, heilige, entzückende Gestalt unter den Menschen und den Bäumen aufzusuchen. Eben hatten die Dichter geendigt, und eine tiefe Stille schien das Zeichen der allgemeinen Rührung zu seyn, denn die Dichter hatten die Freuden des Wiedersehns,
den Frühling und die Zukunft besungen, wie sie die Hoffnung zu
schmücken pflegt.
Plötzlich wurde die Stille durch leise Laute einer unbekannten schönen Stimme unterbrochen, die von einer uralten Eiche herzukommen
schienen. Alle Blicke richteten sich dahin, und man sah einen Jüngling in einfacher, aber fremder Tracht stehen, der eine Laute im Arm
hielt, und ruhig in seinem Gesange fortfuhr, indem er jedoch, wie der

König seinen Blick nach ihm wandte, eine tiefe Verbeugung machte. Die Stimme war außerordentlich schön, und der Gesang trug ein fremdes, wunderbares Gepräge. Er handelte von dem Ursprunge der Welt, von der Entstehung der Gestirne, der Pflanzen, Thiere und Menschen, von der allmächtigen Sympathie der Natur, von der uralten goldenen Zeit und ihren Beherrscherinnen, der Liebe und Poesie, von der Erscheinung des Hasses und der Barbarey und ihren Kämpfen mit jenen wohlthätigen Göttinnen, und endlich von dem zukünftigen Triumph der letztern, dem Ende der Trübsale, der Verjüngung der Natur und der Wiederkehr eines ewigen goldenen Zeitalters. Die alten Dichter traten selbst von Begeisterung hingerissen, während des Gesanges näher um den seltsamen Fremdling her. Ein niegefühltes Entzücken ergriff die Zuschauer, und der König selbst fühlte sich wie auf einem Strom des Himmels weggetragen. Ein solcher Gesang war nie vernommen worden, und Alle glaubten, ein himmlisches Wesen sey unter ihnen erschienen, besonders da der Jüngling unterm Singen immer schöner, immer herrlicher, und seine Stimme immer gewaltiger zu werden schien. Die Luft spielte mit seinen goldenen Locken. Die Laute schien sich unter seinen Händen zu beseelen, und sein Blick schien trunken in eine geheimere Welt hinüber zu schauen. Auch die Kinderunschuld und Einfalt seines Gesichts schien allen übernatürlich. Nun war der herrliche Gesang geendigt. Die bejahrten Dichter drückten den Jüngling mit Freudenthränen an ihre Brust. Ein stilles inniges Jauchzen ging durch die Versammlung. Der König kam gerührt auf ihn zu. Der Jüngling warf sich ihm bescheiden zu Füßen. Der König hob ihn auf, umarmte ihn herzlich, und hieß ihn sich eine Gabe ausbitten. Da bat er mit glühenden Wangen den König, noch ein Lied gnädig anzuhören, und dann über seine Bitte zu entscheiden. Der König trat einige Schritte zurück und der Fremdling fing an:

> Der Sänger geht auf rauhen Pfaden,
> Zerreißt in Dornen sein Gewand;
> Er muß durch Fluß und Sümpfe baden,
> Und keins reicht hülfreich ihm die Hand.
> Einsam und pfadlos fließt in Klagen
> Jetzt über sein ermattet Herz;

Er kann die Laute kaum noch tragen,
Ihn übermannt ein tiefer Schmerz.

*

Ein traurig Loos ward mir beschieden,
Ich irre ganz verlassen hier,
Ich brachte Allen Lust und Frieden,
Doch keiner theilte sie mit mir.
Es wird ein jeder seiner Habe
Und seines Lebens froh durch mich;
Doch weisen sie mit karger Gabe
Des Herzens Forderung von sich.

*

Man läßt mich ruhig Abschied nehmen,
Wie man den Frühling wandern sieht;
Es wird sich keiner um ihn grämen,
Wenn er betrübt von dannen zieht.
Verlangend sehn sie nach den Früchten,
Und wissen nicht, daß er sie sät;
Ich kann den Himmel für sie dichten,
Doch meiner denkt nicht Ein Gebet.

*

Ich fühle dankbar Zaubermächte
An diese Lippen festgebannt.
O! knüpfte nur an meine Rechte
Sich auch der Liebe Zauberband.
Es kümmert keine sich des Armen,
Der dürftig aus der Ferne kam;
Welch Herz wird Sein sich noch erbarmen
Und lösen seinen tiefen Gram?

*

Er sinkt im hohen Grase nieder,
Und schläft mit nassen Wangen ein;
Da schwebt der hohe Geist der Lieder
In die beklemmte Brust hinein:
Vergiß anjetzt, was du gelitten,
In Kurzem schwindet deine Last,
Was du umsonst gesucht in Hütten,
Das wirst du finden im Palast.

*

Du nahst dem höchsten Erdenlohne,
Bald endigt der verschlungne Lauf;
Der Myrthenkranz wird eine Krone,
Dir setzt die treuste Hand sie auf.
Ein Herz voll Einklang ist berufen
Zur Glorie um einen Thron;
Der Dichter steigt auf rauhen Stufen
Hinan, und wird des Königs Sohn.

*

So weit war er in seinem Gesange gekommen, und ein sonderbares
Erstaunen hatte sich der Versammlung bemächtigt, als während dieser Strophen ein alter Mann mit einer verschleyerten weiblichen Gestalt von edlem Wuchse, die ein wunderschönes Kind auf dem Arme
trug, das freundlich in der fremden Versammlung umhersah, und
lächelnd nach dem blitzenden Diadem des Königs die kleinen Händ-
chen streckte, zum Vorschein kamen, und sich hinter den Sänger
stellten; aber das Staunen wuchs, als plötzlich aus den Gipfeln der
alten Bäume, der Lieblingsadler des Königs, den er immer um sich
hatte, mit einer goldenen Stirnbinde, die er aus seinen Zimmern ent-
wandt haben mußte, herabflog, und sich auf das Haupt des Jünglings
niederließ, so daß die Binde sich um seine Locken schlug. Der Fremdling erschrak einen Augenblick; der Adler flog an die Seite des Königs, und ließ die Binde zurück. Der Jüngling reichte sie dem Kinde,
das darnach verlangte, ließ sich auf ein Knie gegen den König nieder,
und fuhr in seinem Gesange mit bewegter Stimme fort:

*

Der Sänger fährt aus schönen Träumen
Mit froher Ungeduld empor;
Er wandelt unter hohen Bäumen
Zu des Pallastes ehrnem Thor.
Die Mauern sind wie Stahl geschliffen,
Doch sie erklimmt sein Lied geschwind,
Es steigt von Lieb' und Weh ergriffen
Zu ihm hinab des Königs Kind.

*

Die Liebe drückt sie fest zusammen
Der Klang der Panzer treibt sie fort;

Sie lodern auf in süßen Flammen,
Im nächtlich stillen Zufluchtsort.
Sie halten furchtsam sich verborgen,
Weil sie der Zorn des Königs schreckt;
Und werden nun von jedem Morgen
Zu Schmerz und Lust zugleich erweckt.

*

Der Sänger spricht mit sanften Klängen
Der neuen Mutter Hoffnung ein;
Da tritt, gelockt von den Gesängen
Der König in die Kluft hinein.
Die Tochter reicht in goldnen Locken
Den Enkel von der Brust ihm hin;
Sie sinken reuig und erschrocken,
Und mild zergeht sein strenger Sinn.

*

Der Liebe weicht und dem Gesange
Auch auf dem Thron ein Vaterherz,
Und wandelt bald in süßem Drange
Zu ewger Lust den tiefen Schmerz.
Die Liebe giebt, was sie entrissen,
Mit reichem Wucher bald zurück,
Und unter den Versöhnungsküssen
Entfaltet sich ein himmlisch Glück.

*

Geist des Gesangs, komm du hernieder,
Und steh auch jetzt der Liebe bey;
Bring die verlorne Tochter wieder,
Daß ihr der König Vater sey! —
Daß er mit Freuden sie umschließet,
Und seines Enkels sich erbarmt,
Und wenn das Herz ihm überfließet,
Den Sänger auch als Sohn umarmt.

Der Jüngling hob mit bebender Hand bey diesen Worten, die sanft in
den dunklen Gängen verhallten, den Schleyer. Die Prinzessin fiel mit

einem Strom von Thränen zu den Füßen des Königs, und hielt ihm das schöne Kind hin. Der Sänger kniete mit gebeugtem Haupte an ihrer Seite. Eine ängstliche Stille schien jeden Athem festzuhalten. Der König war einige Augenblicke sprachlos und ernst; dann zog er die Prinzessin an seine Brust, drückte sie lange fest an sich und weinte laut. Er hob nun auch den Jüngling zu sich auf, und umschloß ihn mit herzlicher Zärtlichkeit. Ein helles Jauchzen flog durch die Versammlung, die sich dicht zudrängte. Der König nahm das Kind und reichte es mit rührender Andacht gen Himmel; dann begrüßte er freundlich den Alten. Unendliche Freudenthränen flossen. In Gesänge brachen die Dichter aus, und der Abend ward ein heiliger Vorabend dem ganzen Lande, dessen Leben fortan nur Ein schönes Fest war. Kein Mensch weiß, wo das Land hingekommen ist. Nur in Sagen heißt es, daß Atlantis von mächtigen Fluten den Augen entzogen worden sey.

VIERTES KAPITEL

Einige Tagereisen waren ohne die mindeste Unterbrechung geendigt. Der Weg war fest und trocken, die Witterung erquickend und heiter, und die Gegenden, durch die sie kamen, fruchtbar, bewohnt und mannichfaltig. Der furchtbare Thüringer Wald lag im Rücken; die Kaufleute hatten den Weg öfter gemacht, waren überall mit den Leuten bekannt, und erfuhren die gastfreyste Aufnahme. Sie vermieden die abgelegenen und durch Räubereien bekannten Gegenden, und nahmen, wenn sie ja gezwungen waren, solche zu durchreisen, ein hinlängliches Geleite mit. Einige Besitzer benachbarter Bergschlösser standen mit den Kaufleuten in gutem Vernehmen. Sie wurden besucht und bey ihnen nachgefragt, ob sie Bestellungen nach Augsburg zu machen hätten. Eine freundliche Bewirthung ward ihnen zu Theil, und die Frauen und Töchter drängten sich mit herzlicher Neugier um die Fremdlinge. Heinrichs Mutter gewann sie bald durch ihre guthmüthige Bereitwilligkeit und Theilnahme. Man war erfreut eine Frau aus der Residenzstadt zu sehn, die eben so willig die Neuigkeiten der Mode, als die Zubereitung einiger schmackhafter Schüsseln mittheilte. Der

junge Ofterdingen ward von Rittern und Frauen wegen seiner Be-
scheidenheit und seines ungezwungen milden Betragens gepriesen,
und die letztern verweilten gern auf seiner einnehmenden Gestalt, die
wie das einfache Wort eines Unbekannten war, das man fast überhört, bis längst nach seinem Abschiede es seine tiefe unscheinbare
Knospe immer mehr aufthut, und endlich eine herrliche Blume in allem
Farbenglanze dichtverschlungener Blätter zeigt, so daß man es nie
vergißt, nicht müde wird es zu wiederholen, und einen unversieglichen
immer gegenwärtigen Schatz daran hat. Man besinnt sich nun genauer auf den Unbekannten, und ahndet und ahndet, bis es auf einmal
klar wird, daß es ein Bewohner der höhern Welt gewesen sey. — Die
Kaufleute erhielten eine große Menge Bestellungen, und man trennte
sich gegenseitig mit herzlichen Wünschen, einander bald wieder zu
sehn. Auf einem dieser Schlösser, wo sie gegen Abend hinkamen, ging
es frölich zu. Der Herr des Schlosses war ein alter Kriegsmann, der die
Muße des Friedens, und die Einsamkeit seines Aufenthalt mit öftern
Gelagen feyerte und unterbrach, und außer dem Kriegsgetümmel und
der Jagd keinen andern Zeitvertreib kannte, als den gefüllten Becher.
Er empfing die Ankommenden mit brüderlicher Herzlichkeit, mitten
unter lärmenden Genossen. Die Mutter ward zur Hausfrau geführt.
Die Kaufleute und Heinrich mußten sich an die lustige Tafel setzen,
wo der Becher tapfer umherging. Heinrichen ward auf vieles Bitten in
Rücksicht seiner Jugend das jedesmalige Bescheidthun erlassen, dagegen die Kaufleute sich nicht faul finden, sondern sich den alten
Frankenwein tapfer schmecken ließen. Das Gespräch lief über ehmalige Kriegsabentheuer hin. Heinrich hörte mit großer Aufmerksamkeit den neuen Erzählungen zu. Die Ritter sprachen vom heiligen
Lande, von den Wundern des heiligen Grabes, von den Abentheuern
ihres Zuges, und ihrer Seefahrt, von den Sarazenen, in deren Gewalt
einige gerathen gewesen waren, und dem frölichen und wunderbaren
Leben im Felde und im Lager. Sie äußerten mit großer Lebhaftigkeit
ihren Unwillen jene himmlische Geburtsstätte der Christenheit noch
im frevelhaften Besitz der Ungläubigkeit zu wissen. Sie erhoben die
großen Helden, die sich eine ewige Krone durch ihr tapfres, unermüd-
liches Bezeigen gegen dieses ruchlose Volk erworben hätten. Der

Schloßherr zeigte das kostbare Schwerdt, was er einem Anführer derselben mit eigner Hand abgenommen, nachdem er sein Castell erobert,
ihn getödtet, und seine Frau und Kinder zu Gefangenen gemacht, welches ihm der Kayser in seinem Wappen zu führen vergönnet hatte.
Alle besahen das prächtige Schwerdt, auch Heinrich nahm es in seine
Hand, und fühlte sich von einer kriegerischen Begeisterung ergriffen.
Er küßte es mit inbrünstiger Andacht. Die Ritter freuten sich über
seinen Antheil. Der Alte umarmte ihn, und munterte ihn auf, auch
seine Hand auf ewig der Befreyung des heiligen Grabes zu widmen,
und das wunderthätige Kreuz auf seine Schultern befestigen zu lassen.
Er war überrascht, und seine Hand schien sich nicht von dem Schwerdte
losmachen zu können. Besinne dich, mein Sohn, rief der alte Ritter.
Ein neuer Kreuzzug ist vor der Thür. Der Kayser selbst wird unsere
Schaaren in das Morgenland führen. Durch ganz Europa schallt von
neuem der Ruf des Kreuzes, und heldenmüthige Andacht regt sich aller
Orten. Wer weiß, ob wir nicht übers Jahr in der großen weltherr-
lichen Stadt Jerusalem als frohe Sieger bey einander sitzen, und uns
bey vaterländischem Wein an unsere Heymath erinnern. Du kannst
auch bey mir ein morgenländisches Mädgen sehn. Sie dünken uns
Abendländern gar anmuthig, und wenn du das Schwerdt gut zu führen verstehst, so kann es dir an schönen Gefangenen nicht fehlen. Die
Ritter sangen mit lauter Stimme den Kreuzgesang, der damals in ganz
Europa gesungen wurde:

> Das Grab steht unter wilden Heyden;
> Das Grab, worinn der Heyland lag,
> Muß Frevel und Verspottung leiden
> Und wird entheiligt jeden Tag.
> Es klagt heraus mit dumpfer Stimme:
> Wer rettet mich von diesem Grimme!
>
> *
>
> Wo bleiben seine Heldenjünger?
> Verschwunden ist die Christenheit!
> Wer ist des Glaubens Wiederbringer?
> Wer nimmt das Kreuz in dieser Zeit?
> Wer bricht die schimpflichsten der Ketten,
> Und wird das heil'ge Grab erretten?

Gewaltig geht auf Land und Meeren
In tiefer Nacht ein heil'ger Sturm;
Die trägen Schläfen aufzustören,
Umbraust er Lager, Stadt und Thurm,
Ein Klaggeschrey um alle Zinnen:
Auf, träge Christen, zieht von hinnen.

*

Es lassen Engel aller Orten
Mit ernstem Antlitz stumm sich sehn,
Und Pilger sieht man vor den Pforten
Mit kummervollen Wangen stehn;
Sie klagen mit den bängsten Tönen
Die Grausamkeit der Sarazenen.

*

Es bricht ein Morgen, roth und trübe,
Im weiten Land der Christen an.
Der Schmerz der Wehmuth und der Liebe
Verkündet sich bey Jedermann.
Ein jedes greift nach Kreuz und Schwerdte
Und zieht entflammt von seinem Heerde.

*

Ein Feuereifer tobt im Heere,
Das Grab des Heylands zu befreyn.
Sie eilen frölich nach dem Meere,
Um bald auf heil'gem Grund zu seyn.
Auch Kinder kommen noch gelaufen
Und mehren den geweihten Haufen.

*

Hoch weht das Kreuz im Siegspaniere,
Und alte Helden stehn voran.
Des Paradieses sel'ge Thüre
Wird frommen Kriegern aufgethan;
Ein jeder will das Glück genießen
Sein Blut für Christus zu vergießen.

*

Zum Kampf ihr Christen! Gottes Schaaren
Ziehn mit in das gelobte Land.

Bald wird der Heyden Grimm erfahren
Des Christengottes Schreckenshand.
Wir waschen bald in frohem Muthe
Das heilige Grab mit Heydenblute.

*

Die heil'ge Jungfrau schwebt, getragen
Von Engeln, ob der wilden Schlacht,
Wo jeder, den das Schwerdt geschlagen,
In ihrem Mutterarm erwacht.
Sie neigt sich mit verklärter Wange
Herunter zu dem Waffenklange.

*

Hinüber zu der heilgen Stätte!
Des Grabes dumpfe Stimme tönt!
Bald wird mit Sieg und mit Gebete
Die Schuld der Christenheit versöhnt!
Das Reich der Heyden wird sich enden,
Ist erst das Grab in unsern Händen.

*

Heinrichs ganze Seele war in Aufruhr, das Grab kam ihm wie eine
bleiche, edle, jugendliche Gestalt vor, die auf einem großen Stein mitten unter wildem Pöbel säße, und auf eine entsetzliche Weise gemiß-
handelt würde, als wenn sie mit kummervollen Gesichte nach einem
Kreuze blicke, was im Hintergrunde mit lichten Zügen schimmerte,
und sich in den bewegten Wellen eines Meeres unendlich verviel-
fältigte.

Seine Mutter schickt eben herüber, um ihn zu holen, und der Hausfrau des Ritters vorzustellen. Die Ritter waren in ihr Gelag und ihre
Vorstellungen des bevorstehenden Zuges vertieft, und bemerkten
nicht, daß Heinrich sich entfernte. Er fand seine Mutter in traulichem
Gespräch mit der alten, gutmüthigen Frau des Schlosses, die ihn
freundlich bewillkommte. Der Abend war heiter; die Sonne begann
sich zu neigen, und Heinrich, der sich nach Einsamkeit sehnte, und
von der goldenen Ferne gelockt wurde, die durch die engen, tiefen
Bogenfenster in das düstre Gemach hineintrat, erhielt leicht die Erlaubniß, sich außerhalb des Schlosses besehen zu dürfen. Er eilte ins

Freye, sein ganzes Gemüth war rege, er sah von der Höhe des alten
Felsen zunächst in das waldige Thal, durch das ein Bach herunter-
stürzte und einige Mühlen trieb, deren Geräusch man kaum aus der
gewaltigen Tiefe vernehmen konnte, und dann in eine unabsehliche
Ferne von Bergen, Wäldern und Niederungen, und seine innere Unruhe wurde besänftigt. Das kriegerische Getümmel verlor sich, und
es blieb nur eine klare bilderreiche Sehnsucht zurück. Er fühlte, daß
ihm eine Laute mangelte, so wenig er auch wußte, wie sie eigentlich
gebaut sey, und welche Wirkung sie hervorbringe. Das heitere Schauspiel des herrlichen Abends wiegte ihn in sanfte Fantasieen: die
Blume seines Herzens ließ sich zuweilen, wie ein Wetterleuchten in
ihm sehn. — Er schweifte durch das wilde Gebüsch und kletterte über
bemooste Felsenstücke, als auf einmal aus einer nahen Tiefe ein zarter eindringender Gesang einer weiblichen Stimme von wunderbaren
Tönen begleitet, erwachte. Es war ihm gewiß, daß es eine Laute sey;
er blieb verwunderungsvoll stehen, und hörte in gebrochner deutscher
Aussprache folgendes Lied:

> Bricht das matte Herz noch immer
> Unter fremdem Himmel nicht?
> Kommt der Hoffnung bleicher Schimmer
> Immer mir noch zu Gesicht?
> Kann ich wohl noch Rückkehr wähnen?
> Stromweis stürzen meine Thränen,
> Bis mein Herz in Kummer bricht.
>
> *
>
> Könnt ich dir die Myrthen zeigen
> Und der Zeder dunkles Haar!
> Führen dich zum frohen Reigen
> Der geschwisterlichen Schaar!
> Sähst du im gestickten Kleide,
> Stolz im köstlichen Geschmeide
> Deine Freundinn, wie sie war.
>
> *
>
> Edle Jünglinge verneigen
> Sich mit heißem Blick vor ihr;

Zärtliche Gesänge steigen
Mit dem Abendstern zu mir.
Dem Geliebten darf man trauen;
Ewge Lieb' und Treu den Frauen,
Ist der Männer Losung hier.

*

Hier, wo um krystallne Quellen
Liebend sich der Himmel legt,
Und mit heißen Balsamwellen
Um den Hayn zusammenschlägt,
Der in seinen Lustgebieten,
Unter Früchten, unter Blüthen
Tausend bunte Sänger hegt.

*

Fern sind jene Jugendträume!
Abwärts liegt das Vaterland!
Längst gefällt sind jene Bäume,
Und das alte Schloß verbrannt.
Fürchterlich, wie Meereswogen
Kam ein rauhes Heer gezogen,
Und das Paradies verschwand.

*

Fürchterliche Gluten flossen
In die blaue Luft empor,
Und es drang auf stolzen Rossen
Eine wilde Schaar ins Thor.
Säbel klirrten, unsre Brüder,
Unser Vater kam nicht wieder,
Und man riß uns wild hervor.

*

Meine Augen wurden trübe;
Fernes, mütterliches Land,
Ach! sie bleiben dir voll Liebe
Und voll Sehnsucht zugewandt!
Wäre nicht dies Kind vorhanden,
Längst hätt' ich des Lebens Banden
Aufgelöst mit kühner Hand.

Heinrich hörte das Schluchzen eines Kindes und eine tröstende Stimme. Er stieg tiefer durch das Gebüsch hinab, und fand ein bleiches, abgehärmtes Mädchen unter einer alten Eiche sitzen. Ein schönes Kind hing weinend an ihrem Halse, auch ihre Thränen flossen, und eine Laute lag neben ihr auf dem Rasen. Sie erschrack ein wenig, als sie den fremden Jüngling erblickte, der mit wehmüthigem Gesicht sich ihr näherte.

Ihr habt wohl meinen Gesang gehört, sagte sie freundlich. Euer Gesicht dünkt mir bekannt, laßt mich besinnen — Mein Gedächtniß ist schwach geworden, aber euer Anblick erweckt in mir eine sonderbare Erinnerung aus frohen Zeiten. O! mir ist, als glicht ihr einem meiner Brüder, der noch vor unserm Unglück von uns schied, und nach Persien zu einem berühmten Dichter zog. Vielleicht lebt er noch, und besingt traurig das Unglück seiner Geschwister. Wüßt ich nur noch einige seiner herrlichen Lieder, die er uns hinterließ! Er war edel und zärtlich, und kannte kein größeres Glück als seine Laute. Das Kind war ein Mädchen von zehn bis zwölf Jahren, das den fremden Jüngling aufmerksam betrachtete und sich fest an den Busen der unglücklichen Zulima schmiegte. Heinrichs Herz war von Mitleid durchdrungen; er tröstete die Sängerin mit freundlichen Worten, und bat sie, ihm umständlicher ihre Geschichte zu erzählen. Sie schien es nicht ungern zu thun. Heinrich setzte sich ihr gegenüber und vernahm ihre von häufigen Thränen unterbrochne Erzählung. Vorzüglich hielt sie sich bei dem Lobe ihrer Landsleute und ihres Vaterlandes auf. Sie schilderte den Edelmuth derselben, und ihre reine starke Empfänglichkeit für die Poesie des Lebens und die wunderbare, geheimnißvolle Anmuth der Natur. Sie beschrieb die romantischen Schönheiten der fruchtbaren Arabischen Gegenden, die wie glückliche Inseln in unwegsamen Sandwüsteneien lägen, wie Zufluchtsstätte der Bedrängten und Ruhebedürftigen, wie Kolonien des Paradieses, voll frischer Quellen, die über dichten Rasen und funkelnde Steine durch alte, ehrwürdige Haine rieselten, voll bunter Vögel mit melodischen Kehlen und anziehend durch mannichfaltige Überbleibsel ehemaliger denkwürdiger Zeiten. Ihr würdet mit Verwunderung, sagte sie, die buntfarbigen, hellen, seltsamen Züge und Bilder auf den alten Steinplatten sehn. Sie scheinen so bekannt und nicht ohne Ursach so wohl erhalten zu seyn. Man sinnt

und sinnt, einzelne Bedeutungen ahnet man, und wird um so begie-
riger den tiefsinnigen Zusammenhang dieser uralten Schrift zu errathen. Der unbekannte Geist derselben erregt ein ungewöhnliches
Nachdenken, und wenn man auch ohne den gewünschten Fund von
dannen geht, so hat man doch tausend merkwürdige Entdeckungen
in sich selbst gemacht, die dem Leben einen neuen Glanz und dem
Gemüth eine lange, belohnende Beschäftigung geben. Das Leben auf
einem längst bewohnten und ehemals schon durch Fleiß, Thätigkeit und
Neigung verherrlichten Boden hat einen besondern Reiz. Die Natur
scheint dort menschlicher und verständlicher geworden, eine dunkle
Erinnerung unter der durchsichtigen Gegenwart wirft die Bilder der
Welt mit scharfen Umrissen zurück, und so genießt man eine doppelte
Welt, die eben dadurch das Schwere und Gewaltsame verliert und die
zauberische Dichtung und Fabel unserer Sinne wird. Wer weiß, ob
nicht auch ein unbegreiflicher Einfluß der ehemaligen, jetzt unsicht-
baren Bewohner mit ins Spiel kommt, und vielleicht ist es dieser dunkle
Zug, der die Menschen aus neuen Gegenden, sobald eine gewisse Zeit
ihres Erwachens kömmt, mit so zerstörender Ungeduld nach der alten
Heymath ihres Geschlechts treibt, und sie Gut und Blut an den Besitz
dieser Länder zu wagen anregt. Nach einer Pause fuhr sie fort:
Glaubt ja nicht, was man euch von den Grausamkeiten meiner
Landsleute erzählt hat. Nirgends wurden Gefangene großmüthiger
behandelt, und auch eure Pilger nach Jerusalem wurden mit Gast-
freundschaft aufgenommen, nur daß sie selten derselben werth waren.
Die Meisten waren nichtsnutzige, böse Menschen, die ihre Wallfahrten
mit Bubenstücken bezeichneten, und dadurch freylich oft gerechter
Rache in die Hände fielen. Wie ruhig hätten die Christen das heilige
Grab besuchen können, ohne nöthig zu haben, einen fürchterlichen,
unnützen Krieg anzufangen, der alles erbittert, unendliches Elend
verbreitet, und auf immer das Morgenland von Europa getrennt hat.
Was lag an dem Namen des Besitzers? Unsere Fürsten ehrten an-
dachtsvoll das Grab eures Heiligen, den auch wir für einen göttlichen
Profeten halten; und wie schön hätte sein heiliges Grab die Wiege
eines glücklichen Einverständnisses, der Anlaß ewiger wohlthätiger
Bündnisse werden können!
Der Abend war unter ihren Gesprächen herbeygekommen. Es fing an

Nacht zu werden, und der Mond hob sich aus dem feuchten Walde mit
beruhigendem Glanze herauf. Sie stiegen langsam nach dem Schlosse;
Heinrich war voll Gedanken, die kriegerische Begeisterung war gänzlich verschwunden. Er merkte eine wunderliche Verwirrung in der
Welt; der Mond zeigte ihm das Bild eines tröstenden Zuschauers und
erhob ihn über die Unebenheiten der Erdoberfläche, die in der Höhe
so unbeträchtlich erschienen, so wild und unersteiglich sie auch dem
Wanderer vorkamen. Zulima ging still neben ihm her, und führte das
Kind. Heinrich trug die Laute. Er suchte die sinkende Hoffnung seiner Begleiterinn, ihr Vaterland dereinst wieder zu sehn, zu beleben,
indem er innerlich einen heftigen Beruf fühlte, ihr Retter zu seyn,
ohne zu wissen, auf welche Art es geschehen könne. Eine besondere
Kraft schien in seinen einfachen Worten zu liegen, denn Zulima
empfand eine ungewohnte Beruhigung und dankte ihm für seine Zu-
sprache auf die rührendste Weise. Die Ritter waren noch bey ihren
Bechern und die Mutter in häuslichen Gesprächen. Heinrich hatte
keine Lust in den lärmenden Saal zurückzugehn. Er fühlte sich müde,
und begab sich bald mit seiner Mutter in das angewiesene Schlaf-
gemach. Er erzählte ihr vor dem Schläfengehn, was ihm begegnet sey,
und schlief bald zu unterhaltenden Träumen ein. Die Kaufleute hatten
sich auch zeitig fortbegeben, und waren früh wieder munter. Die
Ritter lagen in tiefer Ruhe, als sie abreisten; die Hausfrau aber nahm
zärtlichen Abschied. Zulima hatte wenig geschlafen, eine innere
Freude hatte sie wach erhalten; sie erschien beym Abschiede, und be-
diente die Reisenden demüthig und emsig. Als sie Abschied nahmen
brachte sie mit vielen Thränen ihre Laute zu Heinrich, und bat mit
rührender Stimme, sie zu Zulimas Andenken mitzunehmen. Es war
meines Bruders Laute, sagte sie, der sie mir beym Abschied schenkte;
es ist das einzige Besitzthum, was ich gerettet habe. Sie schien euch
gestern zu gefallen, und ihr laßt mir ein unschätzbares Geschenk zurück, süße Hoffnung. Nehmt dieses geringe Zeichen meiner Dankbarkeit, und laßt es ein Pfand eures Andenkens an die arme Zulima seyn.
Wir werden uns gewiß wiedersehn, und dann bin ich vielleicht glücklicher. Heinrich weinte; er weigerte sich, diese ihr so unentbehrliche
Laute anzunehmen: gebt mir, sagte er, das goldene Band mit den
unbekannten Buchstaben aus euren Haaren, wenn es nicht ein An-

denken eurer Eltern oder Geschwister ist, und nehmt dagegen einen
Schleyer an, den mir meine Mutter gern abtreten wird. Sie wich endlich seinem Zureden und gab ihm das Band, indem sie sagte, Es ist
mein Name in den Buchstaben meiner Muttersprache, den ich in bes-
sern Zeiten selbst in dieses Band gestickt habe. Betrachtet es gern, und
denkt, daß es eine lange, kummervolle Zeit meine Haare festgehalten
hat, und mit seiner Besitzerin verbleicht ist. Heinrichs Mutter zog
den Schleyer heraus, und reichte ihr ihn hin, indem sie sie an sich zog
und weinend umarmte. —

FÜNFTES KAPITEL

Nach einigen Tagereisen kamen sie an ein Dorf, am Fuße einiger
spitzen Hügel, die von tiefen Schluchten unterbrochen waren. Die
Gegend war übrigens fruchtbar und angenehm, ohngeachtet die Rük-
ken der Hügel ein todtes, abschreckendes Ansehn hatten. Das Wirths-
haus war reinlich, die Leute bereitwillig, und eine Menge Menschen,
theils Reisende, theils bloße Trinkgäste, saßen in der Stube, und unterhielten sich von allerhand Dingen.
Unsre Reisenden gesellten sich zu ihnen, und mischten sich in die
Gespräche. Die Aufmerksamkeit der Gesellschaft war vorzüglich auf
einen alten Mann gerichtet, der in fremder Tracht an einem Tische
saß, und freundlich die neugierigen Fragen beantwortete, die an ihn
geschahen. Er kam aus fremden Landen, hatte sich heute früh die Gegend umher genau betrachtet, und erzählte nun von seinem Gewerbe
und seinen heutigen Entdeckungen. Die Leute nannten ihn einen
Schatzgräber. Er sprach aber sehr bescheiden von seinen Kenntnissen
und seiner Macht, doch trugen seine Erzählungen das Gepräge der
Seltsamkeit und Neuheit. Er erzählte, daß er aus Böhmen gebürtig
sey. Von Jugend auf habe er eine heftige Neugierde gehabt zu wissen,
was in den Bergen verborgen seyn müsse, wo das Wasser in den Quellen herkomme, und wo das Gold und Silber und die köstlichen Steine
gefunden würden, die den Menschen so unwiderstehlich an sich zögen.
Er habe in der nahen Klosterkirche oft diese festen Lichter an den
Bildern und Reliquien betrachtet, und nur gewünscht, daß sie zu ihm

reden könnten, um ihm von ihrer geheimnißvollen Herkunft zu erzählen. Er habe wohl zuweilen gehört, daß sie aus weit entlegenen
Ländern kämen; doch habe er immer gedacht, warum es nicht auch
in diesen Gegenden solche Schätze und Kleinodien geben könne. Die
Berge seyen doch nicht umsonst so weit im Umfange und erhaben und
so fest verwahrt; auch habe es ihm verdünkt, wie wenn er zuweilen
auf den Gebirgen glänzende und flimmernde Steine gefunden hätte.
Er sey fleißig in den Felsenritzen und Höhlen umhergeklettert, und
habe sich mit unaussprechlichem Vergnügen in diesen uralten Hallen
und Gewölben umgesehn. — Endlich sey ihm einmal ein Reisender begegnet, der zu ihm gesagt, er müsse ein Bergmann werden, da könne
er die Befriedigung seiner Neugier finden. In Böhmen gäbe es Berg-
werke. Er solle nur immer an dem Flusse hinuntergehn, nach zehn
bis zwölf Tagen werde er in Eula seyn, und dort dürfe er nur sprechen,
daß er gern ein Bergmann werden wolle. Er habe sich dies nicht zwey-
mal sagen lassen, und sich gleich den andern Tag auf den Weg gemacht. Nach einem beschwerlichen Gange von mehreren Tagen,
fuhr er fort, kam ich nach Eula. Ich kann euch nicht sagen, wie herrlich mir zu Muthe ward, als ich von einem Hügel die Haufen von
Steinen erblickte, die mit grünen Gebüschen durchwachsen waren,
auf denen breterne Hütten standen, und als ich aus dem Thal unten
die Rauchwolken über den Wald heraufziehn sah. Ein fernes Getöse
vermehrte meine Erwartungen, und mit unglaublicher Neugierde
und voll stiller Andacht stand ich bald auf einem solchen Haufen, den
man Halde nennt, vor den dunklen Tiefen, die im Innern der Hütten
steil in den Berg hineinführten. Ich eilte nach dem Thale und begegnete bald einigen schwarzgekleideten Männern mit Lampen, die ich
nicht mit Unecht für Bergleute hielt, und mit schüchterner Ängstlichkeit ihnen mein Anliegen vortrug. Sie hörten mich freundlich an,
und sagten mir, daß ich nur hinunter nach den Schmelzhütten gehn
und nach dem Steiger fragen sollte, welcher den Anführer und Meister unter ihnen vorstellt; dieser werde mir Bescheid geben, ob ich
angenommen werden möge. Sie meynten, daß ich meinen Wunsch
wohl erreichen würde, und lehrten mich den üblichen Gruß „Glück
auf" womit ich den Steiger anreden sollte. Voll fröhlicher Erwartungen setzte ich meinen Weg fort, und konnte nicht aufhören, den neuen

bedeutungsvollen Gruß mir beständig zu wiederholen. Ich fand einen alten, ehrwürdigen Mann, der mich mit vieler Freundlichkeit empfing, und nachdem ich ihm meine Geschichte erzählt, und ihm meine große Lust, seine seltne, geheimnißvolle Kunst zu erlernen, bezeugt hatte, bereitwillig versprach, mir meinen Wunsch zu gewähren. Ich schien ihm zu gefallen, und er behielt mich in seinem Hause. Den Augenblick konnte ich kaum erwarten, wo ich in die Grube fahren und mich in der reitzenden Tracht sehn würde. Noch denselben Abend brachte er mir ein Grubenkleid, und erklärte mir den Gebrauch einiger Werkzeuge, die in einer Kammer aufbewahrt waren.

Abends kamen Bergleute zu ihm, und ich verfehlte kein Wort von ihren Gesprächen, so unverständlich und fremd mir sowohl die Sprache, als der größte Theil des Inhalts ihrer Erzählungen vorkam. Das Wenige jedoch, was ich zu begreifen glaubte, erhöhte die Lebhaftigkeit meiner Neugierde, und beschäftigte mich des Nachts in seltsamen Träumen. Ich erwachte bey Zeiten und fand mich bey meinem neuen Wirthe ein, bey dem sich allmählich die Bergleute versammelten, um seine Verordnungen zu vernehmen. Eine Nebenstube war zu einer kleinen Kapelle vorgerichtet. Ein Mönch erschien und las eine Messe, nachher sprach er ein feyerliches Gebet, worinn er den Himmel anrief, die Bergleute in seine heilige Obhut zu nehmen, sie bey ihren gefährlichen Arbeiten zu unterstützen, vor Anfechtungen und Tücken böser Geister sie zu schützen, und ihnen reiche Anbrüche zu bescheeren. Ich hatte nie mit mehr Inbrunst gebetet, und nie die hohe Bedeutung der Messe lebhafter empfunden. Meine künftigen Genossen kamen mir wie unterirdische Helden vor, die tausend Gefahren zu überwinden hätten, aber auch ein beneidenswerthes Glück an ihren wunderbaren Kenntnissen besäßen, und in dem ernsten, stillen Umgange mit den uralten Felsensöhnen der Natur, in ihren dunkeln, wunderbaren Kammern, zum Empfängniß himmlischer Gaben und zur freudigen Erhebung über die Welt und ihre Bedrängnisse ausgerüstet würden. Der Steiger gab mir nach geendigtem Gottesdienst eine Lampe und ein kleines hölzernes Krucifix, und ging mit mir nach dem Schachte, wie wir die schroffen Eingänge in die unterirdischen Gebäude zu nennen pflegen. Er lehrte mich die Art des Hinabsteigens, machte mich mit den nothwendigen Vorsichtigkeitsregeln, so wie mit den Namen der

mannichfaltigen Gegenstände und Theile bekannt. Er fuhr voraus, und
schurrte auf dem runden Balken hinunter, indem er sich mit der einen
Hand an einem Seil anhielt, das in einem Knoten an einer Seiten-
stange fortglitschte, und mit der andern die brennende Lampe trug;
ich folgte seinem Beispiel, und wir gelangten so mit ziemlicher Schnelle
bald in eine beträchtliche Tiefe. Mir war seltsam feyerlich zu Muthe,
und das vordere Licht funkelte wie ein glücklicher Stern, der mir den
Weg zu den verborgenen Schatzkammern der Natur zeigte. Wir
kamen unten in einen Irrgarten von Gängen, und mein freundlicher
Meister ward nicht müde meine neugierigen Fragen zu beantworten,
und mich über seine Kunst zu unterrichten. Das Rauschen des Was-
sers, die Entfernung von der bewohnten Oberfläche, die Dunkelheit
und Verschlungenheit der Gänge, und das entfernte Geräusch der
arbeitenden Bergleute ergötzte mich ungemein, und ich fühlte nun
mit Freuden mich im vollen Besitz dessen, was von jeher mein sehn-
lichster Wunsch gewesen war. Es läßt sich auch diese volle Befriedigung eines angebornen Wunsches, diese wundersame Freude an Dingen, die ein näheres Verhältniß zu unserm geheimen Daseyn haben
mögen, zu Beschäftigungen, für die man von der Wiege an bestimmt
und ausgerüstet ist, nicht erklären und beschreiben. Vielleicht daß sie
jedem Andern gemein, unbedeutend und abschreckend vorgekommen
wären; aber mir scheinen sie so unentbehrlich zu seyn, wie die Luft der
Brust und die Speise dem Magen. Mein alter Meister freute sich über
meine innige Lust, und verhieß mir, daß ich bey diesem Fleiße und
dieser Aufmerksamkeit es weit bringen, und ein tüchtiger Bergmann
werden würde. Mit welcher Andacht sah ich zum erstenmal in meinem Leben am sechzehnten März, vor nunmehr fünf und vierzig Jahren, den König der Metalle in zarten Blättchen zwischen den Spalten
des Gesteins. Es kam mir vor, als sey er hier wie in festen Gefängnissen
eingesperrt und glänze freundlich dem Bergmann entgegen, der mit
soviel Gefahren und Mühseligkeiten sich den Weg zu ihm durch die
starken Mauern gebrochen, um ihn an das Licht des Tages zu fördern,
damit er an königlichen Kronen und Gefäßen und an heiligen Reliquien zu Ehren gelangen, und in geachteten und wohlverwahrten
Münzen, mit Bildnissen geziert, die Welt beherrschen und leiten
möge. Von der Zeit an blieb ich in Eula, und stieg allmählich bis zum

Häuer, welches der eigentliche Bergmann ist, der die Arbeiten auf
dem Gestein betreibt, nachdem ich anfänglich bey der Ausförderung
der losgehauenen Stufen in Körben angestellt gewesen war.

Der alte Bergmann ruhte ein wenig von seiner Erzählung aus, und
trank, indem ihm seine aufmerksamen Zuhörer ein fröliches Glück-
auf zubrachten. Heinrichen erfreuten die Reden des alten Mannes
ungemein, und er war sehr geneigt noch mehr von ihm zu hören.

Die Zuhörer unterhielten sich von den Gefahren und Seltsamkeiten
des Bergbaus, und erzählten wunderbare Sagen, über die der Alte oft
lächelte, und freundlich ihre sonderbaren Vorstellungen zu berichti-
gen bemüht war.

Nach einer Weile sagte Heinrich: Ihr mögt seitdem viel seltsame
Dinge gesehn und erfahren haben; hoffentlich hat euch nie eure ge-
wählte Lebensart gereut? Wärt ihr nicht so gefällig und erzähltet uns
wie es euch seit dem ergangen, und auf welcher Reise ihr jetzt begriffen seyd? Es scheint, als hättet ihr euch weiter in der Welt umgesehn, und gewiß darf ich vermuthen, daß ihr jetzt mehr als einen gemeinen Bergmann vorstellt. — Es ist mir selber lieb, sagte der Alte,
mich der verflossenen Zeiten zu erinnern, in denen ich Anläße finde,
mich der göttlichen Barmherzigkeit und Güte zu erfreun. Das Geschick hat mich durch ein frohes und heitres Leben geführt, und es
ist kein Tag vorübergegangen, an welchem ich mich nicht mit dank-
barem Herzen zur Ruhe gelegt hätte. Ich bin immer glücklich in
meinen Verrichtungen gewesen, und unser aller Vater im Himmel hat
mich vor dem Bösen behütet, und in Ehren grau werden lassen. Nächst
ihm habe ich alles meinem alten Meister zu verdanken, der nun lange
zu seinen Vätern versammelt ist, und an den ich nie ohne Thränen denken kann. Er war ein Mann aus der alten Zeit nach dem Herzen Gottes. Mit tiefen Einsichten war er begabt, und doch kindlich und demüthig in seinem Thun. Durch ihn ist das Bergwerk in großen Flor gekommen, und hat dem Herzoge von Böhmen zu ungeheuren Schätzen
verholfen. Die ganze Gegend ist dadurch bevölkert und wohlhabend,
und ein blühendes Land geworden. Alle Bergleute verehrten ihren
Vater in ihm, und so lange Eula steht, wird auch sein Name mit Rührung und Dankbarkeit genannt werden. Er war seiner Geburt nach ein
Lausitzer und hieß Werner. Seine einzige Tochter war noch ein Kind,

wie ich zu ihm ins Haus kam. Meine Ämsigkeit, meine Treue, und
meine leidenschaftliche Anhänglichkeit an ihn, gewannen mir seine
Liebe mit jedem Tage mehr. Er gab mir seinen Namen und machte
mich zu seinem Sohne. Das kleine Mädchen ward nach gerade ein
wackres, muntres Geschöpf, deren Gesicht so freundlich glatt und
weiß war, wie ihr Gemüth. Der Alte sagte mir oft, wenn er sah, daß
sie mir zugethan war, daß ich gern mit ihr schäkerte, und kein Auge
von den ihrigen verwandte, die so blau und offen, wie der Himmel
waren, und wie die Krystalle glänzten: wenn ich ein rechtlicher Bergmann werden würde, wolle er sie mir nicht versagen; und er hielt
Wort. — Den Tag, wie ich Häuer wurde, legte er seine Hände auf uns
und segnete uns als Braut und Bräutigam ein, und wenige Wochen
darauf führte ich sie als meine Frau auf meine Kammer. Denselben
Tag hieb ich in der Frühschicht noch als Lehrhäuer, eben wie die
Sonne oben aufging, eine reiche Ader an. Der Herzog schickte mir
eine goldene Kette mit seinem Bildniß auf einer großen Münze, und
versprach mir den Dienst meines Schwiegervaters. Wie glücklich war
ich, als ich sie am Hochzeittage meiner Braut um den Hals hängen
konnte, und Aller Augen auf sie gerichtet waren. Unser alte[r] Vater
erlebte noch einige muntre Enkel, und die Anbrüche seines Herbstes
waren reicher, als er gedacht hatte. Er konnte mit Freudigkeit seine
Schicht beschließen, und aus der dunkeln Grube dieser Welt fahren,
um in Frieden auszuruhen, und den großen Lohntag zu erwarten.
Herr, sagte der Alte, indem er sich zu Heinrichen wandte, und einige
Thränen aus den Augen trocknete, der Bergbau muß von Gott gesegnet werden! denn es giebt keine Kunst, die ihre Theilhaber glücklicher und edler machte, die mehr den Glauben an eine himmlische
Weisheit und Fügung erweckte, und die Unschuld und Kindlichkeit
des Herzens reiner erhielte, als der Bergbau. Arm wird der Bergmann
geboren, und arm gehet er wieder dahin. Er begnügt sich zu wissen,
wo die metallischen Mächte gefunden werden, und sie zu Tage zu fördern; aber ihr blendender Glanz vermag nichts über sein lautres Herz.
Unentzündet von gefährlichem Wahnsinn, freut er sich mehr über
ihre wunderlichen Bildungen, und die Seltsamkeiten ihrer Herkunft
und ihrer Wohnungen, als über ihren alles verheißenden Besitz. Sie
haben für ihn keinen Reiz mehr, wenn sie Waaren geworden sind, und

er sucht sie lieber unter tausend Gefahren und Mühseligkeiten in den
Vesten der Erde, als daß er ihrem Rufe in die Welt folgen, und auf der
Oberfläche des Bodens durch täuschende, hinterlistige Künste nach
ihnen trachten sollte. Jene Mühseeligkeiten erhalten sein Herz frisch
und seinen Sinn wacker; er genießt seinen kärglichen Lohn mit innig-
lichem Danke, und steigt jeden Tag mit verjüngter Lebensfreude aus
den dunkeln Grüften seines Berufs. Nur Er kennt die Reize des Lichts
und der Ruhe, die Wohlthätigkeit der freyen Luft und Aussicht um
sich her; nur ihm schmeckt Trank und Speise recht erquicklich und
andächtig, wie der Leib des Herrn; und mit welchem liebevollen und
empfänglichen Gemüth tritt er nicht unter seines Gleichen, oder herzt
seine Frau und Kinder, und ergötzt sich dankbar an der schönen Gabe
des traulichen Gesprächs!

Sein einsames Geschäft sondert ihn vom Tage und dem Umgange
mit Menschen einen großen Theil seines Lebens ab. Er gewöhnt sich
nicht zu einer stumpfen Gleichgültigkeit gegen diese überirdischen
tiefsinnigen Dinge und behält die kindliche Stimmung, in der ihm
alles mit seinem eigenthümlichsten Geiste und in seiner ursprünglichen
bunten Wunderbarkeit erscheint. Die Natur will nicht der ausschließ-
liche Besitz eines Einzigen seyn. Als Eigenthum verwandelt sie sich in
ein böses Gift, was die Ruhe verscheucht, und die verderbliche Lust,
alles in diesen Kreis des Besitzers zu ziehn, mit einem Gefolge von
unendlichen Sorgen und wilden Leidenschaften herbeylockt. So unter-
gräbt sie heimlich den Grund des Eigenthümers, und begräbt ihn bald
in den einbrechenden Abgrund, um aus Hand in Hand zu gehen, und
so ihre Neigung, Allen anzugehören, allmählich zu befriedigen.

Wie ruhig arbeitet dagegen der arme genügsame Bergmann in seinen tiefen Einöden, entfernt von dem unruhigen Tumult des Tages,
und einzig von Wißbegier und Liebe zur Eintracht beseelt. Er gedenkt
in seiner Einsamkeit mit inniger Herzlichkeit seiner Genossen und
seiner Familie, und fühlt immer erneuert die gegenseitige Unentbehr-
lichkeit und Blutsverwandtschaft der Menschen. Sein Beruf lehrt ihn
unermüdliche Geduld, und läßt nicht zu, daß sich seine Aufmerksamkeit in unnütze Gedanken zerstreue. Er hat mit einer wunderlichen
harten und unbiegsamen Macht zu thun, die nur durch hartnäckigen
Fleiß und beständige Wachsamkeit zu überwinden ist. Aber welches

köstliche Gewächs blüht ihm auch in diesen schauerlichen Tiefen, das
wahrhafte Vertrauen zu seinem himmlischen Vater, dessen Hand und
Vorsorge ihm alle Tage in unverkennbaren Zeichen sichtbar wird.
Wie unzähliche mal habe ich nicht vor Ort gesessen, und bey dem
Schein meiner Lampe das schlichte Krucifix mit der innigsten An-
dacht betrachtet! da habe ich erst den heiligen Sinn dieses räthselhaften
Bildnisses recht. gefaßt, und den edelsten Gang meines Herzens er-
schürft, der mir eine ewige Ausbeute gewährt hat.

Der Alte fuhr nach einer Weile fort und sagte: Wahrhaftig, das muß
ein göttlicher Mann gewesen seyn, der den Menschen zuerst die edle
Kunst des Bergbaus gelehrt, und in dem Schooße der Felsen dieses
ernste Sinnbild des menschlichen Lebens verborgen hat. Hier ist der
Gang mächtig und gebräch, aber arm, dort drückt ihn der Felsen in
eine armselige, unbedeutende Kluft zusammen, und gerade hier brechen die edelsten Geschicke ein. Andre Gänge verunedlen ihn, bis sich
ein verwandter Gang freundlich mit ihm schaart, und seinen Werth
unendlich erhöht. Oft zerschlägt er sich vor dem Bergmann in tausend
Trümmern: aber der Geduldige läßt sich nicht schrecken, er verfolgt
ruhig seinen Weg, und sieht seinen Eifer belohnt, indem er ihn bald
wieder in neuer Mächtigkeit und Höflichkeit ausrichtet. Oft lockt ihn
ein betrügliches Trum aus der wahren Richtung; aber bald erkennt er
den falschen Weg, und bricht mit Gewalt querfeldein, bis er den wahren erzführenden Gang wiedergefunden hat. Wie bekannt wird hier
nicht der Bergmann mit allen Launen des Zufalls, wie sicher aber
auch, daß Eifer und Beständigkeit die einzigen untrüglichen Mittel
sind, sie zu bemeistern, und die von ihnen hartnäckig vertheidigten
Schätze zu heben.

Es fehlt euch gewiß nicht, sagte Heinrich, an ermunternden Liedern. Ich sollte meinen, daß euch euer Beruf unwillkührlich zu Gesängen begeistern und die Musik eine willkommne Begleiterin der Bergleute seyn müßte.

Da habt ihr wahr gesprochen, erwiederte der Alte; Gesang und Zither-
spiel gehört zum Leben des Bergmanns, und kein Stand kann mit
mehr Vergnügen die Reize derselben genießen, als der unsrige. Musik
und Tanz sind eigentliche Freuden des Bergmanns; sie sind wie ein
fröliches Gebet, und die Erinnerungen und Hofnungen desselben

helfen die mühsame Arbeit erleichtern und die lange Einsamkeit verkürzen.

Wenn es euch gefällt, so will ich euch gleich einen Gesang zum Besten
geben, der fleißig in meiner Jugend gesungen wurde.

Der ist der Herr der Erde,
Wer ihre Tiefen mißt,
Und jeglicher Beschwerde
In ihrem Schooß vergißt.

*

Wer ihrer Felsenglieder
Geheimen Bau versteht,
Und unverdrossen nieder
Zu ihrer Werkstatt geht.

*

Er ist mit ihr verbündet,
Und inniglich vertraut,
Und wird von ihr entzündet,
Als wär' sie seine Braut.

*

Er sieht ihr alle Tage
Mit neuer Liebe zu
Und scheut nicht Fleiß und Plage,
Sie läßt ihm keine Ruh.

*

Die mächtigen Geschichten
Der längst verfloßnen Zeit,
Ist sie ihm zu berichten
Mit Freundlichkeit bereit.

*

Der Vorwelt heilge Lüfte
Umwehn sein Angesicht,
Und in die Nacht der Klüfte
Strahlt ihm ein ewges Licht.

*

Er trift auf allen Wegen
Ein wohlbekanntes Land,

Und gern kommt sie entgegen
Den Werken seiner Hand.

*

Ihm folgen die Gewässer
Hülfreich den Berg hinauf;
Und alle Felsenschlösser,
Thun ihre Schätz' ihm auf.

*

Er führt des Goldes Ströme
In seines Königs Haus,
Und schmückt die Diademe
Mit edlen Steinen aus.

*

Zwar reicht er treu dem König
Den glückbegabten Arm,
Doch frägt er nach ihm wenig
Und bleibt mit Freuden arm.

*

Sie mögen sich erwürgen
Am Fuß um Gut und Geld;
Er bleibt auf den Gebirgen
Der frohe Herr der Welt.

*

Heinrichen gefiel das Lied ungemein, und er bat den Alten, ihm noch
eins mitzutheilen. Der Alte war auch gleich bereit und sagte: Ich
weiß noch ein wunderliches Lied, was wir selbst nicht wissen, wo es
her ist.
Es brachte es ein reisender Bergmann mit, der weit herkam, und ein
sonderlicher Ruthengänger war. Das Lied fand großen Beyfall, weil es
so seltsamlich klang, beynah so dunkel und unverständlich, wie die
Musik selbst, aber eben darum auch so unbegreiflich anzog, und im
wachenden Zustande wie ein Traum unterhielt.

Ich kenne wo ein festes Schloß
Ein stiller König wohnt darinnen,
Mit einem wunderlichen Troß;

Doch steigt er nie auf seine Zinnen.
Verborgen ist sein Lustgemach
Und unsichtbare Wächter lauschen;
Nur wohlbekannte Quellen rauschen
Zu ihm herab vom bunten Dach.

*

Was ihre hellen Augen sahn
In der Gestirne weiten Sälen,
Das sagen sie ihm treulich an
Und können sich nicht satt erzählen.
Er badet sich in ihrer Flut,
Wäscht sauber seine zarten Glieder
Und seine Stralen blinken wieder
Aus seiner Mutter weißem Blut.

*

Sein Schloß ist alt und wunderbar,
Es sank herab aus tiefen Meeren
Stand fest, und steht noch immerdar,
Die Flucht zum Himmel zu verwehren.
Von innen schlingt ein heimlich Band
Sich um des Reiches Unterthanen,
Und Wolken wehn wie Siegesfahnen
Herunter von der Felsenwand.

*

Ein unermeßliches Geschlecht
Umgiebt die festverschlossenen Pforten,
Ein jeder spielt den treuen Knecht
Und ruft den Herrn mit süßen Worten.
Sie fühlen sich durch ihn beglückt,
Und ahnden nicht, daß sie gefangen;
Berauscht von trüglichem Verlangen
Weiß keiner, wo der Schuh ihn drückt.

*

Nur Wenige sind schlau und wach,
Und dürsten nicht nach seinen Gaben;
Sie trachten unablässig nach,

Das alte Schloß zu untergraben.
Der Heimlichkeit urmächtgen Bann,
Kann nur die Hand der Einsicht lösen;
Gelingt's das Innere zu entblößen
So bricht der Tag der Freyheit an.

*

Dem Fleiß ist keine Wand zu fest,
Dem Muth kein Abgrund unzugänglich;
Wer sich auf Herz und Hand verläßt
Spürt nach dem König unbedenklich.
Aus seinen Kammern holt er ihn,
Vertreibt die Geister durch die Geister,
Macht sich der wilden Fluten Meister,
Und heißt sie selbst heraus sich ziehn.

*

Je mehr er nun zum Vorschein kömmt
Und wild umher sich treibt auf Erden:
Je mehr wird seine Macht gedämmt,
Je mehr die Zahl der Freyen werden.
Am Ende wird von Banden los
Das Meer die leere Burg durchdringen
Und trägt auf weichen grünen Schwingen
Zurück uns in der Heymath Schooß.

*

Es dünkte Heinrichen, wie der Alte geendigt hatte, als habe er das
Lied schon irgend wo gehört. Er ließ es sich wiederholen und schrieb
es sich auf. Der Alte ging nachher hinaus und die Kaufleute sprachen
unterdessen mit den andern Gästen über die Vortheile des Bergbaues
und seine Mühseligkeiten. Einer sagte: der Alte ist gewiß nicht
umsonst hier. Er ist heute zwischen den Hügeln umhergeklettert und
hat gewiß gute Anzeichen gefunden. Wir wollen ihn doch fragen,
wenn er wieder herein kömmt.   Wißt ihr wohl, sagte ein Andrer,
daß wir ihn bitten könnten, eine Quelle für unser Dorf zu suchen?
Das Wasser ist weit, und ein guter Brunnen wäre uns sehr willkom-
men.   Mir fällt ein, sagte ein dritter, daß ich ihn fragen möchte,
ob er einen von meinen Söhnen mit sich nehmen will, der mir schon

das ganze Haus voll Steine getragen hat. Der Junge wird gewiß ein
tüchtiger Bergmann, und der Alte scheint ein guter Mann zu seyn, der
wird schon was Rechtes aus ihm ziehn. Die Kaufleute redeten, ob sie
vielleicht durch den Bergmann ein vortheilhaftes Verkehr mit Böhmen
anspinnen und Metalle daher zu guten Preisen erhalten möchten. Der
Alte trat wieder in die Stube, und alle wünschten seine Bekanntschaft
zu benutzen. Er fing an und sagte: Wie dumpf und ängstlich ist es
doch hier in der engen Stube. Der Mond steht draußen in voller Herrlichkeit, und ich hätte große Lust noch einen Spaziergang zu machen.
Ich habe heute bey Tage einige merkwürdige Höhlen hier in der Nähe
gesehn. Vielleicht entschließen sich Einige mitzugehn; und wenn wir
nur Licht mitnehmen, so werden wir ohne Schwierigkeiten uns darinn
umsehn können.

Den Leuten aus dem Dorfe waren diese Höhlen schon bekannt: aber
bis jetzt hatte keiner gewagt hineinzusteigen; vielmehr trugen sie sich
mit fürchterlichen Sagen von Drachen und andern Unthieren, die darinn hausen sollten. Einige wollten sie selbst gesehn haben, und behaup-
teten, daß man Knochen an ihrem Eingange von geraubten und ver-
zehrten Menschen und Thieren fände. Einige andre vermeinten, daß
ein Geist dieselben bewohne, wie sie denn einigemal aus der Ferne
eine seltsame menschliche Gestalt gesehn, auch zur Nachtzeit Gesänge
da herüber gehört haben wollten.

Der Alte schien ihnen keinen großen Glauben beyzumessen, und ver-
sicherte lachend, daß sie unter dem Schutze eines Bergmanns getrost
mitgehn könnten, indem die Ungeheuer sich vor ihm scheuen müßten,
ein singender Geist aber gewiß ein wohlthätiges Wesen sey. Die Neugier machte viele beherzt genug, seinen Vorschlag einzugehn; auch
Heinrich wünschte ihn zu begleiten, und seine Mutter gab endlich
auf das Zureden und Versprechen des Alten, genaue Acht auf Heinrichs Sicherheit zu haben, seinen Bitten nach. Die Kaufleute waren
eben so entschlossen. Es wurden lange Kienspäne zu Fackeln zusam-
mengeholt; ein Theil der Gesellschaft versah sich noch zum Überfluß mit Leitern, Stangen, Stricken und allerhand Vertheidigungswerk-
zeugen, und so begann endlich die Wallfahrt nach den nahen Hügeln.
Der Alte ging mit Heinrich und den Kaufleuten voran. Jener Bauer
hatte seinen wißbegierigen Sohn herbeygeholt, der voller Freude sich

einer Fackel bemächtigte, und den Weg zu den Höhlen zeigte. Der
Abend war heiter und warm. Der Mond stand in mildem Glanze über
den Hügeln, und ließ wunderliche Träume in allen Kreaturen aufstei-
gen. Selbst wie ein Traum der Sonne, lag er über der in sich gekehr-
ten Traumwelt, und führte die in unzählige Grenzen getheilte Natur
in jene fabelhafte Urzeit zurück, wo jeder Keim noch für sich schlummerte, und einsam und unberührt sich vergeblich sehnte, die dunkle
Fülle seines unermeßlichen Daseyns zu entfalten. In Heinrichs Gemüth
spiegelte sich das Mährchen des Abends. Es war ihm, als ruhte die Welt
aufgeschlossen in ihm, und zeigte ihm, wie einem Gastfreunde, alle
ihre Schätze und verborgenen Lieblichkeiten. Ihm dünkte die große
einfache Erscheinung um ihn so verständlich. Die Natur schien ihm
nur deswegen so unbegreiflich, weil sie das Nächste und Traulichste
mit einer solchen Verschwendung von mannichfachen Ausdrücken um
den Menschen her thürmte. Die Worte des Alten hatten eine versteckte
Tapetenthür in ihm geöffnet. Er sah sein kleines Wohnzimmer dicht an
einen erhabenen Münster gebaut, aus dessen steinernem Boden die
ernste Vorwelt emporstieg, während von der Kuppel die klare fröliche Zukunft in goldnen Engelskindern ihr singend entgegenschwebte.
Gewaltige Klänge bebten in den silbernen Gesang, und zu den weiten
Thoren traten alle Creaturen herein, von denen jede ihre innere
Natur in einer einfachen Bitte und in einer eigenthümlichen Mund-
art vernehmlich aussprach. Wie wunderte er sich, daß ihm diese klare,
seinem Daseyn schon unentbehrliche Ansicht so lange fremd geblieben war. Nun übersah er auf einmal alle seine Verhältnisse mit
der weiten Welt um ihn her; fühlte was er durch sie geworden und
was sie ihm werden würde, und begrif alle die seltsamen Vorstellungen und Anregungen, die er schon oft in ihrem Anschauen gespürt
hatte. Die Erzählung der Kaufleute von dem Jünglinge, der die Natur so emsig betrachtete, und der Eydam des Königs wurde, kam ihm
wieder zu Gedanken, und tausend andere Erinnerungen seines Lebens
knüpften sich von selbst an einen zauberischen Faden. Während der
Zeit, daß Heinrich seinen Betrachtungen nachhing, hatte sich die Gesellschaft der Höhle genähert. Der Eingang war niedrig, und der Alte
nahm eine Fackel und kletterte über einige Steine zuerst hinein. Ein
ziemlich fühlbarer Luftstrom kam ihm entgegen, und der Alte ver-

sicherte, daß sie getrost folgen könnten. Die Furchtsamsten gingen
zuletzt, und hielten ihre Waffen in Bereitschaft. Heinrich und die
Kaufleute waren hinter dem Alten und der Knabe wanderte munter
an seiner Seite. Der Weg lief anfänglich in einem ziemlich schmalen
Gange, welcher sich aber bald in eine sehr weite und hohe Höhle
endigte, die der Fackelglanz nicht völlig zu erleuchten vermochte;
doch sah man im Hintergrunde einige Öffnungen sich in die Felsenwand verlieren. Der Boden war weich und ziemlich eben; die Wände
so wie die Decke waren ebenfalls nicht rauh und unregelmäßig; aber
was die Aufmerksamkeit Aller vorzüglich beschäftigte, war die unzählige Menge von Knochen und Zähnen, die den Boden bedeckten. Viele
waren völlig erhalten, an andern sah man Spuren der Verwesung, und
die, welche aus den Wänden hin und wieder hervorragten, schienen
steinartig geworden zu seyn. Die Meisten waren von ungewöhnlicher
Größe und Stärke. Der Alte freute sich über diese Überbleibsel einer
uralten Zeit; nur den Bauern war nicht wohl dabey zu Muthe, denn sie
hielten sie für deutliche Spuren naher Raubthiere, so überzeugend
ihnen auch der Alte die Zeichen eines undenklichen Alterthums daran
aufwies, und sie fragte, ob sie je etwas von Verwüstungen unter ihren
Heerden und vom Raube benachbarter Menschen gespürt hätten, und
ob sie jene Knochen für Knochen bekannter Thiere oder Menschen halten könnten? Der Alte wollte nun weiter in den Berg, aber die Bauern
fanden für rathsam sich vor die Höhle zurückzuziehn, und dort seine
Rückkunft abzuwarten. Heinrich, die Kaufleute und der Knabe blieben bey dem Alten, und versahen sich mit Stricken und Fackeln. Sie
gelangten bald in eine zweyte Höhle, wobey der Alte nicht vergaß, den
Gang aus dem sie hereingekommen waren, durch eine Figur von Knochen, die er davor hinlegte, zu bezeichnen. Die Höhle glich der vorigen
und war eben so reich an thierischen Resten. Heinrichen war schauer-
lich und wunderbar zu Muthe; es gemahnte ihn, als wandle er durch
die Vorhöfe des innern Erdenpalastes. Himmel und Leben lag ihm auf
einmal weit entfernt, und diese dunkeln weiten Hallen schienen zu
einem unterirdischen seltsamen Reiche zu gehören. Wie, dachte er
bey sich selbst, wäre es möglich, daß unter unsern Füßen eine eigene
Welt in einem ungeheuern Leben sich bewegte? daß unerhörte Ge-
burten in den Vesten der Erde ihr Wesen trieben, die das innere Feuer

des dunkeln Schooßes zu riesenmäßigen und geistesgewaltigen Gestalten auftriebe? Könnten dereinst diese schauerlichen Fremden, von der
eindringenden Kälte hervorgetrieben, unter uns erscheinen, während
vielleicht zu gleicher Zeit himmlische Gäste, lebendige, redende Kräfte
der Gestirne über unsern Häuptern sichtbar würden? Sind diese Knochen Überreste ihrer Wanderungen nach der Oberfläche, oder Zeichen
einer Flucht in die Tiefe?

Auf einmal rief der Alte die Andern herbey, und zeigte ihnen eine
ziemlich frische Menschenspur auf dem Boden. Mehrere konnten sie
nicht finden, und so glaubte der Alte, ohne fürchten zu müssen, auf
Räuber zu stoßen, der Spur nachgehen zu können. Sie waren eben im
Begriff dies auszuführen, als auf einmal, wie unter ihren Füßen, aus
einer fernen Tiefe ein ziemlich vernehmlicher Gesang anfing. Sie erstaunten nicht wenig, doch horchten sie genau auf:

> Gern verweil' ich noch im Thale
> Lächelnd in der tiefen Nacht,
> Denn der Liebe volle Schaale
> Wird mir täglich dargebracht.
>
> *
>
> Ihre heilgen Tropfen heben
> Meine Seele hoch empor,
> Und ich steh in diesem Leben
> Trunken an des Himmels Thor.
>
> *
>
> Eingewiegt in seelges Schauen
> Ängstigt mein Gemüth kein Schmerz.
> O! die Königinn der Frauen
> Giebt mir ihr getreues Herz.
>
> *
>
> Bangverweinte Jahre haben
> Diesen schlechten Thon verklärt,
> Und ein Bild ihm eingegraben,
> Das ihm Ewigkeit gewährt.
>
> *
>
> Jene lange Zahl von Tagen
> Dünkt mir nur ein Augenblick;

Werd ich einst von hier getragen
Schau ich dankbar noch zurück.

*

Alle waren auf das angenehmste überrascht, und wünschten sehnlichst den Sänger zu entdecken.

Nach einigem Suchen trafen sie in einem Winkel der rechten Seitenwand, einen abwärts gesenkten Gang, in welchen die Fuß[s]tapfen zu führen schienen. Bald dünkte es ihnen, eine Hellung zu bemerken, die stärker wurde, je näher sie kamen. Es that sich ein neues Gewölbe von noch größerem Umfange, als die vorherigen, auf, in dessen Hintergrunde sie bey einer Lampe eine menschliche Gestalt sitzen sahen, die vor sich auf einer steinernen Platte ein großes Buch liegen hatte, in welchem sie zu lesen schien.

Sie drehte sich nach ihnen zu, stand auf und ging ihnen entgegen. Es war ein Mann, dessen Alter man nicht errathen konnte. Er sah weder alt noch jung aus, keine Spuren der Zeit bemerkte man an ihm, als schlichte silberne Haare, die auf der Stirn gescheitelt waren. In seinen Augen lag eine unaussprechliche Heiterkeit, als sähe er von einem hellen Berge in einen unendlichen Frühling hinein. Er hatte Sohlen an die Füße gebunden, und schien keine andere Kleidung zu haben, als einen weiten Mantel, der um ihn hergeschlungen war, und seine edle große Gestalt noch mehr heraus hob. Über ihre unvermuthete Ankunft schien er nicht im mindesten verwundert; wie ein Bekannter begrüßte er sie. Es war, als empfing er erwartete Gäste in seinem Wohnhause. Es ist doch schön, daß ihr mich besucht, sagte er; Ihr seyd die ersten Freunde, die ich hier sehe, so lange ich auch schon hier wohne. Scheint es doch, als finge man an, unser großes wunderbares Haus genauer zu betrachten. Der Alte erwiederte: Wir haben nicht vermuthet, einen so freundlichen Wirth hier zu finden. Von wilden Thieren und Geistern war uns erzählt, und nun sehen wir uns auf das anmuthigste getäuscht. Wenn wir euch in eurer Andacht und in euren tiefsinnigen Betrachtungen gestört haben, so verzeiht es unserer Neugierde. — Könnte eine Betrachtung erfreulicher seyn, sagte der Unbekannte, als die froher uns zusagender Menschengesichter? Haltet mich nicht für einen Menschenfeind, weil ihr mich in dieser Einöde trefft. Ich habe die Welt nicht geflohen, sondern ich habe nur eine

Ruhestätte gesucht, wo ich ungestört meinen Betrachtungen nachhängen könnte. — Hat euch euer Entschluß nie gereut, und kommen nicht zuweilen Stunden, wo euch bange wird und euer Herz nach einer Menschenstimme verlangt? — Jetzt nicht mehr. Es war eine Zeit in meiner Jugend, wo eine heiße Schwärmerey mich veranlaßte, Einsiedler zu werden. Dunkle Ahndungen beschäftigten meine jugendliche Fantasie. Ich hoffte volle Nahrung meines Herzens in der Einsamkeit zu finden. Unerschöpflich dünkte mir die Quelle meines innern Lebens. Aber ich merkte bald, daß man eine Fülle von Erfahrungen dahin mitbringen muß, daß ein junges Herz nicht allein seyn kann, ja daß der Mensch erst durch vielfachen Umgang mit seinem Geschlecht eine gewisse Selbstständigkeit erlangt.

Ich glaube selbst, erwiederte der Alte, daß es einen gewissen natürlichen Beruf zu jeder Lebensart giebt, und vielleicht, daß die Erfahrungen eines zunehmenden Alters von selbst auf eine Zurückziehung aus der menschlichen Gesellschaft führen. Scheint es doch, als sey dieselbe der Thätigkeit, sowohl zum Gewinnst als zur Erhaltung gewidmet. Eine große Hoffnung, ein gemeinschaftlicher Zweck treibt sie mit Macht; und Kinder und Alte scheinen nicht dazu zu gehören. Unbehülflichkeit und Unwissenheit schließen die Ersten davon aus, während die letztern jene Hoffnung erfüllt, jenen Zweck erreicht sehen, und nun nicht mehr von ihnen in den Kreise jener Gesellschaft verflochten, in sich selbst zurückkehren, und genug zu thun finden, sich auf eine höhere Gemeinschaft würdig vorzubereiten. Indeß scheinen bey euch noch besondere Ursachen statt gefunden zu haben, euch so gänzlich von den Menschen abzusondern und Verzicht auf alle Bequemlichkeiten der Gesellschaft zu leisten. Mich dünkt, daß die Spannung eures Gemüths doch oft nachlassen und euch dann unbehaglich zu Muthe werden müßte.

Ich fühlte das wohl, indeß habe ich es glücklich durch eine strenge Regelmäßigkeit meines Lebens zu vermeiden gewußt. Dabey suche ich mich durch Bewegung gesund zu erhalten, und dann hat es keine Noth. Jeden Tag gehe ich mehrere Stunden herum, und genieße den Tag und die Luft soviel ich kann. Sonst halte ich mich in diesen Hallen auf, und beschäftige mich zu gewissen Stunden mit Korbflechten und Schnitzen. Für meine Waaren tausche ich mir in entlegenen Ortschaften Lebensmittel ein, Bücher hab ich mir mitgebracht, und so vergeht die Zeit, wie ein Augenblick. In jenen Gegenden habe ich einige Bekannte, die um meinen Aufenthalt wissen, und von denen ich erfahre, was in der Welt geschieht. Diese werden mich begraben, wenn ich todt bin und meine Bücher zu sich nehmen.

Er führte sie näher an seinen Sitz, der nahe an der Höhlenwand war. Sie sahen mehrere Bücher auf der Erde liegen, auch eine Zither, und an der Wand hing eine völlige Rüstung, die ziemlich kostbar zu seyn schien. Der Tisch bestand aus fünf großen steinernen Platten, die wie ein Kasten zusammengesetzt waren. Auf der obersten lagen eine männliche und weibliche Figur in Lebensgröße eingehauen, die einen Kranz von Lilien und Rosen angefaßt hatten; an den Seiten stand:

Friedrich und Marie von Hohenzollern
kehrten auf dieser Stelle in ihr Vaterland zurück.

Der Einsiedler fragte seine Gäste nach ihrem Vaterlande, und wie sie in diese Gegenden gekommen wären. Er war sehr freundlich und offen, und verrieth eine große Bekanntschaft mit der Welt. Der Alte sagte: Ich sehe, ihr seyd ein Kriegsmann gewesen, die Rüstung verräth euch. — Die Gefahren und Wechsel des Krieges, der hohe poetische Geist, der ein Kriegsheer begleitet, rissen mich aus meiner jugendlichen Einsamkeit und bestimmten die Schicksale meines Lebens. Vielleicht, daß das lange Getümmel, die unzähligen Begebenheiten, denen ich beywohnte, mir den Sinn für die Einsamkeit noch mehr geöffnet haben: die zahllosen Erinnerungen sind eine unterhaltende Gesellschaft, und dies um so mehr, je veränderter der Blick ist, mit dem wir sie überschauen, und der nun erst ihren wahren Zusammenhang, den Tiefsinn ihrer Folge, und die Bedeutung ihrer Erscheinungen entdeckt. Der eigentliche Sinn für die Geschichten der Menschen entwickelt sich erst spät, und mehr unter den stillen Einflüssen der Erinnerung, als unter den gewaltsameren Eindrücken der Gegenwart. Die nächsten Ereignisse scheinen nur locker verknüpft, aber sie sympathisiren desto wunderbarer mit entfernteren; und nur dann, wenn man im Stande ist, eine lange Reihe zu übersehn und weder alles buchstäblich zu nehmen, noch auch mit muthwilligen Träumen die eigenliche Ordnung zu verwirren, bemerkt man die geheime Verkettung des Ehemaligen und Künftigen, und lernt die Geschichte aus Hoffnung und Erinnerung zusammensetzen. Indeß nur dem, welchem die ganze Vorzeit gegenwärtig ist, mag es gelingen, die einfache Regel der Geschichte zu entdecken. Wir kommen nur zu unvollständigen und beschwerlichen Formeln, und können froh seyn, nur für uns selbst eine brauchbare Vorschrift zu finden, die uns hinlängliche Aufschlüsse über unser eigenes kurzes Leben verschafft. Ich darf aber wohl sagen, daß jede sorgfältige Betrachtung der Schicksale des Lebens einen tiefen, unerschöpflichen Genuß gewährt, und unter allen Gedanken uns am meisten über die irdischen Übel erhebt. Die Jugend liest die Geschichte nur aus Neugier, wie ein unterhaltendes Mährchen; dem reiferen Alter wird sie eine himmlische tröstende und erbauende Freundinn, die ihn durch ihre weisen Gespräche sanft zu einer höheren, umfassenderen Laufbahn vorbereitet, und mit der unbekannten Welt ihn in faßlichen Bildern bekannt macht. Die Kirche ist das Wohnhaus der Geschichte, und der stille Hof ihr sinnbildlicher Blumengarten. Von der Geschichte sollten nur alte, gottesfürchtige Leute schreiben, deren Geschichte selbst zu Ende ist, und die nichts mehr zu hoffen haben, als die Verpflanzung in den Garten. Nicht finster und trübe wird ihre Beschreibung seyn; vielmehr wird ein Strahl aus der Kuppel alles in der richtigsten und schönsten Erleuchtung zeigen, und heiliger Geist wird über diesen seltsam bewegten Gewässern schweben.

Wie wahr und einleuchtend ist eure Rede, setzte der Alte hinzu. Man sollte gewiß mehr Fleiß darauf wenden, das Wissenswürdige seiner Zeit treulich aufzuzeichnen, und es als ein andächtiges Vermächtniß den künftigen Menschen zu hinterlassen. Es giebt tausend entferntere Dinge, denen Sorgfalt und Mühe gewidmet wird, und gerade um das Nächste und Wichtigste, um die Schicksale unsers eigenen Lebens, unserer Angehörigen, unsers Geschlechts, deren leise Planmäßigkeit wir in den Gedanken einer Vorsehung aufgefaßt haben, bekümmern wir uns so wenig, und lassen sorglos alle Spuren in unserm Gedächtnisse verwischen. Wie Heiligthümer wird eine weisere Nachkommenschaft jede Nachricht, die von den Begebenheiten der Vergangenheit handelt, aufsuchen, und selbst das Leben eines Einzelnen unbedeutenden Mannes wird ihr nicht gleichgültig seyn, da gewiß sich das große Leben seiner Zeitgenossenschaft darinn mehr oder weniger spiegelt.

Es ist nur so schlimm, sagte der Graf von Hohenzollern, daß selbst die
Wenigen, die sich der Aufzeichnungen der Thaten und Vorfälle ihrer
Zeit unterzogen, nicht über ihr Geschäft nachdachten, und ihren Be-
obachtungen keine Vollständigkeit und Ordnung zu geben suchten,
sondern nur aufs Gerathewohl bey der Auswahl und Sammlung ihrer
Nachrichten verfuhren. Ein jeder wird leicht an sich bemerken, daß er
nur dasjenige deutlich und vollkommen beschreiben kann, was er genau kennt, dessen Theile, dessen Entstehung und Folge, dessen Zweck
und Gebrauch ihm gegenwärtig sind: denn sonst wird keine Beschreibung, sondern ein verwirrtes Gemisch von unvollständigen Bemerkungen entstehn. Man lasse ein Kind eine Maschine, einen Landmann
ein Schiff beschreiben, und gewiß wird kein Mensch aus ihren Worten einigen Nutzen und Unterricht schöpfen können, und so ist es mit
den meisten Geschichtschreibern, die vielleicht fertig genug im Erzählen und bis zum Überdruß weitschweifig sind, aber doch gerade das
Wissenswürdigste vergessen, dasjenige, was erst die Geschichte zur
Geschichte macht, und die mancherley Zufälle zu einem angenehmen
und lehrreichen Ganzen verbindet. Wenn ich das alles recht bedenke,
so scheint es mir, als wenn ein Geschichtschreiber nothwendig auch ein
Dichter seyn müßte, denn nur die Dichter mögen sich auf jene Kunst,
Begebenheiten schicklich zu verknüpfen, verstehn. In ihren Erzählungen und Fabeln habe ich mit stillem Vergnügen ihr zartes Gefühl für
den geheimnißvollen Geist des Lebens bemerkt. Es ist mehr Wahrheit
in ihren Mährchen, als in gelehrten Chroniken. Sind auch ihre Personen und deren Schicksale erfunden: so ist doch der Sinn, in dem
sie erfunden sind, wahrhaft und natürlich. Es ist für unsern Genuß
und unsere Belehrung gewissermaßen einerley, ob die Personen, in
deren Schicksalen wir den unsrigen nachspüren, wirklich einmal leb-
ten, oder nicht. Wir verlangen nach der Anschauung der großen einfachen Seele der Zeiterscheinungen, und finden wir diesen Wunsch
gewährt, so kümmern wir uns nicht um die zufällige Existenz ihrer
äußern Figuren.

Auch ich bin den Dichtern, sagte der Alte, von jeher deshalb zugethan gewesen. Das Leben und die Welt ist mir klarer und anschau-
licher durch sie geworden. Es dünkte mich, sie müßten befreundet mit
den scharfen Geistern des Lichtes seyn, die alle Naturen durchdringen

und sondern, und einen eigenthümlichen, zartgefärbten Schleyer über jede verbreiten. Meine eigene Natur fühlte ich bey ihren Liedern leicht entfaltet, und es war, als könnte sie sich nun freyer bewegen, ihrer Geselligkeit und ihres Verlangens froh werden, mit stiller Lust ihre Glieder gegen einander schwingen, und tausenderley anmuthige Wirkungen hervorrufen.

Wart ihr so glücklich, in eurer Gegend einige Dichter zu haben? fragte der Einsiedler.

Es haben sich wohl zuweilen einige bey uns eingefunden: aber sie schienen Gefallen am Reisen zu finden, und so hielten sie sich meist nicht lange auf. Indeß habe ich auf meinen Wanderungen nach Illyrien, nach Sachsen und Schwedenland nicht selten welche gefunden, deren Andenken mich immer erfreuen wird.

So seid ihr ja weit umhergekommen, und müßt viele denkwürdige Dinge erlebt haben.

Unsere Kunst macht es fast nöthig, daß man sich weit auf dem Erdboden umsieht, und es ist als triebe den Bergmann ein unterirdisches Feuer umher. Ein Berg schickt ihn dem andern. Er wird nie mit Sehen fertig, und hat seine ganze Lebenszeit an jener wunderlichen Baukunst zu lernen, die unsern Fußboden so seltsam gegründet und ausgetäfelt hat. Unsere Kunst ist uralt und weit verbreitet. Sie mag wohl aus Morgen, mit der Sonne, wie unser Geschlecht, nach Abend gewandert seyn, und von der Mitte nach den Enden zu. Sie hat überall mit andern Schwierigkeiten zu kämpfen gehabt, und da immer das Bedürfniß den menschlichen Geist zu klugen Erfindungen gereitzt, so kann der Bergmann überall seine Einsichten und seine Geschicklichkeit vermehren und mit nützlichen Erfahrungen seine Heymath bereichern.

Ihr seyd beynah verkehrte Astrologen, sagte der Einsiedler. Wenn diese den Himmel unverwandt betrachten und seine unermeßlichen Räume durchirren: so wendet ihr euren Blick auf den Erdboden, und erforscht seinen Bau. Jene studieren die Kräfte und Einflüsse der Gestirne, und ihr untersucht die Kräfte der Felsen und Berge, und die mannichfaltigen Wirkungen der Erd- und Steinschichten. Jenen ist der Himmel das Buch der Zukunft, während euch die Erde Denkmale der Urwelt zeigt.

Es ist dieser Zusammenhang nicht ohne Bedeutung, sagte der Alte

lächelnd. Die leuchtenden Profeten spielen vielleicht eine Haupt-
rolle in jener alten Geschichte des wunderlichen Erdbaus. Man wird
vielleicht sie aus ihren Werken, und ihre Werke aus ihnen mit der
Zeit besser kennen und erklären lernen. Vielleicht zeigen die großen
Gebirgsketten die Spuren ihrer ehemaligen Straßen und hatten selbst
Lust, sich auf ihre eigene Hand zu nähren und ihren eigenen Gang
am Himmel zu gehn. Manche hoben sich kühn genug, um auch Sterne
zu werden, und müssen nun dafür die schöne grüne Bekleidung der
niedrigern Gegenden entbehren. Sie haben dafür nichts erhalten, als
daß sie ihren Vätern das Wetter machen helfen, und Profeten für
das tiefere Land sind, das sie bald schützen bald mit Ungewittern
überschwemmen.

Seitdem ich in dieser Höhle wohne, fuhr der Einsiedler fort, habe
ich mehr über die alte Zeit nachdenken gelernt. Es ist unbeschreiblich,
was diese Betrachtung anzieht, und ich kann mir die Liebe vorstellen,
die ein Bergmann für sein Handwerk hegen muß. Wenn ich die seltsamen alten Knochen ansehe, die hier in so gewaltiger Menge versammelt sind; wenn ich mir die wilde Zeit denke, wo diese fremdartigen,
ungeheuren Thiere in dichten Schaaren sich in diese Höhlen herein-
drängten, von Furcht und Angst vielleicht getrieben, und hier ihren
Tod fanden; wenn ich dann wieder bis zu den Zeiten hinaufsteige, wo
diese Höhlen zusammenwuchsen und ungeheure Fluten das Land bedeckten: so komme ich mir selbst wie ein Traum der Zukunft, wie ein
Kind des ewigen Friedens vor. Wie ruhig und friedfertig, wie mild
und klar ist gegen diese gewaltsamen, riesenmäßigen Zeiten, die heu-
tige Natur! und das furchtbarste Gewitter, das entsetzlichste Erdbeben
in unsern Tagen ist nur ein schwacher Nachhall jener grausenvollen
Geburtswehen. Vielleicht daß auch die Pflanzen- und Thierwelt, ja
die damaligen Menschen selbst [,] wenn es auf einzelnen Eylanden in
diesem Ozean welche gab, eine andere festere und rauhere Bauart
hatten, — wenigstens dürfte man die alten Sagen von einem Riesen-
volke dann keiner Erdichtungen zeihen.

Es ist erfreulich, sagte der Alte, jene allmählige Beruhigung der
Natur zu bemerken. Ein immer innigeres Einverständniß, eine fried-
lichere Gemeinschaft, eine gegenseitige Unterstützung und Belebung,
scheint sich allmählich gebildet zu haben, und wir können immer bes-

seren Zeiten entgegensehn. Es wäre vielleicht möglich, daß hin und
wieder noch alter Sauerteig gährte, und noch einige heftige Erschütte-
rungen erfolgten; indeß sieht man doch das allmächtige Streben nach
freyer, einträchtiger Verfassung, und in diesem Geiste wird jede Er-
schütterung vorübergehen und dem großen Ziele näher führen. Mag
es seyn, daß die Natur nicht mehr so fruchtbar ist, daß heut zu Tage
keine Metalle und Edelsteine, keine Felsen und Berge mehr entstehn,
daß Pflanzen und Thiere nicht mehr zu so erstaunlichen Größen und
Kräften aufquellen; je mehr sich ihre erzeugende Kraft erschöpft hat,
desto mehr haben ihre bildenden, veredelnden und geselligen Kräfte
zugenommen, ihr Gemüth ist empfänglicher und zarter, ihre Fantasie
mannichfaltiger und sinnbildlicher, ihre Hand leichter und kunst-
reicher geworden. Sie nähert sich dem Menschen, und wenn sie ehmals
ein wildgebährender Fels war, so ist sie jetzt eine stille, treibende
Pflanze, eine stumme menschliche Künstlerinn. Wozu wäre auch eine
Vermehrung jener Schätze nöthig, deren Überfluß auf undenkliche
Zeiten ausreicht. Wie klein ist der Raum, den ich durchwandert bin,
und welche mächtige Vorräthe habe ich nicht gleich auf den ersten
Blick gefunden, deren Benutzung der Nachwelt überlassen bleibt.
Welche Reichthümer verschließen nicht die Gebirge nach Norden, welche günstige Anzeigen fand ich nicht in meinem Vaterlande überall,
in Ungarn, am Fuße der Carpathischen Gebirge, und in den Felsen-
thälern von Tyrol, Östreich und Bayern. Ich könnte ein reicher Mann
seyn, wenn ich das hätte mit mir nehmen können, was ich nur aufzuheben, nur abzuschlagen brauchte. An manchen Orten sah ich mich,
wie in einem Zaubergarten. Was ich ansah, war von köstlichen Me-
tallen und auf das kunstreichste gebildet. In den zierlichen Locken
und Ästen des Silbers hingen glänzende, rubinrothe, durchsichtige
Früchte, und die schweren Bäumchen standen auf krystallenem
Grunde, der ganz unnachahmlich ausgearbeitet war. Man traute kaum
seinen Sinnen an diesen wunderbaren Orten, und ward nicht müde
diese reizenden Wildnisse zu durchstreifen und sich an ihren Kleinodien zu ergötzen. Auch auf meiner jetzigen Reise habe ich viele
Merkwürdigkeiten gesehn, und gewiß ist in andern Ländern die Erde
eben so ergiebig und verschwenderisch.

Wenn man, sagte der Unbekannte, die Schätze bedenkt, die im Orient zu Hause sind, so ist daran kein Zweifel, und ist das ferne Indien, Afrika und Spanien nicht schon im Alterthum durch Reichthümer seines Bodens bekannt gewesen? Als Kriegsmann giebt man freylich nicht so genau auf die Adern und Klüfte der Berge acht, indeß habe ich doch zuweilen meine Betrachtungen über diese glänzenden Streifen gehabt, die wie seltsame Knospen auf eine unerwartete Blüthe und Frucht deuten. Wie hätte ich damals denken können, wenn ich froh über das Licht des Tages an diesen dunkeln Behausungen vorbeyzog, daß ich noch im Schooße eines Berges mein Leben beschließen würde. Meine Liebe trug mich stolz über den Erdboden, und in ihrer Umarmung hoffte ich in späten Jahren zu entschlafen. Der Krieg endigte, und ich zog nach Hause, voll froher Erwartungen eines erquicklichen Herbstes. Aber der Geist des Krieges schien der Geist meines Glücks zu seyn. Meine Marie hatte mir zwey Kinder im Orient geboren. Sie waren die Freude unsers Lebens. Die Seefahrt und die rauhere Abendländische Luft [zer]störte ihre Blüthe. Ich begrub sie wenig Tage nach meiner Ankunft in Europa. Kummervoll führte ich meine trostlose Gattin nach meiner Heymath. Ein stiller Gram mochte den Faden ihres Lebens mürbe gemacht haben. Auf einer Reise, die ich bald darauf unternehmen mußte, auf der sie mich wie immer begleitete, verschied sie sanft und plötzlich in meinen Armen. Es war hier nahe bey, wo unsere irdische Wallfahrt zu Ende ging. Mein Entschluß war im Augenblicke reif. Ich fand, was ich nie erwartet hatte; eine göttliche Erleuchtung kam über mich, und seit dem Tage, da ich sie hier selbst begrub, nahm eine himmlische Hand allen Kummer von meinem Herzen. Das Grabmal habe ich nachher errichten lassen. Oft scheint eine Begebenheit sich zu endigen, wenn sie erst eigentlich beginnt, und dies hat bey meinem Leben statt gefunden. Gott verleihe euch allen ein seliges Alter, und ein so ruhiges Gemüth wie mir.

Heinrich und die Kaufleute hatten aufmerksam dem Gespräche zugehört, und der Erstere fühlte besonders neue Entwickelungen seines ahndungsvollen Innern. Manche Worte, manche Gedanken fielen wie belebender Fruchtstaub, in seinen Schooß, und rückten ihn schnell aus dem engen Kreise seiner Jugend auf die Höhe der Welt. Wie lange Jahre lagen die eben vergangenen Stunden hinter ihm, und er glaubte nie anders gedacht und empfunden zu haben.

Der Einsiedler zeigte ihnen seine Bücher. Es waren alte Historien und Gedichte. Heinrich blätterte in den großen schöngemahlten Schriften; die kurzen Zeilen der Verse, die Überschriften, einzelne Stellen, und die saubern Bilder, die hier und da, wie verkörperte Worte, zum Vorschein kamen, um die Einbildungskraft des Lesers zu unterstützen, reizten mächtig seine Neugierde. Der Einsiedler bemerkte seine innere Lust, und erklärte ihm die sonderbaren Vorstellungen. Die mannichfaltigsten Lebensscenen waren abgebildet. Kämpfe, Leichenbegängnisse, Hochzeitfeyerlichkeiten. Schiffbrüche, Höhlen und Paläste; Könige, Helden, Priester, alte und junge Leute, Menschen in fremden Trachten, und seltsame Thiere, kamen in verschiedenen Abwechselungen und Verbindungen vor. Heinrich konnte sich nicht satt sehen, und hätte nichts mehr gewünscht, als bey dem Einsiedler, der ihn unwiderstehlich anzog, zu bleiben, und von ihm über diese Bücher unterrichtet zu werden. Der Alte fragte unterdeß, ob es noch mehr Höhlen gäbe, und der Einsiedler sagte ihm, daß noch einige sehr große in der Nähe lägen, wohin er ihn begleiten wollte. Der Alte war dazu bereit, und der Einsiedler, der die Freude merkte, die Heinrich an seinen Büchern hatte, veranlaßte ihn, zurückzubleiben, und sich während dieser Zeit weiter unter denselben umzusehn. Heinrich blieb mit Freuden bey den Büchern, und dankte ihm innig für seine Erlaubniß. Er blätterte mit unendlicher Lust umher. Endlich fiel ihm ein Buch in die Hände, das in einer fremden Sprache geschrieben war, die ihm einige Ähnlichkeit mit der Lateinischen und Italienischen zu haben schien. Er hätte sehnlichst gewünscht, die Sprache zu kennen, denn das Buch gefiel ihm vorzüglich ohne daß er eine Sylbe davon verstand. Es hatte keinen Titel, doch fand er noch beym Suchen einige Bilder. Sie dünkten ihm ganz wunderbar bekannt, und wie er recht zusah entdeckte er seine eigene Gestalt ziemlich kenntlich unter den Figuren. Er erschrack und glaubte zu träumen, aber beym wiederhohlten Ansehn konnte er nicht mehr an der vollkommenen Ähnlichkeit zweifeln. Er traute kaum seinen Sinnen, als er bald auf einem Bilde die Höhle, den Einsiedler und den Alten neben sich entdeckte. Allmählich fand er auf den andern Bildern die Morgenländerinn, seine Eltern, den Landgrafen und die Landgräfinn von Thüringen, seinen Freund den Hofkaplan, und manche Andere seiner Bekannten; doch waren ihre Kleidungen verändert und schienen aus einer andern Zeit zu seyn. Eine große Menge Figuren wußte er nicht zu nennen, doch däuchten sie ihm bekannt. Er sah sein Ebenbild in verschiedenen Lagen. Gegen das Ende kam er sich größer und edler vor. Die Guitarre ruhte in seinen Armen, und die Landgräfinn reichte ihm einen Kranz. Er sah sich am kayserlichen Hofe, zu Schiffe, in tauter Umarmung mit einem schlanken lieblichen Mädchen, in einem Kampfe mit wildaussehenden Männern, und in freundlichen Gesprächen mit Sarazenen und Mohren. Ein Mann von ernstem Ansehn kam häufig in seiner Gesellschaft vor. Er fühlte tiefe Ehrfurcht vor dieser hohen Gestalt, und war froh sich Arm in Arm mit ihm zu sehn. Die letzten Bilder waren dunkel und unverständlich; doch überraschten ihn einige Gestalten seines Traumes mit dem innigsten Entzücken; der Schluß des Buches schien zu fehlen. Heinrich war sehr bekümmert, und wünschte nichts sehnlicher, als das Buch lesen zu können, und vollständig zu besitzen. Er betrachtete die Bilder zu wiederholten Malen und war bestürzt, wie er die Gesellschaft zurückkommen hörte. Eine wunderliche Schaam befiel ihn. Er getraute sich nicht, seine Entdeckung merken zu lassen, machte das Buch zu, und fragte den Einsiedler nur obenhin nach dem Titel und der Sprache desselben, wo er denn erfuhr, daß es in provenzalischer Sprache geschrieben sey. Es ist lange, daß ich es gelesen habe, sagte der Einsiedler. Ich kann mich nicht genau mehr des Inhalts entsinnen. Soviel ich weiß, ist es ein Roman von den wunderbaren Schicksalen eines Dichters, worinn die Dichtkunst in ihren mannichfachen Verhältnissen dargestellt und gepriesen wird. Der Schuß fehlt an dieser Handschrift, die ich aus Jerusalem mitgebracht habe, wo ich sie in der Verlassenschaft eines Freundes fand, und zu seinem Andenken aufhob.

Sie nahmen nun von einander Abschied, und Heinrich war bis zu Thränen gerührt. Die Höhle war ihm so merkwürdig, der Einsiedler so lieb geworden.

Alle umarmten diesen herzlich, und er selbst schien sie lieb gewonnen zu haben. Heinrich glaubte zu bemerken, daß er ihn mit einem freundlichen durchdringenden Blick ansehe. Seine Abschiedsworte gegen ihn waren sonderbar bedeutend. Er schien von seiner Entdeckung zu wissen und darauf anzuspielen. Bis zum Eingang der Höhlen begleitete er sie, nachdem er sie und besonders den Knaben gebeten hatte, nichts von ihm gegen die Bauern zu erwähnen, weil er sonst ihren Zudringlichkeiten ausgesetzt seyn würde.

Sie versprachen es alle. Wie sie von ihm schieden und sich seinem Gebet empfahlen, sagte er: Wie lange wird es währen, so sehn wir uns wieder, und werden über unsere heutigen Reden lächeln. Ein himmlischer Tag wird uns umgeben, und wir werden uns freuen, daß wir einander in diesen Thälern der Prüfung freundlich begrüßten, und von gleichen Gesinnungen und Ahndungen beseelt waren. Sie sind die Engel, die uns hier sicher geleiten. Wenn euer Auge fest am Himmel haftet, so werdet ihr nie den Weg zu eurer Heymath verlieren. — Sie trennten sich mit stiller Andacht, fanden bald ihre zaghaften Gefährten, und erreichten unter allerlei Erzählungen in Kurzem das Dorf, wo Heinrichs Mutter, die in Sorgen gewesen war, sie mit tausend Freuden empfing.

SECHSTES KAPITEL

Menschen, die zum Handeln, zur Geschäftigkeit geboren sind, können nicht früh genug alles selbst betrachten und beleben. Sie müssen überall selbst Hand anlegen und viele Verhältnisse durchlaufen, ihr Gemüth gegen die Eindrücke einer neuen Lage, gegen die Zerstreuungen vieler und mannichfaltiger Gegenstände gewissermaßen abhärten, und sich gewöhnen, selbst im Drange großer Begebenheiten den Faden ihres Zwecks festzuhalten, und ihn gewandt hindurchzuführen. Sie dürfen nicht den Einladungen einer stillen Betrachtung nachgeben. Ihre Seele darf keine in sich gekehrte Zuschauerin, sie muß unablässig nach außen gerichtet, und eine emsige, schnell entscheidende Dienerin des Verstandes seyn. Sie sind Helden, und um sie her drängen sich die Begebenheiten, die geleitet und gelöst seyn wollen. Alle Zufälle werden zu Geschichten unter ihrem Einfluß, und ihr Leben ist eine ununterbrochene Kette merkwürdiger und glänzender, verwickelter und seltsamer Ereignisse.

Anders ist es mit jenen ruhigen, unbekannten Menschen, deren Welt ihr Gemüth, deren Thätigkeit die Betrachtung, deren Leben ein leises Bilden ihrer innern Kräfte ist. Keine Unruhe treibt sie nach außen.

Ein stiller Besitz genügt ihnen und das unermeßliche Schauspiel außer
ihnen reitzt sie nicht, selbst darinn aufzutreten, sondern kommt ihnen
bedeutend und wunderbar genug vor, um seiner Betrachtung ihre
Muße zu widmen. Verlangen nach dem Geiste desselben hält sie in
der Ferne, und er ist es, der sie zu der geheimnißvollen Rolle des
Gemüths in dieser menschlichen Welt bestimmte, während jene die
äußere[n] Gliedmaßen und Sinne und die ausgehenden Kräfte derselben vorstellen.

Große und vielfache Begebenheiten würden sie stören. Ein einfaches
Leben ist ihr Loos, und nur aus Erzählungen und Schriften müssen sie
mit dem reichen Inhalt, und den zahllosen Erscheinungen der Welt
bekannt werden. Nur selten darf im Verlauf ihres Lebens ein Vorfall
sie auf einige Zeit in seine raschen Wirbel mit hereinziehn, um durch
einige Erfahrungen sie von der Lage und dem Character der handeln-
den Menschen genauer zu unterrichten. Dagegen wird ihr empfind-
licher Sinn schon genug von nahen unbedeutenden Erscheinungen
beschäftigt, die ihm jene große Welt verjüngt darstellen, und sie werden keinen Schritt thun, ohne die überraschendsten Entdeckungen in
sich selbst über das Wesen und die Bedeutung derselben zu machen. Es
sind die Dichter, diese seltenen Zugmenschen, die zuweilen durch unsere Wohnsitze wandeln, und überall den alten ehrwürdigen Dienst
der Menschheit und ihrer ersten Götter, der Gestirne, des Frühlings,
der Liebe, des Glücks, der Fruchtbarkeit, der Gesundheit, und des
Frohsinns erneuern; sie, die schon hier im Besitz der himmlischen
Ruhe sind, und von keinen thörichten Begierden umhergetrieben, nur
den Duft der irdischen Früchte einathmen, ohne sie zu verzehren und
dann unwiderruflich an die Unterwelt gekettet zu seyn. Freye Gäste
sind sie, deren goldener Fuß nur leise auftritt, und deren Gegenwart in Allen unwillkührlich die Flügel ausbreitet. Ein Dichter läßt
sich wie ein guter König, frohen und klaren Gesichtern nach aufsuchen, und er ist es, der allein den Namen eines Weisen mit Recht
führt. Wenn man ihn mit dem Helden vergleicht, so findet man, daß
die Gesänge der Dichter nicht selten den Heldenmuth in jugendlichen
Herzen erweckt, Heldenthaten aber wohl nie den Geist der Poesie in
ein neues Gemüth gerufen haben.

Heinrich war von Natur zum Dichter geboren. Mannichfaltige Zufälle schienen sich zu seiner Bildung zu vereinigen, und noch hatte nichts seine innere Regsamkeit gestört. Alles was er sah und hörte schien nur neue Riegel in ihm wegzuschieben, und neue Fenster ihm zu öffnen. Er sah die Welt in ihren großen und abwechselnden Verhältnissen vor sich liegen. Noch war sie aber stumm, und ihre Seele, das Gespräch, noch nicht erwacht. Schon nahte sich ein Dichter, ein liebliches Mädchen an der Hand, um durch Laute der Muttersprache und durch Berührung eines süßen zärtlichen Mundes, die blöden Lippen aufzuschließen, und den einfachen Accord in unendliche Melodien zu entfalten.

Diese Reise war nun geendigt. Es war gegen Abend, als unsere Reisenden wohlbehalten und frölich in der weltberühmten Stadt Augsburg anlangten, und voller Erwartung durch die hohen Gassen nach dem ansehnlichen Hause des alten Schwaning ritten.

Heinrichen war schon die Gegend sehr reitzend vorgekommen. Das lebhafte Getümmel der Stadt und die großen, steinernen Häuser befremdeten ihn angenehm. Er freute sich inniglich über seinen künftigen Aufenthalt. Seine Mutter war sehr vergnügt nach der langen, mühseligen Reise sich hier in ihrer geliebten Vaterstadt zu sehen, bald ihren Vater und ihre alten Bekannten wieder zu umarmen, ihren Heinrich ihnen vorstellen, und einmal alle Sorgen des Hauswesens bey den traulichen Erinnerungen ihrer Jugend, ruhig vergessen zu können. Die Kaufleute hofften sich bey den dortigen Lustbarkeiten für die Unbequemlichkeiten des Weges zu entschädigen, und einträgliche Geschäfte zu machen.

Das Haus des alten Schwaning fanden sie erleuchtet, und eine lustige Musik tönte ihnen entgegen. Was gilt's, sagten die Kaufleute, euer Großvater giebt ein fröhliches Fest. Wir kommen wie gerufen. Wie wird er über die ungeladenen Gäste erstaunen. Er läßt es sich wohl nicht träumen, daß das wahre Fest nun erst angehn wird. Heinrich fühlte sich verlegen, und seine Mutter war nur wegen ihres Anzugs in Sorgen. Sie stiegen ab, die Kaufleute blieben bey den Pferden, und Heinrich und seine Mutter traten in das prächtige Haus. Unten war kein Hausgenosse zu sehen. Sie mußten die breite Wendeltreppe hinauf. Einige Diener liefen vorüber, die sie baten, dem alten Schwaning die Ankunft einiger Fremden anzusagen, die ihn zu sprechen wünschten. Die Diener machten anfangs einige Schwierigkeiten; die Reisenden sahen nicht zum Besten aus; doch meldeten sie es dem Herrn des Hauses. Der alte Schwaning kam heraus. Er kannte sie nicht gleich, und fragte nach ihrem Namen und Anliegen. Heinrichs Mutter weinte, und fiel ihm um den Hals. Kennt Ihr Eure Tochter nicht mehr? rief sie weinend. Ich bringe euch meinen Sohn. Der alte Vater war äußerst gerührt. Er drückte sie lange an seine Brust; Heinrich sank auf ein Knie, und küßte ihm zärtlich die Hand. Er hob ihn zu sich, und hielt Mutter und Sohn umarmt. Geschwind herein, sagte Schwaning, ich habe lauter Freunde und Bekannte bey mir, die sich herzlich mit mir freuen werden. Heinrichs Mutter schien einige Zweifel zu haben. Sie hatte keine Zeit sich zu besinnen. Der Vater führte beyde in den hohen, erleuchteten Saal. Da bringe ich meine Tochter und meinen Enkel aus Eisenach, rief Schwaning in das frohe Getümmel glänzend gekleideter Menschen. Alle Augen kehrten sich nach der Thür; alles lief herzu, die Musik schwieg, und die beyden Reisenden standen verwirrt und geblendet in ihren staubigen Kleidern, mitten in der bunten Schaar. Tausend freudige Ausrufungen gingen von Mund zu Mund. Alte Bekannte drängten sich um die Mutter. Es gab unzählige Fragen. Jedes wollte zuerst gekannt und bewillkommet seyn. Während der ältere Theil der Gesellschaft sich mit der Mutter beschäftigte, heftete sich die Aufmerksamkeit des jüngeren Theils auf den fremden Jüngling, der mit gesenktem Blick da stand, und nicht das Herz hatte, die unbekannten Gesichter wieder zu betrachten. Sein Großvater machte ihn mit der Gesellschaft bekannt, und erkundigte sich nach seinem Vater und den Vorfällen ihrer Reise.

Die Mutter gedachte der Kaufleute, die unten aus Gefälligkeit bey den Pferden geblieben waren. Sie sagte es ihrem Vater, welcher sogleich hinunter schickte, und sie einladen ließ heraufzukommen. Die Pferde wurden in die Ställe gebracht, und die Kaufleute erschienen. Schwaning dankte ihnen herzlich für die freundschaftliche Geleitung seiner Tochter. Sie waren mit vielen Anwesenden bekannt, und begrüßten sich freundlich mit ihnen. Die Mutter wünschte sich reinlich ankleiden zu dürfen. Schwaning nahm sie auf sein Zimmer, und Heinrich folgte ihnen in gleicher Absicht.

Unter der Gesellschaft war Heinrichen ein Mann aufgefallen, den er

in jenem Buche oft an seiner Seite gesehn zu haben glaubte. Sein edles
Ansehn zeichnete ihn vor allen aus. Ein heitrer Ernst war der Geist
seines Gesichts; eine offene schön gewölbte Stirn, große, schwarze,
durchdringende und feste Augen, ein schalkhafter Zug um den frölichen Mund und durchaus klare, männliche Verhältnisse machten es
bedeutend und anziehend. Er war stark gebaut, seine Bewegungen
waren ruhig und ausdrucksvoll, und wo er stand, schien er ewig
stehen zu wollen. Heinrich fragte seinen Großvater nach ihm. Es
ist mir lieb, sagte der Alte, daß du ihn gleich bemerkt hast. Es
ist mein trefflicher Freund Klingsohr, der Dichter. Auf seine Bekanntschaft und Freundschaft kannst du stolzer seyn, als auf die des
Kaysers. Aber wie stehts mit deinem Herzen? Er hat eine schöne
Tochter; vielleicht daß sie den Vater bey dir aussticht. Es sollte mich
wundern, wenn du sie nicht gesehn hättest. Heinrich erröthete. Ich
war zerstreut, lieber Großvater. Die Gesellschaft war zahlreich, und
ich betrachtete nur euren Freund.   Man merkt es, daß du aus
Norden kömmst, erwiederte Schwaning. Wir wollen dich hier schon
aufthauen. Du sollst schon lernen nach hübschen Augen sehn.
Sie waren nun fertig und begaben sich zurück in den Saal, wo indeß
die Zurüstungen zum Abendessen gemacht worden waren. Der alte
Schwaning führte Heinrichen und Klingsohr zu, und erzählte ihm,
daß Heinrich ihn gleich bemerkt und den lebhaftesten Wunsch habe
mit ihm bekannt zu seyn.
Heinrich war beschämt. Klingsohr redete freundlich zu ihm von seinem Vaterlande und seiner Reise. Es lag soviel Zutrauliches in seiner
Stimme, daß Heinrich bald ein Herz faßte und sich freymüthig mit
ihm unterhielt. Nach einiger Zeit kam Schwaning wieder zu ihnen und
brachte die schöne Mathilde. Nehmt euch meines schüchternen Enkels freundlich an, und verzeiht es ihm, daß er eher euren Vater als
euch gesehn hat. Eure glänzenden Augen werden schon die schlum-
mernde Jugend in ihm wecken. In seinem Vaterland kommt der Frühling spät.
Heinrich und Mathilde wurden roth. Sie sahen sich einander mit Verwunderung an. Sie fragte ihn mit kaum hörbaren leisen Worten: Ob
er gern tanze. Eben als er die Frage bejahte, fing eine fröliche Tanz-
musik an. Er bot ihr schweigend seine Hand; sie gab ihm die ihrige,

und sie mischten sich in die Reihe der walzenden Paare. Schwaning
und Klingsohr sahen zu. Die Mutter und die Kaufleute freuten sich
über Heinrichs Behendigkeit und seine liebliche Tänzerinn. Die Mutter hatte genug mit ihren Jugendfreundinnen zu sprechen, die ihr zu
einem so wohlgebildeten und so hoffnungsvollen Sohn Glück wünschten. Klingsohr sagte zu Schwaning: Euer Enkel hat ein anziehendes
Gesicht. Es zeigt ein klares und umfassendes Gemüth, und seine
Stimme kommt tief aus dem Herzen.   Ich hoffe, erwiederte Schwaning, daß er euer gelehriger Schüler seyn wird. Mich däucht er ist zum
Dichter geboren. Euer Geist komme über ihn. Er sieht seinem Vater
ähnlich; nur scheint er weniger heftig und eigensinnig. Jener war in
seiner Jugend voll glücklicher Anlagen. Eine gewisse Freysinnigkeit
fehlte ihm. Es hätte mehr aus ihm werden können, als ein fleißiger
und fertiger Künstler. — Heinrich wünschte den Tanz nie zu endigen.
Mit innigem Wohlgefallen ruhte sein Auge auf den Rosen seiner
Tänzerinn. Ihr unschuldiges Auge vermied ihn nicht. Sie schien der
Geist ihres Vaters in der lieblichsten Verkleidung. Aus ihren großen
ruhigen Augen sprach ewige Jugend. Auf einem lichthimmelblauen
Grunde lag der milde Glanz der braunen Sterne. Stirn und Nase senk-
ten sich zierlich um sie her. Eine nach der aufgehenden Sonne ge-
neigte Lilie war ihr Gesicht, und von dem schlanken, weißen Halse
schlängelten sich blaue Adern in reizenden Windungen um die zarten
Wangen. Ihre Stimme war wie ein fernes Echo, und das braune lok-
kige Köpfchen schien über der leichten Gestalt nur zu schweben.
Die Schüsseln kamen herein, und der Tanz war aus. Die älteren Leute
setzten sich auf die Eine Seite, und die jüngern nahmen die Andere
ein.
Heinrich blieb bey Mathilden. Eine junge Verwandte setzte sich zu
seiner Linken, und Klingsohr saß ihm gerade gegenüber. So wenig
Mathilde sprach, so gesprächig war Veronika, seine andere Nachbarin.
Sie that gleich mit ihm vertraut und machte ihn in kurzem mit allen
Anwesenden bekannt. Heinrich verhörte manches. Er war noch bey
seiner Tänzerin, und hätte sich gern öfters rechts gewandt. Klingsohr
machte ihrem Plaudern ein Ende. Er fragte ihn nach dem Bande mit
sonderbaren Figuren, was Heinrich an seinem Leibrock befestigt
hatte. Heinrich erzählte von der Morgenländerin mit vieler Rührung.

Mathilde weinte, und Heinrich konnte nun seine Thränen kaum verbergen. Er gerieth darüber mit ihr ins Gespräch. Alle unterhielten sich;
Veronika lachte und scherzte mit ihren Bekannten. Mathilde erzählte
ihm von Ungarn, wo ihr Vater sich oft aufhielt, und von dem Leben
in Augsburg. Alle waren vergnügt. Die Musik verscheuchte die Zurückhaltung und reizte alle Neigungen zu einem muntern Spiel. Blu-
menkörbe dufteten in voller Pracht auf dem Tische, und der Wein
schlich zwischen den Schüsseln und Blumen umher, schüttelte seine
goldnen Flügel und stellte bunte Tapeten zwischen die Welt und die
Gäste. Heinrich begriff erst jetzt, was ein Fest sey. Tausend frohe Geister schienen ihm um den Tisch zu gaukeln, und in stiller Sympathie
mit den frölichen Menschen von ihren Freuden zu leben und mit
ihren Genüssen sich zu berauschen. Der Lebensgenuß stand wie ein
klingender Baum voll goldener Früchte vor ihm. Das Übel ließ sich
nicht sehen, und es dünkte ihm unmöglich, daß je die menschliche
Neigung von diesem Baume zu der gefährlichen Frucht des Erkennt-
nisses, zu dem Baume des Krieges sich gewendet haben sollte. Er verstand nun den Wein und die Speisen. Sie schmeckten ihm überaus
köstlich. Ein himmlisches Öl würzte sie ihm, und aus dem Becher
funkelte die Herrlichkeit des irdischen Lebens. Einige Mädchen
brachten dem alten Schwaning einen frischen Kranz. Er setzte ihn
auf, küßte sie, und sagte: Auch unserm Freund Klingsohr müßt ihr
einen bringen, wir wollen beyde zum Dank euch ein paar neue Lieder
lehren. Das meinige sollt ihr gleich haben. Er gab der Musik ein Zeichen, und sang mit lauter Stimme:

> Sind wir nicht geplagte Wesen?
> Ist nicht unser Loos betrübt?
> Nur zu Zwang und Noth erlesen
> In Verstellung nur geübt,
> Dürfen selbst nicht unsre Klagen
> Sich aus unserm Busen wagen.
>
> *
>
> Allem was die Eltern sprechen,
> Widerspricht das volle Herz.
> Die verbotne Frucht zu brechen

Fühlen wir der Sehnsucht Schmerz;
Möchten gern die süßen Knaben
Fest an unserm Herzen haben.

*

Wäre dies zu denken Sünde?
Zollfrey sind Gedanken doch.
Was bleibt einem armen Kinde
Außer süßen Träumen noch?
Will man sie auch gern verbannen,
Nimmer ziehen sie von dannen.

*

Wenn wir auch des Abends beten,
Schreckt uns doch die Einsamkeit,
Und zu unsern Küssen treten
Sehnsucht und Gefälligkeit.
Könnten wir wohl widerstreben
Alles, Alles hinzugeben?

*

Unsere Reize zu verhüllen,
Schreibt die strenge Mutter vor.
Ach! was hilft der gute Willen,
Quellen sie nicht selbst empor?
Bey der Sehnsucht innrem Beben
Muß das beste Band sich geben.

*

Jede Neigung zu verschließen,
Hart und kalt zu seyn, wie Stein,
Schöne Augen nicht zu grüßen,
Fleißig und allein zu seyn,
Keiner Bitte nachzugeben:
Heißt das wohl ein Jugendleben?

*

Groß sind eines Mädchens Plagen,
Ihre Brust ist krank und wund,
Und zum Lohn für stille Klagen
Küßt sie noch ein welker Mund.

>   Wird denn nie das Blatt sich wenden,
>   Und das Reich der Alten enden?

Die alten Leute und die Jünglinge lachten. Die Mädchen errötheten
und lächelten abwärts. Unter tausend Neckereyen wurde ein zweiter
Kranz geholt, und Klingsohren aufgesetzt. Sie baten aber inständigst
um keinen so leichtfertigen Gesang. Nein, sagte Klingsohr, ich
werde mich wohl hüten so frevelhaft von euren Geheimnissen zu
reden. Sagt selbst, was ihr für ein Lied haben wollt.   Nur nichts
von Liebe, riefen die Mädchen ein Weinlied, wenn es euch ansteht.
Klingsohr sang:

>   Auf grünen Bergen wird geboren,
>   Der Gott, der uns den Himmel bringt.
>   Die Sonne hat ihn sich erkohren,
>   Daß sie mit Flammen ihn durchdringt.
>   *
>   Er wird im Lenz mit Lust empfangen,
>   Der zarte Schoß quillt still empor,
>   Und wenn des Herbstes Früchte prangen
>   Springt auch das goldne Kind hervor.
>   *
>   Sie legen ihn in enge Wiegen
>   In's unterirdische Geschoß.
>   Er träumt von Festen und von Siegen
>   Und baut sich manches luft'ge Schloß.
>   *
>   Es nahe keiner seiner Kammer,
>   Wenn er sich ungeduldig drängt,
>   Und jedes Band und jede Klammer
>   Mit jugendlichen Kräften sprengt.
>   *
>   Denn unsichtbare Wächter stellen
>   So lang er träumt sich um ihn her;
>   Und wer betritt die heil'gen Schwellen,
>   Den trift ihr luftumwundner Speer.

So wie die Schwingen sich entfalten,
Läßt er die lichten Augen sehn,
Läßt ruhig seine Priester schalten
Und kommt heraus wenn sie ihm flehn.

*

Aus seiner Wiege dunklem Schooße,
Erscheint er in Krystallgewand;
Verschwiegener Eintracht volle Rose
Trägt er bedeutend in der Hand.

*

Und überall um ihn versammeln
Sich seine Jünger hocherfreut;
Und tausend frohe Zungen stammeln,
Ihm ihre Lieb' und Dankbarkeit.

*

Er sprützt in ungezählten Strahlen
Sein innres Leben in die Welt,
Die Liebe nippt aus seinen Schalen
Und bleibt ihm ewig zugesellt.

*

Er nahm als Geist der goldnen Zeiten
Von jeher sich des Dichters an,
Der immer seine Lieblichkeiten
In trunknen Liedern aufgethan.

*

Er gab ihm, seine Treu zu ehren,
Ein Recht auf jeden hübschen Mund,
Und daß es keine darf ihm wehren,
Macht Gott durch ihn es allen kund.

*

Ein schöner Profet! riefen die Mädchen. Schwaning freute sich
herzlich. Sie machten noch einige Einwendungen, aber es half nichts.
Sie mußten ihm die süßen Lippen hinreichen. Heinrich schämte sich
nur vor seiner ernsten Nachbarin, sonst hätte er sich laut über das
Vorrecht der Dichter gefreut. Veronika war unter den Kranzträgerin-
nen. Sie kam frölich zurück und sagte zu Heinrich: Nicht wahr, es
ist hübsch, wenn man ein Dichter ist? Heinrich getraute sich nicht,

diese Frage zu benutzen. Der Übermuth der Freude und der Ernst der ersten Liebe kämpften in seinem Gemüth. Die reizende Veronika scherzte mit den Andern, und so gewann er Zeit, den ersten etwas zu dämpfen. Mathilde erzählte ihm, daß sie die Guitarre spiele. Ach! sagte Heinrich, von euch möchte ich sie lernen. Ich habe mich lange darnach gesehnt. — Mein Vater hat mich unterrichtet, Er spielt sie unvergleichlich, sagte sie erröthend. — Ich glaube doch, erwiederte Heinrich, daß ich sie schneller bey euch lerne. Wie freue ich mich euren Gesang zu hören. — Stellt euch nur nicht zu viel vor. — O! sagte Heinrich, was sollte ich nicht erwarten können, da eure bloße Rede schon Gesang ist, und eure Gestalt eine himmlische Musik verkündigt.

Mathilde schwieg. Ihr Vater fing ein Gespräch mit ihm an, in welchem Heinrich mit der lebhaftesten Begeisterung sprach. Die Nächsten wunderten sich über des Jünglings Beredsamkeit, über die Fülle seiner bildlichen Gedanken. Mathilde sah ihn mit stiller Aufmerksamkeit an. Sie schien sich über seine Reden zu freuen, die sein Gesicht mit den sprechendsten Mienen noch mehr erklärte. Seine Augen glänzten ungewöhnlich. Er sah sich zuweilen nach Mathilden um, die über den Ausdruck seines Gesichts erstaunte. Im Feuer des Gesprächs ergriff er unvermerkt ihre Hand, und sie konnte nicht umhin, manches was er sagte, mit einem leisen Druck zu bestätigen. Klingsohr wußte seinen Enthusiasmus zu unterhalten, und lockte allmählich seine ganze Seele auf die Lippen. Endlich stand alles auf. Alles schwärmte durch einander. Heinrich war an Mathildens Seite geblieben. Sie standen unbemerkt abwärts. Er hielt ihre Hand und küßte sie zärtlich. Sie ließ sie ihm, und blickte ihn mit unbeschreiblicher Freundlichkeit an. Er konnte sich nicht halten, neigte sich zu ihr und küßte ihre Lippen. Sie war überrascht, und erwiederte unwillkührlich seinen heißen Kuß. Gute Mathilde, lieber Heinrich, das war alles, was sie einander sagen konnten. Sie drückte seine Hand, und ging unter die Andern. Heinrich stand, wie im Himmel. Seine Mutter kam auf ihn zu. Er ließ seine ganze Zärtlichkeit an ihr aus. Sie sagte: Ist es nicht gut, daß wir nach Augsburg gereist sind? Nicht wahr, es gefällt dir? Liebe Mutter, sagte Heinrich, so habe ich mir es doch nicht vorgestellt. Es ist ganz herrlich.

Der Rest des Abends verging in unendlicher Fröhlichkeit. Die Alten spielten, plauderten, und sahen den Tänzen zu. Die Musik wogte wie ein Lustmeer im Saale, und hob die berauschte Jugend.

Heinrich fühlte die entzückenden Weissagungen der ersten Lust und Liebe zugleich. Auch Mathilde ließ sich willig von den schmeichelnden Wellen tragen, und verbarg ihr zärtliches Zutrauen, ihre aufkeimende Neigung zu ihm nur hinter einem leichten Flor. Der alte Schwaning bemerkte das kommende Verständniß, und neckte beyde.

Klingsohr hatte Heinrichen lieb gewonnen, und freute sich seiner Zärtlichkeit. Die andern Jünglinge und Mädchen hatten es bald bemerkt. Sie zogen die ernste Mathilde mit dem jungen Thüringer auf, und verhehlten nicht, daß es ihnen lieb sey, Mathildens Aufmerksamkeit nicht mehr bey ihren Herzensgeschäften scheuen zu dürfen.

Es war tief in der Nacht, als die Gesellschaft auseinanderging. Das erste und einzige Fest meines Lebens, sagte Heinrich zu sich selbst, als er allein war, und seine Mutter sich ermüdet zur Ruhe gelegt hatte. Ist mir nicht zu Muthe wie in jenem Traume, beym Anblick der blauen Blume? Welcher sonderbare Zusammenhang ist zwischen Mathilden und dieser Blume? Jenes Gesicht, das aus dem Kelche sich mir entgegenneigte, es war Mathildens himmlisches Gesicht, und nun erinnere ich mich auch, es in jenem Buche gesehn zu haben. Aber warum hat es dort mein Herz nicht so bewegt? O! sie ist der sichtbare Geist des Gesanges, eine würdige Tochter ihres Vaters. Sie wird mich in Musik auflösen. Sie wird meine innerste Seele, die Hüterin meines heiligen Feuers seyn. Welche Ewigkeit von Treue fühle ich in mir! Ich ward nur geboren, um sie zu verehren, um ihr ewig zu dienen, um sie zu denken und zu empfinden. Gehört nicht ein eigenes ungetheiltes Daseyn zu ihrer Anschauung und Anbetung? und bin ich der Glückliche, dessen Wesen das Echo, der Spiegel des ihrigen seyn darf? Es war kein Zufall, daß ich sie am Ende meiner Reise sah, daß ein seliges Fest den höchsten Augenblick meines Lebens umgab. Es konnte nicht anders seyn; macht ihre Gegenwart nicht alles festlich?

Er trat ans Fenster. Das Chor der Gestirne stand am dunkeln Himmel, und im Morgen kündigte ein weißer Schein den kommenden Tag an.

Mit vollem Entzücken rief Heinrich aus: Euch, ihr ewigen Gestirne, ihr stillen Wandrer, euch rufe ich zu Zeugen meines heiligen Schwurs an. Für Mathilden will ich leben, und ewige Treue soll mein Herz an das ihrige knüpfen. Auch mir bricht der Morgen eines ewigen Tages an. Die Nacht ist vorüber. Ich zünde der aufgehenden Sonne mich selbst zum nieverglühenden Opfer an.

Heinrich war erhitzt, und nur spät gegen Morgen schlief er ein. In wunderliche Träume flossen die Gedanken seiner Seele zusammen. Ein tiefer blauer Strom schimmerte aus der grünen Ebene herauf. Auf der glatten Fläche schwamm ein Kahn. Mathilde saß und ruderte. Sie war mit Kränzen geschmückt, sang ein einfaches Lied, und sah nach ihm mit süßer Wehmuth herüber. Seine Brust war beklommen. Er wußte nicht warum. Der Himmel war heiter, die Flut ruhig. Ihr himmlisches Gesicht spiegelte sich in den Wellen. Auf einmal fing der Kahn an sich umzudrehen. Er rief ihr ängstlich zu. Sie lächelte und legte das Ruder in den Kahn, der sich immerwährend drehte. Eine ungeheure Bangigkeit ergriff ihn. Er stürzte sich in den Strom; aber er konnte nicht fort, das Wasser trug ihn. Sie winkte, sie schien ihm etwas sagen zu wollen, der Kahn schöpfte schon Wasser; doch lächelte sie mit einer unsäglichen Innigkeit, und sah heiter in den Wirbel hinein. Auf einmal zog es sie hinunter. Eine leise Luft strich über den Strom, der eben so ruhig und glänzend floß, wie vorher. Die entsetzliche Angst raubte ihm das Bewußtseyn. Das Herz schlug nicht mehr. Er kam erst zu sich, als er sich auf trocknem Boden fühlte. Er mochte weit geschwommen seyn. Es war eine fremde Gegend. Er wußte nicht wie ihm geschehen war. Sein Gemüth war verschwunden. Gedankenlos ging er tiefer ins Land. Entsetzlich matt fühlte er sich. Eine kleine Quelle kam aus einem Hügel, sie tönte wie lauter Glocken. Mit der Hand schöpfte er einige Tropfen und netzte seine dürren Lippen. Wie ein banger Traum lag die schreckliche Begebenheit hinter ihm. Immer weiter und weiter ging er, Blumen und Bäume redeten ihn an. Ihm wurde so wohl und heymathlich zu Sinne. Da hörte er jenes einfache Lied wieder. Er lief den Tönen nach. Auf einmal hielt ihn jemand am Gewande zurück. Lieber Heinrich, rief eine bekannte Stimme. Er sah sich um, und Mathilde schloß ihn in ihre Arme. Warum liefst du vor mir, liebes Herz? sagte sie tiefathmend. Kaum konnte ich dich einholen. Heinrich weinte. Er drückte sie an sich. — Wo ist der Strom? rief er mit Thränen. — Siehst du nicht seine

blauen Wellen über uns? Er sah hinauf, und der blaue Strom floß
leise über ihrem Haupte. Wo sind wir, liebe Mathilde? — Bey unsern Eltern. — Bleiben wir zusammen? — Ewig, versetzte sie,
indem sie ihre Lippen an die seinigen drückte, und ihn so umschloß,
daß sie nicht wieder von ihm konnte. Sie sagte ihm ein wunderbares
geheimes Wort in den Mund, was sein ganzes Wesen durchklang. Er
wollte es wiederholen, als sein Großvater rief, und er aufwachte. Er
hätte sein Leben darum geben mögen, das Wort noch zu wissen.

SIEBENTES KAPITEL

Klingsohr stand vor seinem Bette, und bot ihm freundlich guten Morgen. Er ward munter und fiel Klingsohr um den Hals. Das gilt euch
nicht, sagte Schwaning. Heinrich lächelte und verbarg sein Erröthen
an den Wangen seiner Mutter.

Habt ihr Lust mit mir vor der Stadt auf einer schönen Anhöhe zu
frühstücken? sagte Klingsohr. Der herrliche Morgen wird euch er-
frischen. Kleidet euch an. Mathilde wartet schon auf uns.

Heinrich dankte mit tausend Freuden für diese willkommene Ein-
ladung. In einem Augenblick war er fertig, und küßte Klingsohr mit
vieler Inbrunst die Hand.

Sie gingen zu Mathilden, die in ihrem einfachen Morgenkleide wun-
derlieblich aussah und ihn freundlich grüßte. Sie hatte schon das
Frühstück in ein Körbchen gepackt, das sie an den Einen Arm hing,
und die andere Hand unbefangen Heinrichen reichte. Klingsohr folgte
ihnen, und so wandelten sie durch die Stadt, die schon voller Lebendigkeit war, nach einem kleinen Hügel am Flusse, wo sich unter einigen hohen Bäumen eine weite und volle Aussicht öffnete.

Habe ich doch schon oft, rief Heinrich aus, mich an dem Aufgang
der bunten Natur, an der friedlichen Nachbarschaft ihres mannichfaltigen Eigenthums ergötzt; aber eine so schöpferische und gediegene
Heiterkeit hat mich noch nie erfüllt wie heute. Jene Fernen sind mir
so nah, und die reiche Landschaft ist mir wie eine innere Fantasie.
Wie veränderlich ist die Natur, so unwandelbar auch ihre Oberfläche

zu seyn scheint. Wie anders ist sie, wenn ein Engel, wenn ein kräftige-
rer Geist neben uns ist, als wenn ein Nothleidender vor uns klagt, oder
ein Bauer uns erzählt, wie ungünstig die Witterung ihm sey, und wie
nöthig er düstre Regentage für seine Saat brauche. Euch, theuerster
Meister, bin ich dieses Vergnügen schuldig; ja dieses Vergnügen,
denn es giebt kein anderes Wort, was wahrhafter den Zustand meines
Herzens ausdrückte. Freude, Lust und Entzücken sind nur die Glieder
des Vergnügens, das sie zu einem höhern Leben verknüpft. Er drückte
Mathildens Hand an sein Herz, und versank mit einem feurigen Blick
in ihr mildes, empfängliches Auge.

Die Natur, versetzte Klingsohr, ist für unser Gemüth, was ein Körper für das Licht ist. Er hält es zurück; er bricht es in eigenthümliche Farben; er zündet auf seiner Oberfläche oder in seinem Innern
ein Licht an, das, wenn es seiner Dunkelheit gleich kommt, ihn klar
und durchsichtig macht, wenn es sie überwiegt, von ihm ausgeht, um
andere Körper zu erleuchten. Aber selbst der dunkelste Körper kann
durch Wasser, Feuer und Luft dahin gebracht werden, daß er hell
und glänzend wird.

Ich verstehe euch, lieber Meister. Die Menschen sind Krystalle für
unser Gemüth. Sie sind die durchsichtige Natur. Liebe Mathilde, ich
möchte euch einen köstlichen lautern Sapphir nennen. Ihr seyd klar
und durchsichtig wie der Himmel, ihr erleuchtet mit dem mildesten
Lichte. Aber sagt mir, lieber Meister, ob ich recht habe: mich dünkt,
daß man gerade wenn man am innigsten mit der Natur vertraut ist
am wenigsten von ihr sagen könnte und möchte.

Wie man das nimmt, versetzte Klingsohr; ein anderes ist es mit
der Natur für unsern Genuß und unser Gemüth, ein anderes mit der
Natur für unsern Verstand, für das leitende Vermögen unserer Weltkräfte. Man muß sich wohl hüten, nicht eins über das andere zu vergessen. Es giebt viele, die nur die Eine Seite kennen und die andere
geringschätzen. Aber beyde kann man vereinigen, und man wird sich
wohl dabei befinden. Schade, daß so wenige darauf denken, sich in
ihrem Innern frey und geschickt bewegen zu können, und durch eine
gehörige Trennung sich den zweckmäßigsten und natürlichsten Gebrauch ihrer Gemüthskräfte zu sichern. Gewöhnlich hindert eine die
andere, und so entsteht allmälich eine unbehülfliche Trägheit, daß

wenn nun solche Menschen einmal mit gesammten Kräften aufstehen wollen, eine gewaltige Verwirrung und Streit beginnt, und alles über einander ungeschickt herstolpert. Ich kann euch nicht genug anrühmen, euren Verstand, euren natürlichen Trieb zu wissen, wie alles sich begiebt und untereinander nach Gesetzen der Folge zusammenhängt, mit Fleiß und Mühe zu unterstützen. Nichts ist dem Dichter unentbehrlicher, als Einsicht in die Natur jedes Geschäfts, Bekanntschaft mit den Mitteln jeden Zweck zu erreichen, und Gegenwart des Geistes, nach Zeit und Umständen, die schicklichsten zu wählen. Begeisterung ohne Verstand ist unnütz und gefährlich, und der Dichter wird wenig Wunder thun können, wenn er selbst über Wunder erstaunt.

Ist aber dem Dichter nicht ein inniger Glaube an die menschliche Regierung des Schicksals unentbehrlich?

Unentbehrlich allerdings, weil er sich das Schicksal nicht anders vorstellen kann, wenn er reiflich darüber nachdenkt; aber wie entfernt ist diese heitere Gewißheit, von jener ängstlichen Ungewißheit, von jener blinden Furcht des Aberglaubens. Und so ist auch die kühle, belebende Wärme eines dichterischen Gemüths gerade das Widerspiel von jener wilden Hitze eines kränklichen Herzens. Diese ist arm, betäubend und vorübergehend; jene sondert alle Gestalten rein ab, begünstigt die Ausbildung der mannichfaltigsten Verhältnisse, und ist ewig durch sich selbst. Der junge Dichter kann nicht kühl, nicht besonnen genug seyn. Zur wahren, melodischen Gesprächigkeit gehört ein weiter, aufmerksamer und ruhiger Sinn. Es wird ein verworrnes Geschwätz, wenn ein reißender Sturm in der Brust tobt, und die Aufmerksamkeit in eine zitternde Gedankenlosigkeit auflöst. Nochmals wiederhole ich, das ächte Gemüth ist wie das Licht, eben so ruhig und empfindlich, eben so elastisch und durchdringlich, eben so mächtig und eben so unmerklich wirksam als dieses köstliche Element, das auf alle Gegenstände sich mit feiner Abgemessenheit vertheilt, und sie alle in reizender Mannichfaltigkeit erscheinen läßt. Der Dichter ist reiner Stahl, eben so empfindlich, wie ein zerbrechlicher Glasfaden, und eben so hart, wie ein ungeschmeidiger Kiesel.

Ich habe das schon zuweilen gefühlt, sagte Heinrich, daß ich in den innigsten Minuten weniger lebendig war, als zu andern Zeiten, wo ich frey umhergehn und alle Beschäftigungen mit Lust treiben konnte. Ein geistiges scharfes Wesen durchdrang mich dann, und ich durfte jeden Sinn nach Gefallen brauchen, jeden Gedanken, wie einen wirklichen Körper, umwenden und von allen Seiten betrachten. Ich stand mit stillem Antheil an der Werkstatt meines Vaters, und freute mich, wenn ich ihm helfen und etwas geschickt zu Stande bringen konnte. Geschicklichkeit hat einen ganz besondern stärkenden Reiz, und es ist wahr, ihr Bewußtseyn verschafft einen dauerhafteren und deutlicheren Genuß, als jenes überfließende Gefühl einer unbegreiflichen, überschwenglichen Herrlichkeit.

Glaubt nicht, sagte Klingsohr, daß ich das letztere tadle; aber es muß von selbst kommen, und nicht gesucht werden. Seine sparsame Erscheinung ist wohlthätig; öfterer wird sie ermüdend und schwächend. Man kann nicht schnell genug sich aus der süßen Betäubung reißen, die es hinterläßt, und zu einer regelmäßigen und mühsamen Beschäftigung zurückkehren. Es ist wie mit den anmuthigen Morgenträumen, aus deren einschläferndem Wirbel man nur mit Gewalt sich herausziehen kann, wenn man nicht in immer drückendere Müdigkeit gerathen, und so in krankhafter Erschöpfung nachher den ganzen Tag hinschleppen will.

Die Poesie will vorzüglich, fuhr Klingsohr fort, als strenge Kunst getrieben werden. Als bloßer Genuß hört sie auf Poesie zu seyn. Ein Dichter muß nicht den ganzen Tag müßig umherlaufen, und auf Bilder und Gefühle Jagd machen. Das ist ganz der verkehrte Weg. Ein reines offenes Gemüth, Gewand[t]heit im Nachdenken und Betrachten, und Geschicklichkeit alle seine Fähigkeiten in eine gegenseitig belebende Thätigkeit zu versetzen und darin zu erhalten, das sind die Erfordernisse unserer Kunst. Wenn ihr euch mir überlassen wollt, so soll kein Tag euch vergehn, wo ihr nicht eure Kenntnisse bereichert, und einige nützliche Einsichten erlangt habt. Die Stadt ist reich an Künstlern aller Art. Es giebt einige erfahrne Staatsmänner, einige gebildete Kaufleute hier. Man kann ohne große Umstände mit allen Ständen, mit allen Gewerben, mit allen Verhältnissen und Erfordernissen der menschlichen Gesellschaft sich bekannt machen. Ich will euch mit Freuden in dem Handwerksmäßigen unserer Kunst unterrichten, und die merkwürdigsten Schriften mit euch lesen. Ihr könnt

Mathildens Lehrstunden theilen, und sie wird euch gern die Guitarre spielen lehren. Jede Beschäftigung wird die übrigen vorbereiten, und wenn ihr so euren Tag gut angelegt habt, so werden euch das Gespräch und die Freuden des gesellschaftlichen Abends, und die Ansichten der schönen Landschaft umher mit den heitersten Genüssen immer wieder überraschen.

Welches herrliche Leben schließt ihr mir auf, liebster Meister. Unter eurer Leitung werde ich erst merken, welches edle Ziel vor mir steht, und wie ich es nur durch euren Rath zu erreichen hoffen darf.

Klingsohr umarmte ihn zärtlich. Mathilde brachte ihnen das Frühstück, und Heinrich fragte sie mit zärtlicher Stimme, ob sie ihn gern zum Begleiter ihres Unterrichts und zum Schüler annehmen wollte. Ich werde wohl ewig euer Schüler bleiben, sagte er, indem sich Klingsohr nach einer anderen Seite wandte. Sie neigte sich unmerklich zu ihm hin. Er umschlang sie und küßte den weichen Mund des erröthenden Mädchens. Nur sanft bog sie sich von ihm weg, doch reichte sie ihm mit der kindlichsten Anmuth eine Rose, die sie am Busen trug. Sie machte sich mit ihrem Körbchen zu thun. Heinrich sah ihr mit stillem Entzücken nach, küßte die Rose, heftete sie an seine Brust, und ging an Klingsohrs Seite, der nach der Stadt hinüber sah.

Wo seyd ihr hergekommen? fragte Klingsohr.   Über jenen Hügel herunter, erwiederte Heinrich. In jene Ferne verliert sich unser Weg. — Ihr müßt schöne Gegenden gesehn haben. — Fast ununterbrochen sind wir durch reizende Landschaften gereiset. — Auch Eure Vaterstadt hat wohl eine anmuthige Lage? — Die Gegend ist abwechselnd genug; doch ist sie noch wild, und ein großer Fluß fehlt ihr. Die Ströme sind die Augen einer Landschaft. — Die Erzählung eurer Reise, sagte Klingsohr, hat mir gestern Abend eine angenehme Unterhaltung gewährt. Ich habe wohl gemerkt, daß der Geist der Dichtkunst euer freundlicher Begleiter ist. Eure Gefährten sind unbemerkt seine Stimmen geworden. In der Nähe des Dichters bricht die Poesie überall aus. Das Land der Poesie, das romantische Morgenland, hat euch mit seiner süßen Wehmuth begrüßt; der Krieg hat euch in seiner wilden Herrlichkeit angeredet, und die Natur und Geschichte sind euch unter der Gestalt eines Bergmanns und eines Einsiedlers begegnet.

Ihr vergeßt das Beste, lieber Meister, die himmlische Erscheinung
der Liebe. Es hängt nur von euch ab, diese Erscheinung mir auf ewig
festzuhalten. — Was meynst du, rief Klingsohr, indem er sich zu
Mathilden wandte, die eben auf ihn zukam. Hast du Lust Heinrichs
unzertrennliche Gefährtinn zu seyn? Wo du bleibst, bleibe ich auch.
Mathilde erschrak, sie flog in die Arme ihres Vaters. Heinrich zitterte
in unendlicher Freude. Wird er mich denn ewig geleiten wollen, lieber Vater? — Frage ihn selbst, sagte Klingsohr gerührt. Sie sah Heinrichen mit der innigsten Zärtlichkeit an. Meine Ewigkeit ist ja
dein Werk, rief Heinrich, indem ihm die Thränen über die blühenden
Wangen stürzten. Sie umschlangen sich zugleich. Klingsohr faßte sie
in seine Arme. Meine Kinder, rief er, seyd einander treu bis in den
Tod! Liebe und Treue werden euer Leben zur ewigen Poesie machen.

———

ACHTES KAPITEL

———

Nachmittags führte Klingsohr seinen neuen Sohn, an dessen Glück
seine Mutter und Großvater den zärtlichsten Antheil nahmen, und
Mathilden wie seinen Schutzgeist verehrten, in seine Stube, und
machte ihn mit den Büchern bekannt. Sie sprachen nachher von Poesie.
Ich weiß nicht, sagte Klingsohr, warum man es für Poesie nach gemeiner Weise hält, wenn man die Natur für einen Poeten ausgiebt.
Sie ist es nicht zu allen Zeiten. Es ist in ihr, wie in dem Menschen,
ein entgegengesetztes Wesen, die dumpfe Begierde und die stumpfe
Gefühllosigkeit und Trägheit, die einen rastlosen Streit mit der Poesie
führen. Er wäre ein schöner Stoff zu einem Gedicht, dieser gewaltige
Kampf. Manche Länder und Zeiten scheinen, wie die meisten Menschen, ganz unter der Botmäßigkeit dieser Feindinn der Poesie zu
stehen, dagegen in andern die Poesie einheimisch und überall sichtbar ist. Für den Geschichtschreiber sind die Zeiten dieses Kampfes
äußerst merkwürdig, ihre Darstellung ein reizendes und belohnendes
Geschäft. Es sind gewöhnlich die Geburtszeiten der Dichter. Der
Widersacherinn ist nichts unangenehmer, als daß sie der Poesie gegenüber selbst zu einer poetischen Person wird, und nicht selten in der

Hitze die Waffen mit ihr tauscht, und von ihrem eigenen heimtücki-
schen Geschosse heftig getroffen wird, dahingegen die Wunden der
Poesie, die sie von ihren eigenen Waffen erhält, leicht heilen und sie
nur noch reitzender und gewaltiger machen.

Der Krieg überhaupt, sagte Heinrich, scheint mir eine poetische
Wirkung. Die Leute glauben sich für irgend einen armseligen Besitz
schlagen zu müssen, und merken nicht, daß sie der romantische Geist
aufregt, um die unnützen Schlechtigkeiten durch sich selbst zu vernichten. Sie führen die Waffen für die Sache der Poesie, und beyde
Heere folgen Einer unsichtbaren Fahne.

Im Kriege, versetzte Klingsohr, regt sich das Urgewässer. Neue Welt-
theile sollen entstehen, neue Geschlechter sollen aus der großen Auflösung anschießen. Der wahre Krieg ist der Religionskrieg; der geht
gerade zu auf Untergang, und der Wahnsinn der Menschen erscheint
in seiner völligen Gestalt. Viele Kriege, besonders die vom National-
haß entspringen, gehören in diese Klasse mit, und sie sind ächte
Dichtungen. Hier sind die wahren Helden zu Hause, die das edelste
Gegenbild der Dichter, nichts anders, als unwillkührlich von Poesie
durchdrungene Weltkräfte sind. Ein Dichter, der zugleich Held
wäre, ist schon ein göttlicher Gesandter, aber seiner Darstellung ist
unsere Poesie nicht gewachsen.

Wie versteht ihr das, lieber Vater? sagte Heinrich. Kann ein Gegenstand zu überschwänglich für die Poesie sein?

Allerdings. Nur kann man im Grunde nicht sagen, für die Poesie, sondern nur für unsere irdischen Mittel und Werkzeuge. Wenn es schon
für einen einzelnen Dichter nur ein eigenthümliches Gebiet giebt,
innerhalb dessen er bleiben muß, um nicht alle Haltung und den
Athem zu verlieren: so giebt es auch für die ganze Summe menschlicher
Kräfte eine bestimmte Grenze der Darstellbarkeit, über welche hinaus
die Darstellung die nöthige Dichtigkeit und Gestaltung nicht behalten
kann, und in ein leeres täuschendes Unding sich verliert. Besonders
als Lehrling kann man nicht genug sich vor diesen Ausschweifungen
hüten, da eine lebhafte Fantasie nur gar zu gern nach den Grenzen
sich begiebt, und übermüthig das Unsinnliche, Übermäßige zu ergreifen
und auszusprechen sucht. Reifere Erfahrung lehrt erst, jene Unver-
hältnißmäßigkeit der Gegenstände zu vermeiden, und die Aufspürung

des Einfachsten und Höchsten der Weltweisheit zu überlassen. Der
ältere Dichter steigt nicht höher, als er es gerade nöthig hat, um seinen
mannichfaltigen Vorrath in eine leichtfaßliche Ordnung zu stellen, und
hütet sich wohl, die Mannichfaltigkeit zu verlassen, die ihm Stoff genug und auch die nöthigen Vergleichspunkte darbietet. Ich möchte
fast sagen, das Chaos muß in jeder Dichtung durch den regelmäßigen
Flor der Ordnung schimmern. Den Reichthum der Erfindung macht
nur eine leichte Zusammenstellung faßlich und anmuthig, dagegen
auch das bloße Ebenmaaß die unangenehme Dürre einer Zahlenfigur
hat. Die beste Poesie liegt uns ganz nahe, und ein gewöhnlicher Gegenstand ist nicht selten ihr liebster Stoff. Für den Dichter ist die
Poesie an beschränkte Werkzeuge gebunden, und eben dadurch wird
sie zur Kunst. Die Sprache überhaupt hat ihren bestimmten Kreis.
Noch enger ist der Umfang einer besondern Volkssprache. Durch
Übung und Nachdenken lernt der Dichter seine Sprache kennen. Er
weiß, was er mit ihr leisten kann, genau, und wird keinen thörichten
Versuch machen, sie über ihre Kräfte anzuspannen. Nur selten wird er
alle ihre Kräfte in Einen Punkt zusammen drängen, denn sonst wird
er ermüdend, und vernichtet selbst die kostbare Wirkung einer gut-
angebrachten Kraftäußerung. Auf seltsame Sprünge richtet sie nur
ein Gaukler, kein Dichter ab. Überhaupt können die Dichter nicht
genug von den Musikern und Mahlern lernen. In diesen Künsten wird
es recht auffallend, wie nöthig es ist, wirthschaftlich mit den Hülfs-
mitteln der Kunst umzugehn, und wie viel auf geschickte Verhältnisse
ankommt. Dagegen könnten freylich jene Künstler auch von uns die
poetische Unabhängigkeit und den innern Geist jeder Dichtung und
Erfindung, jedes ächten Kunstwerks überhaupt, dankbar annehmen.
Sie sollten poetischer und wir musikalischer und mahlerischer seyn —
beydes nach der Art und Weise unserer Kunst. Der Stoff ist nicht der
Zweck der Kunst, aber die Ausführung ist es. Du wirst selbst sehen,
welche Gesänge dir am besten gerathen, gewiß die, deren Gegenstände
dir am geläufigsten und gegenwärtigsten sind. Daher kann man sagen,
daß die Poesie ganz auf Erfahrung beruht. Ich weiß selbst, daß mir in
jungen Jahren ein Gegenstand nicht leicht zu entfernt und zu unbekannt seyn konnte, den ich nicht am liebsten besungen hätte. Was
wurde es? ein leeres, armseliges Wortgeräusch, ohne einen Funken

wahrer Poesie. Daher ist auch ein Mährchen eine sehr schwierige Aufgabe, und selten wird ein junger Dichter sie gut lösen.

Ich möchte gern eins von dir hören, sagte Heinrich. Die wenigen,
die ich gehört habe, haben mich unbeschreiblich ergötzt, so unbedeutend sie auch seyn mochten.

Ich will heute Abend deinen Wunsch befriedigen. Es ist mir Eins
erinnerlich, was ich noch in ziemlich jungen Jahren machte, wovon
es auch noch deutliche Spuren an sich trägt, indeß wird es dich vielleicht desto lehrreicher unterhalten, und dich an manches erinnern,
was ich dir gesagt habe.

Die Sprache, sagte Heinrich, ist wirklich eine kleine Welt in Zeichen und Tönen. Wie der Mensch sie beherrscht, so möchte er gern
die große Welt beherrschen, und sich frey darinn ausdrücken können.
Und eben in dieser Freude, das, was außer der Welt ist, in ihr zu
offenbaren, das thun zu können, was eigentlich der ursprüngliche
Trieb unsers Daseyns ist, liegt der Ursprung der Poesie.

Es ist recht übel, sagte Klingsohr, daß die Poesie einen besondern
Namen hat, und die Dichter eine besondere Zunft ausmachen. Es ist
gar nichts besonderes. Es ist die eigenthümliche Handlungsweise des
menschlichen Geistes. Dichtet und trachtet nicht jeder Mensch in jeder Minute? — Eben trat Mathilde in's Zimmer, als Klingsohr noch
sagte: Man betrachte nur die Liebe. Nirgends wird wohl die Nothwendigkeit der Poesie zum Bestand der Menschheit so klar, als in ihr.
Die Liebe ist stumm, nur die Poesie kann für sie sprechen. Oder die
Liebe ist selbst nichts, als die höchste Naturpoesie. Doch ich will dir
nicht Dinge sagen, die du besser weißt, als ich.

Du bist ja der Vater der Liebe, sagte Heinrich, indem er Mathilden
umschlang, und beyde seine Hand küßten.

Klingsohr umarmte sie und ging hinaus. Liebe Mathilde, sagte
Heinrich nach einem langen Kusse, es ist mir wie ein Traum, daß du
mein bist, aber noch wunderbarer ist mir es, daß du es nicht immer
gewesen bist. — Mich dünkt, sagte Mathilde, ich kennte dich seit
undenklichen Zeiten. — Kannst du mich denn lieben? — Ich weiß
nicht, was Liebe ist, aber das kann ich dir sagen, daß mir ist, als finge
ich erst jetzt zu leben an, und daß ich dir so gut bin, daß ich gleich für
dich sterben wollte. — Meine Mathilde, erst jetzt fühle ich, was es

heißt unsterblich zu seyn. — Lieber Heinrich, wie unendlich gut
bist du, welcher herrliche Geist spricht aus dir. Ich bin ein armes, un-
bedeutendes Mädchen. — Wie du mich tief beschämst! bin ich doch
nur durch dich, was ich bin. Ohne dich wäre ich nichts. Was ist ein
Geist ohne Himmel, und du bist der Himmel, der mich trägt und erhält. — Welches selige Geschöpf wäre ich, wenn du so treu wärst,
wie mein Vater. Meine Mutter starb kurz nach meiner Geburt; Mein
Vater weint fast alle Tage noch um sie. — Ich verdiene es nicht,
aber möchte ich glücklicher seyn, als er. — Ich lebte gern recht lange
an deiner Seite, lieber Heinrich. Ich werde durch dich gewiß viel
besser. — Ach! Mathilde, auch der Tod wird uns nicht trennen. —
Nein, Heinrich, wo ich bin, wirst du seyn. — Ja wo du bist, Mathilde, werd' ich ewig seyn. — Ich begreife nichts von der Ewigkeit,
aber ich dächte, das müßte die Ewigkeit seyn, was ich empfinde, wenn
ich an dich denke. — Ja Mathilde, wir sind ewig weil wir uns lieben. — Du glaubst nicht Lieber, wie inbrünstig ich heute früh, wie
wir nach Hause kamen, vor dem Bilde der himmlischen Mutter nie-
derkniete, wie unsäglich ich zu ihr gebetet habe. Ich glaubte in Thränen
zu zerfließen. Es kam mir vor, als lächelte sie mir zu. Nun weiß ich
erst was Dankbarkeit ist. — O Geliebte, der Himmel hat dich mir
zur Verehrung gegeben. Ich bete dich an. Du bist die Heilige, die
meine Wünsche zu Gott bringt, durch die er sich mir offenbart, durch
die er mir die Fülle seiner Liebe kund thut. Was ist die Religion, als
ein unendliches Einverständniß, eine ewige Vereinigung liebender
Herzen? Wo zwey versammelt sind, ist er ja unter ihnen. Ich habe
ewig an dir zu athmen; meine Brust wird nie aufhören dich in sich zu
ziehn. Du bist die göttliche Herrlichkeit, das ewige Leben in der lieblichsten Hülle. — Ach! Heinrich, du weißt das Schicksal der Rosen;
wirst du auch die welken Lippen, die bleichen Wangen mit Zärtlichkeit an deine Lippen drücken? Werden die Spuren des Alters nicht die
Spuren der vorübergegangenen Liebe seyn? — O! könntest du durch
meine Augen in mein Gemüth sehn! aber du liebst mich und so glaubst
du mir auch. Ich begreife das nicht, was man von der Vergänglichkeit der Reitze sagt. O! sie sind unverwelklich. Was mich so unzer-
trennlich zu dir zieht, was ein ewiges Verlangen in mir geweckt hat,
das ist nicht aus dieser Zeit. Könntest du nur sehn, wie du mir er-

scheinst, welches wunderbare Bild deine Gestalt durchdringt und mir überall entgegen leuchtet, du würdest kein Alter fürchten. Deine irdische Gestalt ist nur ein Schatten dieses Bildes. Die irdischen Kräfte ringen und quellen um es festzuhalten, aber die Natur ist noch unreif; das Bild ist ein ewiges Urbild, ein Theil der unbekannten heiligen Welt. — Ich verstehe dich, lieber Heinrich, denn ich sehe etwas Ähnliches, wenn ich dich anschaue. — Ja Mathilde, die höhere Welt ist uns näher, als wir gewöhnlich denken. Schon hier leben wir in ihr, und wir erblicken sie auf das Innigste mit der irdischen Natur verwebt. — Du wirst mir noch viel herrliche Sachen offenbaren, Geliebtester. — O! Mathilde, von dir allein kommt mir die Gabe der Weißagung. Alles ist ja dein, was ich habe; deine Liebe wird mich in die Heiligthümer des Lebens, in das Allerheiligste des Gemüths führen; du wirst mich zu den höchsten Anschauungen begeistern. Wer weiß, ob unsre Liebe nicht dereinst noch zu Flammenfittichen wird, die uns aufheben, und uns in unsre himmlische Heimath tragen, ehe das Alter und der Tod uns erreichen. Ist es nicht schon ein Wunder, daß du mein bist, daß ich dich in meinen Armen halte, daß du mich liebst und ewig mein seyn willst? — Auch mir ist jetzt alles glaublich, und ich fühle ja so deutlich eine stille Flamme in mir lodern; wer weiß, ob sie uns nicht verklärt, und die irdischen Banden allmählich auflöst. Sage mir nur, Heinrich, ob du auch schon das grenzenlose Vertrauen zu mir hast, was ich zu dir habe. Noch nie hab' ich so etwas gefühlt, selbst nicht gegen meinen Vater, den ich doch so unendlich liebe. — Liebe Mathilde, es peinigt mich ordentlich, daß ich dir nicht alles auf einmal sagen, daß ich dir nicht gleich mein ganzes Herz auf einmal hingeben kann. Es ist auch zum erstenmal in meinem Leben, daß ich ganz offen bin. Keinen Gedanken, keine Empfindung kann ich vor dir mehr geheim haben; du mußt alles wissen. Mein ganzes Wesen soll sich mit dem deinigen vermischen. Nur die grenzenloseste Hingebung kann meiner Liebe genügen. In ihr besteht sie ja. Sie ist ja ein geheimnißvolles Zusammenfließen unsers geheimsten und eigenthümlichsten Daseyns. — Heinrich, so können sich noch nie zwey Menschen geliebt haben. — Ich kanns nicht glauben. Es gab ja noch keine Mathilde. — Auch keinen Heinrich. — Ach! schwör es mir noch einmal, daß du ewig mein bist; die Liebe ist eine endlose

Wiederholung. — Ja, Heinrich, ich schwöre ewig dein zu seyn, bey der unsichtbaren Gegenwart meiner guten Mutter. — Ich schwöre ewig dein zu seyn, Mathilde, so wahr die Liebe die Gegenwart Gottes bey uns ist. Eine lange Umarmung, unzählige Küsse besiegelten den ewigen Bund des seligen Paars.

NEUNTES KAPITEL

Abends waren einige Gäste da; der Großvater trank die Gesundheit des jungen Brautpaars, und versprach bald ein schönes Hochzeitfest auszurichten. Was hilft das lange Zaudern, sagte der Alte. Frühe Hochzeiten, lange Liebe. Ich habe immer gesehn, daß Ehen, die früh geschlossen wurden, am glücklichsten waren. In spätern Jahren ist gar keine solche Andacht mehr im Ehestande, als in der Jugend. Eine gemeinschaftlich genoßne Jugend ist ein unzerreißliches Band. Die Erinnerung ist der sicherste Grund der Liebe. Nach Tische kamen mehrere. Heinrich bat seinen neuen Vater um die Erfüllung seines Versprechens. Klingsohr sagte zu der Gesellschaft: Ich habe heute Heinrichen versprochen ein Mährchen zu erzählen. Wenn ihr es zufrieden seyd, so bin ich bereit. — Das ist ein kluger Einfall von Heinrich, sagte Schwaning. Ihr habt lange nichts von euch hören lassen. Alle setzten sich um das lodernde Feuer im Kamin. Heinrich saß dicht bey Mathilden, und schlang seinen Arm um sie. Klingsohr begann:

Die lange Nacht war eben angegangen. Der alte Held schlug an seinen Schild, daß es weit umher in den öden Gassen der Stadt erklang. Er wiederholte das Zeichen dreymal. Da fingen die hohen bunten Fenster des Pallastes an von innen heraus helle zu werden, und ihre Figuren bewegten sich. Sie bewegten sich lebhafter, je stärker das röthliche Licht ward, das die Gassen zu erleuchten begann. Auch sah man allmählich die gewaltigen Säulen und Mauern selbst sich erhellen; Endlich standen sie im reinsten, milchblauen Schimmer, und spielten mit den sanftesten Farben. Die ganze Gegend ward nun sichtbar, und der Wiederschein der Figuren, das Getümmel der Spieße, der Schwerdter, der Schilder, und der Helme, die sich nach hier und da erscheinenden Kronen, von allen Seiten neigten, und endlich wie diese verschwanden, und einem schlichten, grünen Kranze Plaz machten, um diesen her einen weiten Kreis schlossen: alles dies spiegelte sich in dem starren Meere, das den Berg umgab, auf dem die Stadt lag, und auch der ferne hohe Berggürtel, der sich rund um das Meer herzog, ward bis in die Mitte mit einem milden Abglanz überzogen. Man konnte nichts deutlich unterscheiden; doch hörte man ein wunderliches Getöse herüber, wie aus einer fernen ungeheuren Werkstatt. Die Stadt erschien dagegen hell und klar. Ihre glatten, durchsichtigen Mauern warfen die schönen Strahlen zurück, und das vortreffliche Ebenmaaß, der edle Styl aller Gebäude, und ihre schöne Zusammenordnung kam zum Vorschein. Vor allen Fenstern standen zierliche Gefäße von Thon, voll der mannichfaltigsten Eis- und Schneeblumen, die auf das anmuthigste funkelten.

Am herrlichsten nahm sich auf dem großen Platze vor dem Pallaste der Garten aus, der aus Metallbäumen und Krystallpflanzen bestand, und mit bunten Edelsteinblüthen und Früchten übersäet war. Die Mannichfaltigkeit und Zierlichkeit der Gestalten, und die Lebhaftigkeit der Lichter und Farben gewährten das herrlichste Schauspiel, dessen Pracht durch einen hohen Springquell in der Mitte des Gartens, der zu Eis erstarrt war, vollendet wurde. Der alte Held ging vor den Thoren des Pallastes langsam vorüber. Eine Stimme rief seinen Namen im Innern. Er lehnte sich an das Thor, das mit einem sanften Klange sich öffnete, und trat in den Saal. Seinen Schild hielt er vor die Augen. Hast du noch nichts entdeckt? sagte die schöne Tochter Arcturs, mit klagender Stimme. Sie lag an seidnen Polstern auf einem Throne, der von einem großen Schwefelkrystall künstlich erbaut war, und einige Mädchen rieben ämsig ihre zarten Glieder, die wie aus Milch und Purpur zusammengeflossen schienen. Nach allen Seiten strömte unter den Händen der Mädchen das reizende Licht von ihr aus, was den Pallast so wundersam erleuchtete. Ein duftender Wind wehte im Saale. Der Held schwieg. Laß mich deinen Schild berühren, sagte sie sanft. Er näherte sich dem Throne und betrat den köstlichen Teppich. Sie ergriff seine Hand, drückte sie mit Zärtlichkeit an ihren himmlischen Busen und rührte seinen Schild an. Seine Rüstung klang, und eine durchdringende Kraft beseelte seinen Körper. Seine Augen blitzten und das Herz pochte hörbar an den Panzer. Die schöne Freya schien heiterer, und das Licht ward brennender, das von ihr ausströmte. Der König kommt, rief ein prächtiger Vogel, der im Hintergrunde des Thrones saß. Die Dienerinnen legten eine himmelblaue Decke über die Prinzessin, die sie bis über den Busen bedeckte. Der Held senkte seinen Schild und sah nach der Kuppel hinauf, zu welcher zwey breite Treppen von beyden Seiten des Saals sich hinauf schlangen. Eine leise Musik ging dem Könige voran, der bald mit einem zahlreichen Gefolge in der Kuppel erschien und herunter kam.

Der schöne Vogel entfaltete seine glänzenden Schwingen, bewegte sie sanft und sang, wie mit tausend Stimmen, dem Könige entgegen:

> Nicht lange wird der schöne Fremde säumen.
> Die Wärme naht, die Ewigkeit beginnt.
> Die Königin erwacht aus langen Träumen,
> Wenn Meer und Land in Liebesglut zerrinnt.
> Die kalte Nacht wird diese Stätte räumen,
> Wenn Fabel erst das alte Recht gewinnt.
> In Freyas Schooß wird sich die Welt entzünden
> Und jede Sehnsucht ihre Sehnsucht finden.

Der König umarmte seine Tochter mit Zärtlichkeit. Die Geister der Gestirne stellten sich um den Thron, und der Held nahm in der Reihe seinen Platz ein. Eine unzählige Menge Sterne füllten den Saal in zierlichen Gruppen. Die Dienerinnen brachten einen Tisch und ein Kästchen, worin eine Menge Blätter lagen, auf denen heilige tiefsinnige Zeichen standen, die aus lauter Sternbildern zusammengesetzt waren. Der König küßte ehrfurchtsvoll diese Blätter, mischte sie sorgfältig untereinander, und reichte seiner Tochter einige zu. Die andern behielt er für sich. Die Prinzessin zog sie nach der Reihe heraus und legte sie auf den Tisch, dann betrachtete der König die seinigen genau, und wählte mit vielem Nachdenken, ehe er eins dazu hinlegte. Zuweilen schien er gezwungen zu seyn, dies oder jenes Blatt zu wählen. Oft aber sah man ihm die Freude an, wenn er durch ein gutgetroffenes Blatt eine schöne Harmonie der Zeichen und Figuren legen konnte.

Wie das Spiel anfing, sah man an allen Umstehenden Zeichen der lebhaftesten Theilnahme, und die sonderbarsten Mienen und Gebehrden, gleichsam als hätte jeder ein unsichtbares Werkzeug in Händen, womit er eifrig arbeite. Zugleich ließ sich eine sanfte, aber tief bewegende Musik in der Luft hören, die von den im Saale sich wunderlich durcheinander schlingenden Sternen, und den übrigen sonderbaren Bewegungen zu entstehen schien. Die Sterne schwangen sich, bald langsam bald schnell, in beständig veränderten Linien umher, und bildeten, nach dem Gange der Musik, die Figuren der Blätter auf das kunstreichste nach. Die Musik wechselte, wie die Bilder auf dem Tische, unaufhörlich, und so wunderlich und hart auch die Übergänge nicht selten waren, so schien doch nur Ein einfaches Thema das Ganze zu verbinden. Mit einer unglaublichen Leichtigkeit flogen die Sterne den Bildern nach. Sie waren bald alle in Einer großen Verschlingung, bald wieder in einzelne Haufen schön geordnet, bald zerstäubte der lange Zug, wie ein Strahl, in unzählige Funken, bald kam durch immer wachsende kleinere Kreise und Muster wieder Eine große, überraschende Figur zum Vorschein. Die bunten Gestalten in den Fenstern blieben während dieser Zeit ruhig stehen. Der Vogel bewegte unaufhörlich die Hülle seiner kostbaren Federn auf die mannichfaltigste Weise. Der alte Held hatte bisher auch sein unsichtbares Geschäft ämsig betrieben, als auf einmal der König voll Freuden ausrief: Es wird alles gut. Eisen, wirf du dein Schwerdt in die Welt, daß sie erfahren, wo der Friede ruht. Der Held riß das Schwerdt von der Hüfte, stellte es mit der Spitze gen Himmel, dann ergriff er es und warf es aus dem geöffneten Fenster über die Stadt und das Eismeer. Wie ein Komet flog es durch die Luft, und schien an dem Berggürtel mit hellem Klange zu zersplittern, denn es fiel in lauter Funken herunter.

Zu der Zeit lag der schöne Knabe Eros in seiner Wiege und schlummerte sanft, während Ginnistan seine Amme die Wiege schaukelte und seiner Milchschwester Fabel die Brust reichte. Ihr buntes Halstuch hatte sie über die Wiege ausgebreitet, daß die hellbrennende Lampe, die der Schreiber vor sich stehen hatte, das Kind mit ihrem Scheine nicht beunruhigen möchte. Der Schreiber schrieb unverdrossen, sah sich nur zuweilen mürrisch nach den Kindern um, und schnitt

der Amme finstere Gesichter, die ihn gutmüthig anlächelte und
schwieg.

Der Vater der Kinder ging immer ein und aus, indem er jedesmal die
Kinder betrachtete und Ginnistan freundlich begrüßte. Er hatte unaufhörlich dem Schreiber etwas zu sagen. Dieser vernahm ihn genau,
und wenn er es aufgezeichnet hatte, reichte er die Blätter einer edlen,
göttergleichen Frau hin, die sich an einen Altar lehnte, auf welchem
eine dunkle Schaale mit klarem Wasser stand, in welches sie mit heiterm Lächeln blickte. Sie tauchte die Blätter jedesmal hinein, und
wenn sie bey'm Herausziehn gewahr wurde, daß einige Schriften stehen geblieben und glänzend geworden war, so gab sie das Blatt dem
Schreiber zurück, der es in ein großes Buch heftete, und oft verdrieß-
lich zu seyn schien, wenn seine Mühe vergeblich gewesen und alles
ausgelöscht war. Die Frau wandte sich zu Zeiten gegen Ginnistan und
die Kinder, tauchte den Finger in die Schaale, und sprützte einige
Tropfen auf sie hin, die, sobald sie die Amme, das Kind, oder die
Wiege berührten, in einen blauen Dunst zerrannen, der tausend seltsame Bilder zeigte, und beständig um sie herzog und sich veränderte.
Traf einer davon zufällig auf den Schreiber, so fielen eine Menge
Zahlen und geometrische Figuren nieder, die er mit vieler Ämsigkeit
auf einen Faden zog, und sich zum Zierrath um den magern Hals hing.
Die Mutter des Knaben, die wie die Anmuth und Lieblichkeit selbst
aussah, kam oft herein. Sie schien beständig beschäftigt, und trug immer irgend ein Stück Hausgeräthe mit sich hinaus: bemerkte es der
argwöhnische und mit spähenden Blicken sie verfolgende Schreiber, so
begann er eine lange Strafrede, auf die aber kein Mensch achtete. Alle
schienen seiner unnützen Widerreden gewohnt. Die Mutter gab auf
einige Augenblicke der kleinen Fabel die Brust; aber bald ward sie
wieder abgerufen, und dann nahm Ginnistan das Kind zurück, das an
ihr lieber zu trinken schien. Auf einmal brachte der Vater ein zartes
eisernes Stäbchen herein, das er im Hofe gefunden hatte. Der Schreiber besah es und drehte es mit vieler Lebhaftigkeit herum, und brachte
bald heraus, daß es sich von selbst, in der Mitte an einem Faden aufgehängt, nach Norden drehe. Ginnistan nahm es auch in die Hand,
bog es, drückte es, hauchte es an, und hatte ihm bald die Gestalt einer
Schlange gegeben, die sich nun plötzlich in den Schwanz biß. Der

Schreiber ward bald des Betrachtens überdrüßig. Er schrieb alles genau auf, und war sehr weitläuftig über den Nutzen, den dieser Fund gewähren könne. Wie ärgerlich war er aber, als sein ganzes Schreibwerk die Probe nicht bestand, und das Papier weiß aus der Schaale hervorkam. Die Amme spielte fort. Zuweilen berührte sie die Wiege damit, da fing der Knabe an wach zu werden, schlug die Decke zurück, hielt die eine Hand gegen das Licht, und langte mit der Andern nach der Schlange. Wie er sie erhielt, sprang er rüstig, daß Ginnistan erschrak, und der Schreiber beynah vor Entsetzen vom Stuhle fiel, aus der Wiege, stand, nur von seinen langen goldernen Haaren bedeckt, im Zimmer, und betrachtete mit unaussprechlicher Freude das Kleinod, das sich in seinen Händen nach Norden ausstreckte, und ihn heftig im Innern zu bewegen schien. Zusehends wuchs er.

Sophie, sagte er mit rührender Stimme zu der Frau, laß mich aus der Schaale trinken. Sie reichte sie ihm ohne Anstand, und er konnte nicht aufhören zu trinken, indem die Schaale sich immer voll zu erhalten schien. Endlich gab er sie zurück, indem er die edle Frau innig umarmte. Er herzte Ginnistan, und bat sie um das bunte Tuch, das er sich anständig um die Hüften band. Die kleine Fabel nahm er auf den Arm. Sie schien unendliches Wohlgefallen an ihm zu haben, und fing zu plaudern an. Ginnistan machte sich viel um ihn zu schaffen. Sie sah äußerst reizend und leichtfertig aus, und drückte ihn mit der Innigkeit einer Braut an sich. Sie zog ihn mit heimlichen Worten nach der Kammerthür, aber Sophie winkte ernsthaft und deutete nach der Schlange; da kam die Mutter herein, auf die er sogleich zuflog und sie mit heißen Thränen bewillkommte. Der Schreiber war ingrimmig fortgegangen. Der Vater trat herein, und wie er Mutter und Sohn in stiller Umarmung sah, trat er hinter ihren Rücken zur reitzenden Ginnistan, und liebkoste ihr. Sophie stieg die Treppe hinauf. Die kleine Fabel nahm die Feder des Schreibers und fing zu schreiben an. Mutter und Sohn vertieften sich in ein leises Gespräch, und der Vater schlich sich mit Ginnistan in die Kammer, um sich von den Geschäften des Tags in ihren Armen zu erholen. Nach geraumer Zeit kam Sophie zurück. Der Schreiber trat herein. Der Vater kam aus der Kammer und ging an seine Geschäfte. Ginnistan kam mit glühenden Wangen zurück. Der Schreiber jagte die kleine Fabel mit vielen

Schmähungen von seinem Sitze, und hatte einige Zeit nöthig seine
Sachen in Ordnung zu bringen. Er reichte Sophien die von Fabel voll-
geschriebenen Blätter, um sie rein zurück zu erhalten, gerieth aber bald
in den äußersten Unwillen, wie Sophie die Schrift völlig glänzend und
unversehrt aus der Schaale zog und sie ihm hinlegte. Fabel schmiegte
sich an ihre Mutter, die sie an die Brust nahm, und das Zimmer auf-
putzte, die Fenster öffnete, frische Luft hereinließ und Zubereitungen
zu einem köstlichen Mahle machte. Man sah durch die Fenster die
herrlichsten Aussichten und einen heitern Himmel über die Erde ge-
spannt. Auf dem Hofe war der Vater in voller Thätigkeit. Wenn er
müde war, sah er hinauf ans Fenster, wo Ginnistan stand, und ihm
allerhand Näschereien herunterwarf. Die Mutter und der Sohn gingen hinaus, um überall zu helfen und den gefaßten Entschluß vorzubereiten. Der Schreiber rührte die Feder, und machte immer eine
Fratze, wenn er genöthigt war, Ginnistan um etwas zu fragen, die ein
sehr gutes Gedächtniß hatte, und alles behielt, was sich zutrug. Eros
kam bald in schöner Rüstung, um die das bunte Tuch wie eine Schärpe
gebunden war, zurück, und bat Sophie um Rath, wann und wie er seine
Reise antreten solle. Der Schreiber war vorlaut, und wollte gleich mit
einem ausführlichen Reiseplan dienen, aber seine Vorschläge wurden
überhört. Du kannst sogleich reisen; Ginnistan mag dich begleiten,
sagte Sophie; sie weiß mit den Wegen Bescheid, und ist überall gut
bekannt. Sie wird die Gestalt deiner Mutter annehmen, um dich nicht
in Versuchung zu führen. Findest du den König, so denke an mich;
dann komme ich um dir zu helfen.

Ginnistan tauschte ihre Gestalt mit der Mutter, worüber der Vater
sehr vergnügt zu seyn schien; der Schreiber freute sich, daß die beiden
fortgingen; besonders da ihm Ginnistan ihr Taschenbuch zum Abschiede schenkte, worin die Chronik des Hauses umständlich aufgezeichnet war; nur blieb ihm die kleine Fabel ein Dorn im Auge, und
er hätte, um seiner Ruhe und Zufriedenheit willen, nichts mehr gewünscht, als daß auch sie unter der Zahl der Abreisenden seyn möchte.
Sophie segnete die Niederknieenden ein, und gab ihnen ein Gefäß voll
Wasser aus der Schaale mit; die Mutter war sehr bekümmert. Die
kleine Fabel wäre gern mitgegangen, und der Vater war zu sehr
außer dem Hause beschäftigt, als daß er lebhaften Antheil hätte neh-

men sollen. Es war Nacht, wie sie abreisten, und der Mond stand hoch
am Himmel. Lieber Eros, sagte Ginnistan, wir müssen eilen, daß
wir zu meinem Vater kommen, der mich lange nicht gesehn und so
sehnsuchtsvoll mich überall auf der Erde gesucht hat. Siehst du wohl
sein bleiches abgehärmtes Gesicht? Dein Zeugniß wird mich ihm in
der fremden Gestalt kenntlich machen.

> Die Liebe ging auf dunkler Bahn
> Vom Monde nur erblickt,
> Das Schattenreich war aufgethan
> Und seltsam aufgeschmückt.
>
> *
>
> Ein blauer Dunst umschwebte sie
> Mit einem goldnen Rand,
> Und eilig zog die Fantasie
> Sie über Strom und Land.
>
> *
>
> Es hob sich ihre volle Brust
> In wunderbarem Muth;
> Ein Vorgefühl der künft'gen Lust
> Besprach die wilde Glut.
>
> *
>
> Die Sehnsucht klagt' und wußt' es nicht,
> Daß Liebe näher kam,
> Und tiefer grub in ihr Gesicht
> Sich hoffnungsloser Gram.
>
> *
>
> Die kleine Schlange blieb getreu:
> Sie wies nach Norden hin,
> Und beyde folgten sorgenfrey
> Der schönen Führerin.
>
> *
>
> Die Liebe ging durch Wüsteneyn
> Und durch der Wolken Land,
> Trat in den Hof des Mondes ein
> Die Tochter an der Hand.

Er saß auf seinem Silberthron,
Allein mit seinem Harm;
Da hört' er seines Kindes Ton,
Und sank in ihren Arm.

*

Eros stand gerührt bey den zärtlichen Umarmungen. Endlich sammelte sich der alte erschütterte Mann, und bewillkommte seinen Gast. Er ergriff sein großes Horn und stieß mit voller Macht hinein. Ein gewaltiger Ruf dröhnte durch die uralte Burg. Die spitzen Thürme mit ihren glänzenden Knöpfen und die tiefen schwarzen Dächer schwankten. Die Burg stand still, denn sie war auf das Gebirge jenseits des Meers gekommen. Von allen Seiten strömten seine Diener herzu, deren seltsame Gestalten und Trachten Ginnistan unendlich ergötzten, und den tapfern Eros nicht erschreckten. Erstere grüßte ihre alten Bekannten, und alle erschienen vor ihr mit neuer Stärke und in der ganzen Herrlichkeit ihrer Naturen. Der ungestüme Geist der Flut folgte der sanften Ebbe. Die alten Orkane legten sich an die klopfende Brust der heißen leidenschaftlichen Erdbeben. Die zärtlichen Regenschauer sahen sich nach dem bunten Bogen um, der von der Sonne, die ihn mehr anzieht, entfernt, bleich da stand. Der rauhe Donner schalt über die Thorheiten der Blitze, hinter den unzähligen Wolken hervor, die mit tausend Reizen dastanden und die feurigen Jünglinge lockten. Die beyden lieblichen Schwestern, Morgen und Abend, freuten sich vorzüglich über die beyden Ankömmlinge. Sie weinten sanfte Thränen in ihren Umarmungen. Unbeschreiblich war der Anblick dieses wunderlichen Hofstaats. Der alte König konnte sich an seiner Tochter nicht satt sehen. Sie fühlte sich zehnfach glücklich in ihrer väterlichen Burg, und ward nicht müde die bekannten Wunder und Seltenheiten zu beschauen. Ihre Freude war ganz unbeschreiblich, als ihr der König den Schlüssel zur Schatzkammer und die Erlaubniß gab, ein Schauspiel für Eros darin zu veranstalten, das ihn so lange unterhalten könnte, bis das Zeichen des Aufbruchs gegeben würde. Die Schatzkammer war ein großer Garten, dessen Mannichfaltigkeit und Reichthum alle Beschreibung übertraf. Zwischen den ungeheuren Wetterbäumen lagen unzählige Luftschlösser von überraschender Bauart, eins immer köstlicher, als das Andere. Große

Heerden von Schäfchen, mit silberweißer, goldner und rosenfarbner Wolle irrten umher, und die sonderbarsten Thiere belebten den Hayn. Merkwürdige Bilder standen hie und da, und die festlichen Aufzüge, die seltsamen Wagen, die überall zum Vorschein kamen, beschäftigten die Aufmerksamkeit unaufhörlich. Die Beete standen voll der buntesten Blumen. Die Gebäude waren gehäuft voll von Waffen aller Art, voll der schönsten Teppiche, Tapeten, Vorhänge, Trinkgeschirre und aller Arten von Geräthen und Werkzeugen, in unübersehlichen Reihen. Auf einer Anhöhe erblickten sie ein romantisches Land, das mit Städten und Burgen, mit Tempeln und Begräbnissen übersäet war, und alle Anmuth bewohnter Ebenen mit den furchtbaren Reizen der Einöde und schroffer Felsengegenden vereinigte. Die schönsten Farben waren in den glücklichsten Mischungen. Die Bergspitzen glänzten wie Lustfeuer in ihren Eis- und Schneehüllen. Die Ebene lachte im frischesten Grün. Die Ferne schmückte sich mit allen Veränderungen von Blau, und aus der Dunkelheit des Meeres wehten unzählige bunte Wimpel von zahlreichen Flotten. Hier sah man einen Schiffbruch im Hintergrunde, und vorne ein ländliches fröliches Mahl von Landleuten; dort den schrecklich schönen Ausbruch eines Vulkans, die Verwüstungen des Erdbebens, und im Vordergrunde ein liebendes Paar unter schattenden Bäumen in den süßesten Liebkosungen. Abwärts eine fürchterliche Schlacht, und unter ihr ein Theater voll der lächerlichsten Masken. Nach einer andern Seite im Vordergrunde einen jugendlichen Leichnam auf der Baare, die ein trostloser Geliebter festhielt, und die weinenden Eltern daneben; im Hintergrunde eine liebliche Mutter mit dem Kinde an der Brust und Engel sitzend zu ihren Füßen, und aus den Zweigen über ihrem Haupte herunterblickend. Die Szenen verwandelten sich unaufhörlich, und flossen endlich in eine große geheimnißvolle Vorstellung zusammen. Himmel und Erde waren in vollem Aufruhr. Alle Schrecken waren losgebrochen. Eine gewaltige Stimme rief zu den Waffen. Ein entsetzliches Heer von Todtengerippen, mit schwarzen Fahnen, kam wie ein Sturm von dunkeln Bergen herunter, und griff das Leben an, das mit seinen jugendlichen Schaaren in der hellen Ebene in muntern Festen begriffen war, und sich keines Angriffs versah. Es entstand ein entsetzliches Getümmel, die Erde zitterte; der Sturm brauste, und die Nacht ward von fürchterlichen

Meteoren erleuchtet. Mit unerhörten Grausamkeiten zerriß das Heer der Gespenster die zarten Glieder der Lebendigen. Ein Scheiterhaufen thürmte sich empor, und unter dem grausenvollsten Geheul wurden die Kinder des Lebens von den Flammen verzehrt. Plötzlich brach aus dem dunklen Aschenhaufen ein milchblauer Strom nach allen Seiten aus. Die Gespenster wollten die Flucht ergreifen, aber die Flut wuchs zusehends, und verschlang die scheusliche Brut. Bald waren alle Schrecken vertilgt. Himmel und Erde flossen in süße Musik zusammen. Eine wunderschöne Blume schwamm glänzend auf den sanften Wogen. Ein glänzender Bogen schloß sich über die Flut auf welchem göttliche Gestalten auf prächtigen Thronen, nach beyden Seiten herunter, saßen. Sophie saß zu oberst, die Schaale in der Hand, neben einem herrlichen Manne, mit einem Eichenkranze um die Locken, und einer Friedenspalme statt des Szepters in der Rechten. Ein Lilienblatt bog sich über den Kelch der schwimmenden Blume; die kleine Fabel saß auf demselben, und sang zur Harfe die süßesten Lieder. In dem Kelche lag Eros selbst, über ein schönes schlummerndes Mädchen hergebeugt, die ihn fest umschlungen hielt. Eine kleinere Blüthe schloß sich um beyde her, so daß sie von den Hüften an in Eine Blume verwandelt zu seyn schienen.

Eros dankte Ginnistan mit tausend Entzücken. Er umarmte sie zärtlich, und sie erwiederte seine Liebkosungen. Ermüdet von der Beschwerde des Weges und den mannichfaltigen Gegenständen, die er gesehen hatte, sehnte er sich nach Bequemlichkeit und Ruhe. Ginnistan, die sich von dem schönen Jüngling lebhaft angezogen fühlte, hütete sich wohl des Trankes zu erwähnen, den Sophie ihm mitgegeben hatte. Sie führte ihn zu einem abgelegenen Bade, zog ihm die Rüstung aus, und zog selbst ein Nachtkleid an, in welchem sie fremd und verführerisch aussah. Eros tauchte sich in die gefährlichen Wellen, und stieg berauscht wieder heraus. Ginnistan trocknete ihn, und rieb seine starken, von Jugendkraft gespannten Glieder. Er gedachte mit glühender Sehnsucht seiner Geliebten, und umfaßte in süßem Wahne die reitzende Ginnistan. Unbesorgt überließ er sich seiner ungestümen Zärtlichkeit, und schlummerte endlich nach den wollüstigsten Genüssen an dem reizenden Busen seiner Begleiterin ein.

Unterdessen war zu Hause eine traurige Veränderung vorgegangen.

Der Schreiber hatte das Gesinde in eine gefährliche Verschwörung verwickelt. Sein feindseliges Gemüth hatte längst Gelegenheit gesucht, sich des Hausregiments zu bemächtigen, und sein Joch abzuschütteln. Er hatte sie gefunden. Zuerst bemächtigte sich sein Anhang der Mutter, die in eiserne Bande gelegt wurde. Der Vater ward bey Wasser und Brod ebenfalls hingesetzt. Die kleine Fabel hörte den Lärm im Zimmer. Sie verkroch sich hinter dem Altare, und wie sie bemerkte, daß eine Thür an seiner Rückseite verborgen war, so öffnete sie dieselbe mit vieler Behendigkeit, und fand, daß eine Treppe in ihm hinunterging. Sie zog die Tür nach sich, und stieg im Dunkeln die Treppe hinunter. Der Schreiber stürzte mit Ungestüm herein, um sich an der kleinen Fabel zu rächen, und Sophien gefangen zu nehmen. Beyde waren nicht zu finden. Die Schaale fehlte auch, und in seinem Grimme zerschlug er den Altar in tausend Stücke, ohne jedoch die heimliche Treppe zu entdecken.

Die kleine Fabel stieg geraume Zeit. Endlich kam sie auf einen freyen Platz hinaus, der rund herum mit einer prächtigen Colonnade geziert, und durch ein großes Thor geschlossen war. Alle Figuren waren hier dunkel. Die Luft war wie ein ungeheurer Schatten; am Himmel stand ein schwarzer strahlender Körper. Man konnte alles auf das deutlichste unterscheiden, weil jede Figur einen andern Anstrich von Schwarz zeigte, und einen lichten Schein hinter sich, warf; Licht und Schatten schienen hier ihre Rollen vertauscht zu haben. Fabel freute sich in einer neuen Welt zu seyn. Sie besah alles mit kindlicher Neugierde. Endlich kam sie an das Thor, vor welchem auf einem massiven Postument eine schöne Sphinx lag.

Was suchst du? sagte die Sphinx; mein Eigenthum, erwiederte Fabel. — Wo kommst du her? — Aus alten Zeiten; — Du bist noch ein Kind — Und werde ewig ein Kind seyn. — Wer wird dir beystehn? — Ich stehe für mich. Wo sind die Schwestern, fragte Fabel? — Überall und nirgends, gab die Sphinx zur Antwort. — Kennst du mich? — noch nicht. — Wo ist die Liebe? — In der Einbildung. — Und Sophie? — Die Sphinx murmelte unvernehmlich vor sich hin, und rauschte mit den Flügeln. Sophie und Liebe, rief triumphirend Fabel, und ging durch das Thor. Sie trat in die ungeheure Höhle, und ging frölich auf die alten Schwestern zu, die bey der kärglichen

Nacht einer schwarzbrennenden Lampe ihr wunderliches Geschäft
trieben. Sie thaten nicht, als ob sie den kleinen Gast bemerkten, der mit
artigen Liebkosungen sich geschäftig um sie erzeigte. Endlich krächzte
die eine mit rauhen Worten und scheelem Gesicht: Was willst du
hier, Müßiggängerin? wer hat dich eingelassen? Dein kindisches
Hüpfen bewegt die stille Flamme. Das Öl verbrennt unnützer Weise.
Kannst du dich nicht hinsetzen und etwas vornehmen? — Schöne
Base, sagte Fabel, am Müßiggehn ist mir nichts gelegen. Ich mußte
recht über eure Thürhüterin lachen. Sie hätte mich gern an die Brust
genommen, aber sie mußte zu viel gegessen haben, sie konnte nicht
aufstehn. Laßt mich vor der Thür sitzen, und gebt mir etwas zu spinnen; denn hier kann ich nicht gut sehen, und wenn ich spinne, muß
ich singen und plaudern dürfen, und das könnte euch in euren ernsthaften Gedanken stören. — Hinaus sollst du nicht, aber in der Nebenkammer bricht ein Strahl der Oberwelt durch die Felsritzen, da
magst du spinnen, wenn du so geschickt bist; hier liegen ungeheure
Haufen von alten Enden, die drehe zusammen; aber hüte dich: wenn
du saumselig spinnst, oder der Faden reißt, so schlingen sich die Fäden
um dich her und ersticken dich. — Die Alte lachte hämisch, und spann.
Fabel raffte einen Arm voll Fäden zusammen, nahm Wocken und
Spindel, und hüpfte singend in die Kammer. Sie sah durch die Öff-
nung hinaus, und erblickte das Sternbild des Phönixes. Froh über das
glückliche Zeichen fing sie an lustig zu spinnen, ließ die Kammerthür
ein wenig offen, und sang halbleise:

> Erwacht in euren Zellen,
> Ihr Kinder alter Zeit;
> Laßt eure Ruhestellen,
> Der Morgen ist nicht weit.
> *
> Ich spinne eure Fäden
> In Einen Faden ein;
> Aus ist die Zeit der Fehden.
> *Ein* Leben sollt' ihr seyn.
> *
> Ein jeder lebt in Allen,
> Und All' in Jedem auch.

Ein Herz wird in euch wallen,
Von Einem Lebenshauch.

*

Noch seyd ihr nichts als Seele,
Nur Traum und Zauberey.
Geht furchtbar in die Höhle
Und neckt die heil'ge Drey.

*

Die Spindel schwang sich mit unglaublicher Behendigkeit zwischen den kleinen Füßen; während sie mit beyden Händen den zarten Faden drehte. Unter dem Liede wurden unzählige Lichterchen sichtbar, die aus der Thürspalte schlüpften und durch die Höhle in scheuslichen Larven sich verbreiteten. Die Alten hatten während der Zeit immer mürrisch fortgesponnen, und auf das Jammergeschrey der kleinen Fabel gewartet, aber wie entsetzten sie sich, als auf einmal eine erschreckliche Nase über ihre Schultern guckte, und wie sie sich umsahen, die ganze Höhle voll der gräßlichsten Figuren war, die tausenderley Unfug trieben. Sie fuhren in einander, heulten mit fürchterlicher Stimme, und wären vor Schrecken zu Stein geworden, wenn nicht in diesem Augenblicke der Schreiber in die Höhle getreten wäre, und eine Alraunwurzel bey sich gehabt hätte. Die Lichterchen verkrochen sich in die Felsklüfte und die Höhle wurde ganz hell, weil die schwarze Lampe in der Verwirrung umgefallen und ausgelöscht war. Die Alten waren froh, wie sie den Schreiber kommen hörten, aber voll Ingrimms gegen die kleine Fabel. Sie riefen sie heraus, schnarchten sie fürchterlich an und verboten ihr fortzuspinnen. Der Schreiber schmunzelte höhnisch, weil er die kleine Fabel nun in seiner Gewalt zu haben glaubte und sagte: Es ist gut, daß du hier bist und zur Arbeit angehalten werden kannst. Ich hoffe, daß es an Züchtigungen nicht fehlen soll. Dein guter Geist hat dich hergeführt. Ich wünsche dir langes Leben und viel Vergnügen. — Ich danke dir für deinen guten Willen, sagte Fabel; man sieht dir jetzt die gute Zeit an; dir fehlt nur noch das Stundenglas und die Hippe, so siehst du ganz wie der Bruder meiner schönen Basen aus. Wenn du Gänsespulen brauchst, so zupfe ihnen nur eine Handvoll zarten Pflaum aus den Wangen. Der Schreiber schien Miene zu machen, über sie herzufallen. Sie

lächelte und sagte: Wenn dir dein schöner Haarwuchs und dein geist-
reiches Auge lieb sind, so nimm dich in Acht; bedenke meine Nägel,
du hast nicht viel mehr zu verlieren. Er wandte sich mit verbißner
Wuth zu den Alten, die sich die Augen wischten, und nach ihren Wok-
ken umhertappten. Sie konnten nichts finden, da die Lampe ausgelöscht war, und ergossen sich in Schimpfreden gegen Fabel. Laßt sie
doch gehn, sprach er tückisch, daß sie euch Taranteln fange, zur Bereitung eures Öls. Ich wollte euch zu euerm Troste sagen, daß Eros
ohne Rast umherfliegt, und eure Scheere fleißig beschäftigen wird.
Seine Mutter, die euch so oft zwang, die Fäden länger zu spinnen,
wird morgen ein Raub der Flammen. Er kitzelte sich, um zu lachen.
wie er sah, daß Fabel einige Thränen bey dieser Nachricht vergoß, gab
ein Stück von der Wurzel der Alten, und ging naserümpfend von dannen. Die Schwestern hießen der Fabel mit zorniger Stimme Taranteln
suchen, ohngeachtet sie noch Öl vorräthig hatten, und Fabel eilte fort.
Sie that, als öffne sie das Thor, warf es ungestüm wieder zu, und schlich
sich leise nach dem Hintergrunde der Höhle, wo eine Leiter herunter
hing. Sie kletterte schnell hinauf, und kam bald vor eine Fallthür, die
sich in Arkturs Gemach öffnete.
Der König saß umringt von seinen Räthen, als Fabel erschien. Die
nördliche Krone zierte sein Haupt. Die Lilie hielt er mit der Linken,
die Wage in der Rechten. Der Adler und Löwe saßen zu seinen Füßen.
Monarch, sagte die Fabel, indem sie sich ehrfurchtsvoll vor ihm
neigte; Heil deinem festgegründeten Throne! frohe Bothschaft deinem
verwundeten Herzen! baldige Rückkehr der Weisheit! Ewiges Erwachen dem Frieden! Ruhe der rastlosen Liebe! Verklärung des Herzens! Leben dem Alterthum und Gestalt der Zukunft! Der König berührte ihre offene Stirn mit der Lilie: Was du bittest, sey dir gewährt. — Dreymal werde ich bitten, wenn ich zum viertenmale
komme, so ist die Liebe vor der Thür. Jetzt gieb mir die Leyer. — Eridanus! bringe sie her, rief der König. Rauschend strömte Eridanus
von der Decke, und Fabel zog die Leyer aus seinen blinkenden Fluten.
Fabel that einige weißagende Griffe; der König ließ ihr den Becher
reichen, aus dem sie nippte und mit vielen Danksagungen hinweg
eilte. Sie glitt in reizenden Bogenschwüngen über das Eismeer, indem
sie fröliche Musik aus den Saiten lockte.

Das Eis gab unter ihren Tritten die herrlichsten Töne von sich. Der Felsen der Trauer hielt sie für Stimmen seiner suchenden rückkehrenden Kinder, und antwortete in einem tausendfachen Echo.

Fabel hatte bald das Gestade erreicht. Sie begegnete ihrer Mutter, die abgezehrt und bleich aussah, schlank und ernst geworden war, und in edlen Zügen die Spuren eines hoffnungslosen Grams, und rührender Treue verrieth.

Was ist aus dir geworden, liebe Mutter? sagte Fabel, du scheinst mir gänzlich verändert; ohne inneres Anzeichen hätt' ich dich nicht erkannt. Ich hoffte mich an deiner Brust einmal wieder zu erquicken; ich habe lange nach dir geschmachtet. Ginnistan liebkoste sie zärtlich, und sah heiter und freundlich aus. Ich dachte es gleich, sagte sie, daß dich der Schreiber nicht würde gefangen haben. Dein Anblick erfrischt mich. Es geht mir schlimm und knapp genug, aber ich tröste mich bald. Vielleicht habe ich einen Augenblick Ruhe. Eros ist in der Nähe, und wenn er dich sieht, und du ihm vorplauderst, verweilt er vielleicht einige Zeit. Indeß kannst du dich an meine Brust legen; ich will dir geben, was ich habe. Sie nahm die Kleine auf den Schooß, reichte ihr die Brust, und fuhr fort, indem sie lächelnd auf die Kleine hinunter sah, die es sich gut schmecken ließ. Ich bin selbst Ursach, daß Eros so wild und unbeständig geworden ist. Aber mich reut es dennoch nicht, denn jene Stunden, die ich in seinen Armen zubrachte, haben mich zur Unsterblichen gemacht. Ich glaubte unter seinen feurigen Liebkosungen zu zerschmelzen. Wie ein himmlischer Räuber schien er mich grausam vernichten und stolz über sein bebendes Opfer triumphiren zu wollen. Wir erwachten spät aus dem verbotenen Rausche, in einem sonderbar vertauschten Zustande. Lange silberweiße Flügel bedeckten seine weißen Schultern, und die reitzende Fülle und Biegung seiner Gestalt. Die Kraft, die ihn so plötzlich aus einem Knaben zum Jünglinge quellend getrieben, schien sich ganz in die glänzenden Schwingen gezogen zu haben, und er war wieder zum Knaben geworden. Die stille Glut seines Gesichts war in das tändelnde Feuer eines Irrlichts, der heilige Ernst in verstellte Schalkheit, die bedeutende Ruhe in kindische Unstätigkeit, der edle Anstand in drollige Beweglichkeit verwandelt. Ich fühlte mich von einer ernsthaften Leidenschaft unwiderstehlich zu dem muthwilligen Knaben

gezogen, und empfand schmerzlich seinen lächelnden Hohn, und seine
Gleichgültigkeit gegen meine rührendsten Bitten. Ich sah meine
Gestalt verändert. Meine sorglose Heiterkeit war verschwunden, und
hatte einer traurigen Bekümmerniß, einer zärtlichen Schüchternheit
Platz gemacht. Ich hät[tte] mich mit Eros vor allen Augen verbergen
mögen. Ich hatte nicht das Herz in seine beleidigenden Augen zu
sehn, und fühlte mich entsetzlich beschämt und erniedrigt. Ich hatte
keinen andern Gedanken, als ihn, und hätte mein Leben hingegeben,
um ihn von seinen Unarten zu befreyen. Ich mußte ihn anbeten, so
tief er auch alle meine Empfindungen kränkte.

Seit der Zeit, wo er sich aufmachte und mir entfloh, so rührend ich
auch mit den heißesten Thränen ihn beschwor, bey mir zu bleiben, bin
ich ihm überall gefolgt. Er scheint es ordentlich darauf anzulegen,
mich zu necken. Kaum habe ich ihn erreicht, so fliegt er tückisch weiter. Sein Bogen richtet überall Verwüstungen an. Ich habe nichts zu
thun, als die Unglücklichen zu trösten, und habe doch selbst Trost
nöthig. Ihre Stimmen, die mich rufen, zeigen mir seinen Weg, und
ihre wehmüthigen Klagen, wenn ich sie wieder verlassen muß, gehen
mir tief zu Herzen. Der Schreiber verfolgt uns mit entsetzlicher Wuth,
und rächt sich an den armen Getroffenen. Die Frucht jener geheimnißvollen Nacht, waren eine zahlreiche Menge wunderlicher Kinder,
die ihrem Großvater ähnlich sehn, und nach ihm genannt sind. Ge-
flügelt wie ihr Vater begleiten sie ihn beständig, und plagen die Armen, die sein Pfeil trifft. Doch da kömmt der fröliche Zug. Ich muß
fort; lebe wohl, süßes Kind. Sei[ne] Nähe erregt meine Leidenschaft.
Sey glücklich in deinem Vorhaben. — Eros zog weiter, ohne Ginnistan, die auf ihn zueilte, einen zärtlichen Blick zu gönnen. Aber zu
Fabel wandte er sich freundlich, und seine kleinen Begleiter tanzten
fröhlich um sie her. Fabel freute sich, ihren Milchbruder wieder zu
sehn, und sang zu ihrer Leyer ein munteres Lied. Eros schien sich besinnen zu wollen und ließ den Bogen fallen. Die Kleinen entschliefen
auf dem Rasen. Ginnistan konnte ihn fassen, und er litt ihre zärtlichen Liebkosungen. Endlich fing Eros auch an zu nicken, schmiegte
sich an Ginnistans Schooß, und schlummerte ein, indem er seine Flügel
über sie ausbreitete. Unendlich froh war die müde Ginnistan, und
verwandte kein Auge von dem holden Schläfer. Während des Gesan-

ges waren von allen Seiten Taranteln zum Vorschein gekommen, die
über die Grashalme ein glänzendes Netz zogen, und lebhaft nach dem
Takte sich an ihren Fäden bewegten. Fabel tröstete nun ihre Mutter,
und versprach ihr baldige Hülfe. Vom Felsen tönte der sanfte Wieder-
hall der Musik, und wiegte die Schläfer ein. Ginnistan sprengte aus
dem wohlverwahrten Gefäß einige Tropfen in die Luft, und die anmuthigsten Träume fielen auf sie nieder. Fabel nahm das Gefäß mit
und setzte ihre Reise fort. Ihre Saiten ruhten nicht, und die Taranteln
folgten auf schnellgesponnenen Fäden den bezaubernden Tönen.

Sie sah bald von weitem die hohe Flamme des Scheiterhaufens, die
über den grünen Wald emporstieg. Traurig sah sie gen Himmel, und
freute sich, wie sie Sophieens blauen Schleyer erblickte, der wallend
über der Erde schwebte, und auf ewig die ungeheure Gruft bedeckte.
Die Sonne stand feuerroth vor Zorn am Himmel, die gewaltige Flamme
sog an ihrem geraubten Lichte, und so heftig sie es auch an sich zu
halten schien, so ward sie doch immer bleicher und fleckiger. Die
Flamme ward weißer und mächtiger, je fahler die Sonne ward. Sie
sog das Licht immer stärker in sich und bald war die Glorie um das
Gestirn des Tages verzehrt und nur als eine matte, glänzende Scheibe
stand es noch da, indem jede neue Regung des Neides und der Wuth
den Ausbruch der entfliehenden Lichtwellen vermehrte. Endlich war
nichts von der Sonne mehr übrig, als eine schwarze ausgebrannte
Schlacke, die herunter ins Meer fiel. Die Flamme war über allen Ausdruck glänzend geworden. Der Scheiterhaufen war verzehrt. Sie hob
sich langsam in die Höhe und zog nach Norden. Fabel trat in den Hof,
der verödet aussah; das Haus war unterdeß verfallen. Dornsträuche
wuchsen in den Ritzen der Fenstergesimse und Ungeziefer aller Art
kribbelte auf den zerbrochenen Stiegen. Sie hörte im Zimmer einen
entsetzlichen Lärm; der Schreiber und seine Gesellen hatten sich an
dem Flammentode der Mutter geweidet, waren aber gewaltig erschrocken, wie sie den Untergang der Sonne wahrgenommen hatten.

Sie hatten sich vergeblich angestrengt, die Flamme zu löschen, und
waren bey dieser Gelegenheit nicht ohne Beschädigungen geblieben.
Der Schmerz und die Angst preßte ihnen entsetzliche Verwünschun-
gen und Klagen aus. Sie erschraken noch mehr, als Fabel ins Zimmer
trat, und stürmten mit wüthendem Geschrey auf sie ein, um an ihr den

Grimm auszulassen. Fabel schlüpfte hinter die Wiege, und ihre Verfolger traten ungestüm in das Gewebe der Taranteln, die sich durch unzählige Bisse an ihnen rächten. Der ganze Haufen fing nun toll an zu tanzen, wozu Fabel ein lustiges Lied spielte. Mit vielem Lachen über ihre possierlichen Fratzen ging sie auf die Trümmer des Altars zu, und räumte sie weg, um die verborgene Treppe zu finden, auf der sie mit ihrem Tarantelgefolge hinunter stieg. Die Sphinx fragte: Was kommt plötzlicher, als der Blitz? — Die Rache, sagte Fabel. — Was ist am vergänglichsten? — Unrechter Besitz. — Wer kennt die Welt? — Wer sich selbst kennt. — Was ist das ewige Geheimniß? — Die Liebe. — Bey wem ruht es? — Bey Sophieen. Die Sphinx krümmte sich kläglich, und Fabel trat in die Höhle.

Hier bringe ich euch Taranteln, sagte sie zu den Alten, die ihre Lampe wieder angezündet hatten und sehr ämsig arbeiteten. Sie erschraken, und die eine lief mit der Scheere auf sie zu, um sie zu erstechen. Unversehens trat sie auf eine Tarantel, und diese stach sie in den Fuß. Sie schrie erbärmlich. Die andern wollten ihr zu Hülfe kommen und wurden ebenfalls von den erzürnten Taranteln gestochen. Sie konnten sich nun nicht an Fabel vergreifen, und sprangen wild umher. Spinn' uns gleich, riefen sie grimmig der Kleinen zu, leichte Tanzkleider. Wir können uns in den steifen Röcken nicht rühren, und vergehn fast vor Hitze, aber mit Spinnensaft mußt du den Faden einweichen, daß er nicht reißt, und wirke Blumen hinein, die im Feuer gewachsen sind, sonst bist du des Todes. — Recht gern, sagte Fabel und ging in die Nebenkammer.

Ich will euch drey tüchtige Fliegen verschaffen, sagte sie zu den Kreuzspinnen, die ihre luftigen Gewebe rund um an der Decke und den Wänden angeheftet hatten, aber ihr müßt mir gleich drey hübsche, leichte Kleider spinnen. Die Blumen, die hinein gewirkt werden sollen, will ich auch gleich bringen. Die Kreuzspinnen waren bereit und fingen rasch zu weben an. Fabel schlich sich zur Leiter und begab sich zu Arktur. Monarch sagte sie, die Bösen tanzen, die Guten ruhn. Ist die Flamme angekommen? — Sie ist angekommen, sagte der König. Die Nacht ist vorbey und das Eis schmilzt. Meine Gattin zeigt sich von weitem. Meine Feindinn ist versenkt. Alles fängt zu leben an. Noch darf ich mich nicht sehn lassen, denn allein bin ich nicht

König. Bitte was du willst. — Ich brauche, sagte Fabel, Blumen, die im Feuer gewachsen sind. Ich weiß, du hast einen geschickten Gärtner, der sie zu ziehen versteht. — Zink, rief der König, gieb uns Blumen. Der Blumengärtner trat aus der Reihe, holte einen Topf voll Feuer, und säete glänzenden Samenstaub hinein. Es währte nicht lange, so flogen die Blumen empor. Fabel sammlete sie in ihre Schürze, und machte sich auf den Rückweg. Die Spinnen waren fleißig gewesen, und es fehlte nichts mehr, als das Anheften der Blumen, welches sie sogleich mit vielem Geschmack und Behendigkeit begannen. Fabel hütete sich wohl die Enden abzureißen, die noch an den Weberinnen hingen.

Sie trug die Kleider den ermüdeten Tänzerinnen hin, die triefend von Schweiß umgesunken waren, und sich einige Augenblicke von der ungewohnten Anstrengung erholten. Mit vieler Geschicklichkeit entkleidete sie die hagern Schönheiten, die es an Schmähungen der kleinen Dienerin nicht fehlen ließen, und zog ihnen die neuen Kleider an, die sehr niedlich gemacht waren und vortrefflich paßten. Sie pries während dieses Geschäftes die Reize und den liebenswürdigen Charakter ihrer Gebieterinnen, und die Alten schienen ordentlich erfreut über die Schmeicheleyen und die Zierlichkeit des Anzuges. Sie hatten sich unterdeß erholt, und fingen von neuer Tanzlust beseelt wieder an, sich munter umherzudrehen, indem sie heimtückisch der Kleinen langes Leben und große Belohnungen versprachen. Fabel ging in die Kammer zurück, und sagte zu den Kreuzspinnen: Ihr könnt nun die Fliegen getrost verzehren, die ich in eure Weben gebracht habe. Die Spinnen waren so schon ungeduldig über das hin- und herreißen, da die Enden noch in ihnen waren und die Alten so toll umhersprangen; sie rannten also hinaus, und fielen über die Tänzerinnen her; diese wollten sich mit der Scheere vertheidigen, aber Fabel hatte sie in aller Stille mitgenommen. Sie unterlagen also ihren hungrigen Handwerksgenossen, die lange keine so köstlichen Bissen geschmeckt hatten, und sie bis auf das Mark aussaugten. Fabel sah durch die Felsenkluft hinaus, und erblickte den Perseus mit dem großen eisernen Schilde. Die Scheere flog von selbst dem Schilde zu, und Fabel bat ihn, Eros Flügel damit zu verschneiden, und dann mit seinem Schilde die Schwestern zu verewigen, und das große Werk zu vollenden.

Sie verließ nun das unterirdische Reich, und stieg frölich zu Arkturs
Pallaste.

Der Flachs ist versponnen. Das Leblose ist wieder entseelt. Das Lebendige wird regieren, und das Leblose bilden und gebrauchen. Das
Innere wird offenbart, und das Äußre verborgen. Der Vorhang wird
sich bald heben, und das Schauspiel seinen Anfang nehmen. Noch einmal bitte ich, dann spinne ich Tage der Ewigkeit. — Glückliches
Kind, sagte der gerührte Monarch, du bist unsre Befreyerin. — Ich
bin nichts als Sophiens Pathe, sagte die Kleine. Erlaube daß Turmalin, der Blumengärtner, und Gold mich begleiten. Die Asche meiner
Pflegemutter muß ich sammeln, und der alte Träger muß wieder aufstehn, daß die Erde wieder schwebe und nicht auf dem Chaos liege.

Der König rief allen Dreyen, und befahl ihnen, die Kleine zu begleiten.
Die Stadt war hell, und auf den Straßen war ein lebhaftes Verkehr.
Das Meer brach sich brausend an der hohlen Klippe, und Fabel fuhr
auf des Königs Wagen mit ihren Begleitern hinüber. Turmalin sammelte sorgfältig die aufliegende Asche. Sie gingen rund um die Erde,
bis sie an den alten Riesen kamen, an dessen Schultern sie hinunter
klimmten. Er schien vom Schlage gelähmt, und konnte kein Glied
rühren. Gold legte ihm eine Münze in den Mund, und der Blumengärtner schob eine Schüssel unter seine Lenden. Fabel berührte ihm
die Augen, und goß das Gefäß auf seiner Stirn aus. So wie das Wasser
über das Auge in den Mund und herunter über ihn in die Schüssel
floß, zuckte ein Blitz des Lebens ihm in allen Muskeln. Er schlug die
Augen auf und hob sich rüstig empor. Fabel sprang zu ihren Begleitern auf die steigende Erde, und bot ihm freundlich guten Morgen.
Bist du wieder da, liebliches Kind? sagte der Alte; habe ich doch
immer von dir geträumt. Ich dachte immer, du würdest erscheinen,
ehe mir die Erde und die Augen zu schwer würden. Ich habe wohl
lange geschlafen. Die Erde ist wieder leicht, wie sie es immer den
Guten war, sagte Fabel. Die alten Zeiten kehren zurück. In Kurzem
bist du wieder unter alten Bekannten. Ich will dir fröliche Tage spinnen, und an einem Gehülfen soll es auch nicht fehlen, damit du zuweilen an unsern Freuden Theil nehmen, und im Arm einer Freundinn
Jugend und Stärke einathmen kannst. Wo sind unsere alten Gastfreun-
dinnen, die Hesperiden? — An Sophiens Seite. Bald wird ihr Garten

wieder blühen, und die goldne Frucht duften. Sie gehen umher und sammeln die schmachtenden Pflanzen.

Fabel entfernte sich, und eilte dem Hause zu. Es war zu völligen Ruinen geworden. Epheu umzog die Mauern. Hohe Büsche beschatteten den ehmaligen Hof, und weiches Moos polsterte die alten Stiegen. Sie trat ins Zimmer. Sophie stand am Altar, der wieder aufgebaut war. Eros lag zu ihren Füßen in voller Rüstung, ernster und edler als jemals. Ein prächtiger Kronleuchter hing von der Decke. Mit bunten Steinen war der Fußboden ausgelegt, und zeigte einen großen Kreis um den Altar her, der aus lauter edlen bedeutungsvollen Figuren bestand. Ginnistan bog sich über ein Ruhebett, worauf der Vater in tiefem Schlummer zu liegen schien, und weinte. Ihre blühende Anmuth war durch einen Zug von Andacht und Liebe unendlich erhöht. Fabel reichte die Urne, worin die Asche gesammelt war, der heiligen Sophie, die sie zärtlich umarmte.

Liebliches Kind, sagte sie, dein Eifer und deine Treue haben dir einen Platz unter den ewigen Sternen erworben. Du hast das Unsterbliche in dir gewählt. Der Phönix gehört dir. Du wirst die Seele unsers Lebens seyn. Jetzt wecke den Bräutigam auf. Der Herold ruft, und Eros soll Freya suchen und aufwecken.

Fabel freute sich unbeschreiblich bey diesen Worten. Sie rief ihren Begleitern Gold und Zink, und nahte sich dem Ruhebette. Ginnistan sah erwartungsvoll ihrem Beginnen zu. Gold schmolz die Münze und füllte das Behältniß, worin der Vater lag, mit einer glänzenden Flut. Zink schlang um Ginnistans Busen eine Kette. Der Körper schwamm auf den zitternden Wellen. Bücke dich, liebe Mutter, sagte Fabel, und lege die Hand auf das Herz des Geliebten.

Ginnistan bückte sich. Sie sah ihr vielfaches Bild. Die Kette berührte die Flut, ihre Hand sein Herz; er erwachte und zog die entzückte Braut an seine Brust. Das Metall gerann, und ward ein heller Spiegel. Der Vater erhob sich, seine Augen blitzten, und so schön und bedeutend auch seine Gestalt war, so schien doch sein ganzer Körper eine feine unendlich bewegliche Flüssigkeit zu seyn, die jeden Eindruck in den mannigfaltigsten und reitzendsten Bewegungen verrieth.

Das glückliche Paar näherte sich Sophien, die Worte der Weihe über sie aussprach, und sie ermahnte, den Spiegel fleißig zu Rathe zu ziehn,

der alles in seiner wahren Gestalt zurückwerfe, jedes Blendwerk ver-
nichte, und ewig das ursprüngliche Bild festhalte. Sie ergriff nun die
Urne und schüttete die Asche in die Schaale auf dem Altar. Ein sanftes
Brausen verkündigte die Auflösung, und ein leiser Wind wehte in den
Gewändern und Locken der Umstehenden.

Sophie reichte die Schaale dem Eros und dieser den Andern. Alle koste-
ten den göttlichen Trank, und vernahmen die freundliche Begrüßung
der Mutter in ihrem Innern, mit unsäglicher Freude. Sie war jedem
gegenwärtig, und ihre geheimnißvolle Anwesenheit schien alle zu
verklären.

Die Erwartung war erfüllt und übertroffen. Alle merkten, was ihnen
gefehlt habe, und das Zimmer war ein Aufenthalt der Seligen geworden. Sophie sagte: das große Geheimniß ist allen offenbart, und
bleibt ewig unergründlich. Aus Schmerzen wird die neue Welt geboren, und in Thränen wird die Asche zum Trank des ewigen Lebens
aufgelöst. In jedem wohnt die himmlische Mutter, um jedes Kind
ewig zu gebären. Fühlt ihr die süße Geburt im Klopfen eurer
Brust?

Sie goß in den Altar den Rest aus der Schaale hinunter. Die Erde bebte
in ihren Tiefen. Sophie sagte: Eros, eile mit deiner Schwester zu deiner Geliebten. Bald seht ihr mich wieder.

Fabel und Eros gingen mit ihrer Begleitung schnell hinweg. Es war
ein mächtiger Frühling über die Erde verbreitet. Alles hob und regte
sich. Die Erde schwebte näher unter dem Schleyer. Der Mond und die
Wolken zogen mit frölichem Getümmel nach Norden. Die Königs-
burg strahlte mit herrlichem Glanze über das Meer, und auf ihren
Zinnen stand der König in voller Pracht mit seinem Gefolge. Überall
erblickten sie Staubwirbel, in denen sich bekannte Gestalten zu bilden
schienen. Sie begegneten zahlreichen Schaaren von Jünglingen und
Mädchen, die nach der Burg strömten, und sie mit Jauchzen bewill-
kommten. Auf manchen Hügeln saß ein glückliches eben erwachtes
Paar in lang' entbehrter Umarmung, hielt die neue Welt für einen
Traum, und konnte nicht aufhören, sich von der schönen Wahrheit zu
überzeugen.

Die Blumen und Bäume wuchsen und grünten mit Macht. Alles schien
beseelt. Alles sprach und sang. Fabel grüßte überall alte Bekannte. Die

Thiere nahten sich mit freundlichen Grüßen den erwachten Menschen. Die Pflanzen bewirtheten sie mit Früchten und Düften, und schmückten sie auf das Zierlichste. Kein Stein lag mehr auf einer Menschenbrust, und alle Lasten waren in sich selbst zu einem festen Fußboden zusammengesunken. Sie kamen an das Meer. Ein Fahrzeug von geschliffenem Stahl lag am Ufer festgebunden. Sie traten hinein und lösten das Tau. Die Spitze richtete sich nach Norden, und das Fahrzeug durchschnitt, wie im Fluge, die buhlenden Wellen. Lispelndes Schilf hielt seinen Ungestüm auf, und es stieß leise an das Ufer. Sie eilten die breiten Treppen hinan. Die Liebe wunderte sich über die königliche Stadt und ihre Reichthümer. Im Hofe sprang der lebendiggewordne Quell, der Hain bewegte sich mit den süßesten Tönen, und ein wunderbares Leben schien in seinen heißen Stämmen und Blättern, in seinen funkelnden Blumen und Früchten zu quellen und zu treiben. Der alte Held empfing sie an den Thoren des Pallastes. Ehrwürdiger Alter, sagte Fabel, Eros bedarf dein Schwerdt. Gold hat ihm eine Kette gegeben, die mit einem Ende in das Meer hinunter reicht, und mit dem andern um seine Brust geschlungen ist. Fasse sie mit mir an, und führe uns in den Saal, wo die Prinzessin ruht. Eros nahm aus der Hand des Alten das Schwerdt, setzte den Knopf auf seine Brust, und neigte die Spitze vorwärts. Die Flügelthüren des Saals flogen auf, und Eros nahte sich entzückt der schlummernden Freya. Plötzlich geschah ein gewaltiger Schlag. Ein heller Funken fuhr von der Prinzessin nach dem Schwerdte; das Schwerdt und die Kette leuchteten, der Held hielt die kleine Fabel, die beynah umgesunken wäre. Eros Helmbusch wallte empor, Wirf das Schwerdt weg, rief Fabel, und erwecke deine Geliebte. Eros ließ das Schwerdt fallen, flog auf die Prinzessin zu, und küßte feurig ihre süßen Lippen. Sie schlug ihre großen dunkeln Augen auf, und erkannte den Geliebten. Ein langer Kuß versiegelte den ewigen Bund.

Von der Kuppel herunter kam der König mit Sophien an der Hand. Die Gestirne und die Geister der Natur folgten in glänzenden Reihen. Ein unaussprechlich heitrer Tag erfüllte den Saal, den Pallast, die Stadt, und den Himmel. Eine zahllose Menge ergoß sich in den weiten königlichen Saal, und sah mit stiller Andacht die Liebenden vor dem Könige und der Königinn knieen, die sie feyerlich segneten. Der

König nahm sein Diadem vom Haupte, und band es um Eros goldene
Locken. Der alte Held zog ihm die Rüstung ab, und der König warf
seinen Mantel um ihn her. Dann gab er ihm die Lilie in die linke
Hand, und Sophie knüpfte ein köstliches Armband um die verschlungenen Hände der Liebenden, indem sie zugleich ihre Krone auf Freyas
braune Haare setzte.

Heil unsern alten Beherrschern, rief das Volk. Sie haben immer unter uns gewohnt, und wir haben sie nicht erkannt! Heil uns! Sie werden uns ewig beherrschen! Segnet uns auch! Sophie sagte zu der
neuen Königinn: Wirf du das Armband eures Bundes in die Luft, daß
das Volk und die Welt euch verbunden bleiben. Das Armband zerfloß
in der Luft, und bald sah man lichte Ringe um jedes Haupt, und ein
glänzendes Band zog sich über die Stadt und das Meer und die Erde,
die ein ewiges Fest des Frühlings feyerte. Perseus trat herein, und trug
eine Spindel und ein Körbchen. Er brachte dem neuen Könige das
Körbchen. Hier, sagte er, sind die Reste deiner Feinde. Eine steinerne Platte mit schwarzen und weißen Feldern lag darin, und daneben eine Menge Figuren von Alabaster und schwarzem Marmor.
Es ist ein Schachspiel, sagte Sophie; aller Krieg ist auf diese Platte
und in diese Figuren gebannt. Es ist ein Denkmal der alten trüben
Zeit. Perseus wandte sich zu Fabeln, und gab ihr die Spindel. In deinen Händen wird diese Spindel uns ewig erfreuen, und aus dir selbst
wirst du uns einen goldnen unzerreißlichen Faden spinnen. Der Phönix flog mit melodischem Geräusch zu ihren Füßen, spreizte seine
Fittiche vor ihr aus, auf die sie sich setzte, und schwebte mit ihr über
den Thron, ohne sich wieder niederzulassen. Sie sang ein himmlisches
Lied, und fing zu spinnen an, indem der Faden aus ihrer Brust sich
hervorzuwinden schien. Das Volk gerieth in neues Entzücken, und aller
Augen hingen an dem lieblichen Kinde. Ein neues Jauchzen kam von
der Thür her. Der alte Mond kam mit seinem wunderlichen Hofstaat
herein, und hinter ihm trug das Volk Ginnistan und ihren Bräutigam,
wie im Triumph, einher.

Sie waren mit Blumenkränzen umwunden; die königliche Familie
empfing sie mit der herzlichsten Zärtlichkeit, und das neue Königs-
paar rief sie zu seinen Statthaltern auf Erden aus.

Gönnet mir, sagte der Mond, das Reich der Parzen, dessen seltsame

Gebäude eben auf dem Hofe des Pallastes aus der Erde gestiegen sind.
Ich will euch mit Schauspielen darin ergötzen, wozu die kleine Fabel mir behülflich seyn wird.

Der König willigte in die Bitte, die kleine Fabel nickte freundlich,
und das Volk freute sich auf den seltsamen unterhaltenden Zeitvertreib. Die Hesperiden ließen zur Thronbesteigung Glück wünschen,
und um Schutz in ihren Gärten bitten. Der König ließ sie bewillkom-
men, und so folgten sich unzählige fröliche Bothschaften. Unterdessen
hatte sich unmerklich der Thron verwandelt, und war ein prächtiges
Hochzeitbett geworden, über dessen Himmel der Phönix mit der kleinen Fabel schwebte. Drey Karyatiden aus dunkelm Porphyr trugen es
hinten, und vorn ruhte dasselbe auf einer Sphinx aus Basalt. Der König umarmte seine erröthende Geliebte, und das Volk folgte dem Beyspiel des Königs, und liebkoste sich unter einander. Man hörte nichts,
als zärtliche Namen und ein Kußgeflüster. Endlich sagte Sophie: Die
Mutter ist unter uns, ihre Gegenwart wird uns ewig beglücken. Folgt
uns in unsere Wohnung, in dem Tempel dort werden wir ewig wohnen, und das Geheimniß der Welt bewahren. Die Fabel spann ämsig,
und sang mit lauter Stimme:

> Gegründet ist das Reich der Ewigkeit,
> In Lieb' und Frieden endigt sich der Streit,
> Vorüber ging der lange Traum der Schmerzen,
> Sophie ist ewig Priesterin der Herzen.

————————

HEINRICH VON OFTERDINGEN

ZWEITER THEIL

DIE ERFÜLLUNG.

DAS KLOSTER, ODER DER VORHOF.

ASTRALIS.

An einen Sommermorgen ward ich jung
Da fühlt ich meines eignen Lebens Puls
Zum erstenmal — und wie die Liebe sich
In tiefere Entzückungen verlohr,
Erwacht' ich immer mehr und das Verlangen
Nach innigerer gänzlicher Vermischung
Ward dringender mit jedem Augenblick.
Wollust ist meines Daseyns Zeugungskraft.
Ich bin der Mittelpunkt, der heilge Quell,
Aus welchem jede Sehnsucht stürmisch fließt
Wohin sich jede Sehnsucht, mannichfach
Gebrochen wieder still zusammen zieht.
Ihr kennt mich nicht und saht mich werden —
Wart ihr nicht Zeugen, wie ich noch
Nachtwandler mich zum ersten Male traf
An jenem frohen Abend? Flog euch nicht
Ein süßer Schauer der Entzündung an? —
Versunken lag ich ganz in Honigkelchen.
Ich duftete, die Blume schwankte still
In goldner Morgenluft. Ein innres Quellen
War ich, ein sanftes Ringen, alles floß
Durch mich und über mich und hob mich leise.
Da sank das erste Stäubchen in die Narbe,
Denkt an den Kuß nach aufgehobnen Tisch.
Ich quoll in meine eigne Fluth zurück —
Es war ein Blitz —.nun konnt ich schon mich regen,

Die zarten Fäden und den Kelch bewegen,
Schnell schossen, wie ich selber mich begann,
Zu irrdischen Sinnen die Gedanken an.
Noch war ich blind, doch schwankten lichte Sterne
Durch meines Wesens wunderbare Ferne,
Nichts war noch nah, ich fand mich nur von weiten,
Ein Anklang alter, so wie künftger Zeiten.
Aus Wehmuth, Lieb' und Ahndungen entsprungen
War der Besinnung Wachsthum nur ein Flug,
Und wie die Wollust Flammen in mir schlug,
Ward ich zugleich vom höchsten Weh durchdrungen.
Die Welt lag blühend um den hellen Hügel,
Die Worte des Profeten wurden Flügel,
Nicht einzeln mehr nur Heinrich und Mathilde
Vereinten Beide sich zu Einem Bilde. —
Ich hob mich nun gen Himmel neugebohren,
Vollendet war das irrdische Geschick
Im seligen Verklärungsaugenblick,
Es hatte nun die Zeit ihr Recht verlohren
Und forderte, was sie geliehn, zurück.

Es bricht die neue Welt herein
Und verdunkelt den hellsten Sonnenschein[,]
Man sieht nun aus bemooßten Trümmern
Eine wunderseltsame Zukunft schimmern
Und was vordem alltäglich war
Scheint jetzo fremd und wunderbar.
‹Eins in allem und alles im Einen
Gottes Bild auf Kräutern und Steinen
Gottes Geist in Menschen und Thieren,
Dies muß man sich zu Gemüthe führen.
Keine Ordnung mehr nach Raum und Zeit
Hier Zukunft in der Vergangenheit[.]›
Der Liebe Reich ist aufgethan
Die Fabel fängt zu spinnen an.
Das Urspiel jeder Natur beginnt

Auf kräftige Worte jedes sinnt
Und so das große Weltgemüth
Überall sich regt und unendlich blüht.
Alles muß in einander greifen
Eins durch das Andre gedeihn und reifen;
Jedes in Allen dar sich stellt
Indem es sich mit ihnen vermischet
Und gierig in ihre Tiefen fällt
Sein eigenthümliches Wesen erfrischet
Und tausend neue Gedanken erhält.
Die Welt wird Traum, der Traum wird Welt
Und was man geglaubt, es sey geschehn
Kann man von weiten erst kommen sehn.
Frey soll die Fantasie erst schalten,
Nach ihrem Gefallen die Fäden verweben
Hier manches verschleyern, dort manches entfalten,
Und endlich in magischen Dunst verschweben.
Wehmuth und Wollust, Tod und Leben
Sind hier in innigster Sympathie —
Wer sich der höchsten Lieb' ergeben,
Genest von ihren Wunden nie.
Schmerzhaft muß jenes Band zerreißen
Was sich ums innre Auge zieht,
Einmal das treuste Herz verwaisen,
Eh es der trüben Welt entflieht.
Der Leib wird aufgelöst in Thränen,
Zum weiten Grabe wird die Welt,
In das, verzehrt von bangen Sehnen,
Das Herz, als Asche, niederfällt.

———

Auf dem schmalen Fußsteige, der ins Gebürg hinauflief, gieng ein Pilgrimm in tiefen Gedanken. Mittag war vorbey. Ein starker Wind sauste durch die blaue Luft. Seine dumpfen mannichfaltigen Stimmen verlohren sich, wie sie kamen. War er vielleicht durch die Gegenden der Kindheit geflogen? Oder durch andre redende Länder? Es waren

Stimmen, deren Echo nach im Innersten klang und dennoch schien sie der Pilgrimm nicht zu kennen. Er hatte nun das Gebürg erreicht, wo er das Ziel seiner Reise zu finden hoffte — hoffte? — Er hoffte gar nichts mehr. Die entsetzliche Angst und dann die trockne Kälte der gleichgültigsten Verzweiflung trieben ihn die wilden Schrecknisse des Gebürgs aufzusuchen. Der mühselige Gang beruhigte das zerstörende Spiel der innern Gewalten. Er war matt aber still. Noch sah er nichts was um ihn her sich allmälich gehäuft hatte, als er sich auf einen Stein setzte, und den Blick rückwärts wandte. Es dünkte ihm, als träume er jezt oder habe er geträumt. Eine unübersehliche Herrlichkeit schien sich vor ihm aufzuthun. Bald flossen seine Thränen, indem sein Innres plötzlich brach. Er wollte sich in die Ferne verweinen, daß auch keine Spur seines Daseyns übrig bliebe. Unter dem heftigen Schluchzen schien er zu sich selbst zu kommen; die weiche, heitre Luft durchdrang ihn, seinen Sinnen ward die Welt wieder gegenwärtig und alte Gedanken fiengen tröstlich zu reden an.

Dort lag Augsburg mit seinen Thürmen. Fern am Gesichtskreis blinkte der Spiegel des furchtbaren, geheimnißvollen Stroms. Der ungeheure Wald bog sich mit tröstlichen Ernst zu dem Wanderer — das gezackte Gebürg ruhte so bedeutend über der Ebene und beyde schienen zu sagen: Eile nur Strom, du entfliehst uns nicht — Ich will dir folgen mit geflügelten Schiffen. Ich will dich brechen und halten und dich verschlucken in meinen Schoos. Vertraue du uns Pilgrimm, es ist auch unser Feind, den wir selbst erzeugten — Laß ihn eilen mit seinem Raub, er entflieht uns nicht.

Der arme Pilgrimm gedachte der alten Zeiten, und ihrer unsäglichen Entzückungen — Aber wie matt gingen diese köstlichen Errinnerungen vorüber. Der breite Hut verdeckte ein jugendliches Gesicht. Es war bleich, wie eine Nachtblume. In Thränen hatte sich der Balsamsaft des jungen Lebens, in tiefe Seufzer sein schwellender Hauch verwandelt. In ein fahles Aschgrau waren alle seine Farben verschossen.

Seitwärts am Gehänge schien ihm ein Mönch unter einem alten Eichbaum zu knien. Sollte das der alte Hofkaplan seyn? so dachte er bey sich ohne große Verwunderung. Der Mönch kam ihm größer und ungestalter vor, je näher er zu ihm trat. Er bemerkte nun seinen Irrthum, denn es war ein einzelner Felsen, über den sich der Baum herbog. Stillgerührt faßte er den Stein in seine Arme, und drückte ihn lautweinend an seine Brust: Ach, daß doch jezt deine Reden sich bewährten und die heilge Mutter ein Zeichen an mir thäte. Bin ich doch so ganz elend und verlassen. Wohnt in meiner Wüste kein Heiliger, der mir sein Gebet liehe? Bete du, theurer Vater, jezt in diesem Augenblick für mich.

Wie er so bey sich dachte fieng der Baum an zu zittern. Dumpf dröhnte der Felsen und wie aus tiefer, unterirrdischer Ferne erhoben sich einige klare Stimmchen und sangen:

> Ihr Herz war voller Freuden
> Von Freuden sie nur wußt
> Sie wußt von keinem Leiden
> Druckts Kindelein an ihr' Brust.
> Sie küßt ihm seine Wangen
> Sie küßt es mannichfalt,
> Mit Liebe ward sie umfangen
> Durch Kindleins schöne Gestalt.

Die Stimmchen schienen mit unendlicher Lust zu singen. Sie wiederholten den Vers einigemal. Es ward alles wieder ruhig und nun hörte der erstaunte Pilger, daß jemand aus dem Baume sagte:

Wenn du ein Lied zu meinen Ehren auf deiner Laute spielen wirst, so wird ein armes Mädchen herfürkommen. Nimm sie mit und laß sie nicht von dir. Gedenke meiner, wenn du zum Kayser kommst. Ich habe mir diese Stätte ausersehn um mit meinem Kindlein hier zu wohnen. Laß mir ein starkes, warmes Haus hier bauen. Mein Kindlein hat den Tod überwunden. Härme dich nicht — Ich bin bey dir. Du wirst noch eine Weile auf Erden bleiben, aber das Mädchen wird dich trösten, bis du auch stirbst und zu unsern Freuden eingehst. Es ist Mathildens Stimme, rief der Pilger, und fiel auf seine Kniee, um zu beten. Da drang durch die Aeste ein langer Strahl zu seinen Augen und er sah durch den Strahl in eine ferne, kleine, wundersame Herrlichkeit hinein, welche nicht zu beschreiben, noch kunstreich mit Farben nachzubilden möglich gewesen wäre. Es waren überaus feine

Figuren und die innigste Lust und Freude, ja eine himmlische Glückseligkeit war darinn überall zu schauen, sogar daß die leblosen Gefäße, das Säulwerk, die Teppiche, Zierrathen, kurzum alles was zu sehn war nicht gemacht, sondern, wie ein vollsaftiges Kraut, aus eigner Lustbegierde also gewachsen und zusammengekommen zu seyn schien. Es waren die schönsten menschlichen Gestalten, die dazwischen umhergiengen und sich über die Maaßen freundlich und holdselig gegen einander erzeigten. Ganz vorn stand die Geliebte des Pilgers und hatt' es das Ansehn, als wolle sie mit ihm sprechen. Doch war nichts zu hören und betrachtete der Pilger nur mit tiefer Sehnsucht ihre anmuthigen Züge und wie sie so freundlich und lächelnd ihm zuwinkte, und die Hand auf ihre linke Brust legte. Der Anblick war unendlich tröstend und erquickend und der Pilger lag noch lang in seliger Entzückung, als die Erscheinung wieder hinweggenommen war. Der heilige Strahl hatte alle Schmerzen und Bekümmernisse aus seinem Herzen gesogen, so daß sein Gemüth wieder rein und leicht und sein Geist wieder frey und fröhlich war, wie vordem. Nichts war übriggeblieben, als ein stilles inniges Sehnen und ein wehmüthiger Klang im Aller Innersten. Aber die wilden Qualen der Einsamkeit, die herbe Pein eines unsäglichen Verlustes, die trübe, entsezliche Leere, die irrdische Ohnmacht war gewichen, und der Pigrimm sah sich wieder in einer vollen, bedeutsamen Welt. Stimme und Sprache waren wieder lebendig bey ihm geworden und es dünkte ihm nunmehr alles viel bekannter und weissagender, als ehemals, so daß ihm der Tod, wie eine höhere Offenbarung des Lebens, erschien, und er sein eignes, schnellvorübergehendes Daseyn mit kindlicher, heitrer Rührung betrachtete. Zukunft und Vergangenheit hatten sich in ihm berührt und einen innigen Verein geschlossen. Er stand weit außer der Gegenwart und die Welt ward ihm erst theuer, wie er sie verlohren hatte, und sich nur als Fremdling in ihr fand, der ihre weiten, bunten Säle noch eine kurze Weile durchwandern sollte. Es war Abend geworden, und die Erde lag vor ihm, wie ein altes, liebes Wohnhaus, was er nach langer Entfernung verlassen wiederfände. Tausend Errinnerungen wurden ihm gegenwärtig. Jeder Stein, jeder Baum, jede Anhöhe wollte wiedergekannt seyn. Jedes war das Merkmal einer alten Geschichte.

Der Pilger ergriff seine Laute und sang:

1

Liebeszähren, Liebesflammen
Fließt zusammen;
Heiligt diese Wunderstätten,
Wo der Himmel mir erschienen,
Schwärmt um diesen Baum wie Bienen
In unzähligen Gebeten.

2

Er hat froh sie aufgenommen
Als sie kommen,
Sie geschüzt vor Ungewittern;
Sie wird einst in ihrem Garten
Ihn begießen und ihn warten,
Wunder thun mit seinen Splittern.

3

Auch der Felsen ist gesunken
Freudentrunken
Zu der selgen Mutter Füßen.
Ist die Andacht auch in Steinen
Sollte da der Mensch nicht weinen
Und sein Blut für sie vergießen?

4

Die Bedrängten müssen ziehen
Und hier knieen,
Alle werden hier genesen.
Keiner wird fortan noch klagen
Alle werden fröhlich sagen:
Einst sind wir betrübt gewesen.

5

Ernste Mauern werden stehen
Auf den Höhen.

In den Thälern wird man rufen
Wenn die schwersten Zeiten kommen,
Keinem sey das Herz beklommen,
Nur hinan zu jenen Stufen.

6

Gottes Mutter und Geliebte
Der Betrübte
Wandelt nun verklärt von hinnen.
Ewge Güte, ewge Milde,
O! ich weiß du bist Mathilde
Und das Ziel von meinen Sinnen.

7

Ohne mein verwegnes Fragen
Wirst mir sagen,
Wenn ich zu dir soll gelangen.
Gern will ich in tausend Weisen
Noch der Erde Wunder preisen,
Bis du kommst mich zu umfangen.

8

Alte Wunder, künftige Zeiten
Seltsamkeiten,
Weichet nie aus meinem Herzen.
Unvergeßlich sey die Stelle,
Wo des Lichtes heilge Quelle
Weggespült den Traum der Schmerzen.

Unter seinem Gesang war er nichts gewahr worden. Wie er aber auf-
sah, stand ein junges Mädchen nah bey ihm am Felsen, die ihn freundlich, wie einen alten Bekannten, grüßte und ihn einlud mit zu ihrer
Wohnung zu gehn, wo sie ihm schon ein Abendessen zubereitet habe.
Er schloß sie zärtlich in seinen Arm. Ihr ganzes Wesen und Thun war
ihm befreundet. Sie bat ihn noch einige Augenblicke zu verziehn, trat

unter den Baum, sah mit einem unaussprechlichen Lächeln hinauf und schüttete aus ihrer Schürze viele Rosen auf das Gras. Sie kniete still daneben, stand aber bald wieder auf und führte den Pilger fort. Wer hat dir von mir gesagt, frug der Pilgrimm. Unsre Mutter. Wer ist deine Mutter? Die Mutter Gottes. Seit wann bist du hier? Seitdem ich aus dem Grabe gekommen bin? Warst du schon einmal gestorben? Wie könnt' ich denn leben? Lebst du hier ganz allein? Ein alter Mann ist zu Hause, doch kenn ich noch viele die gelebt haben. Hast du Lust, bey mir zu bleiben? Ich habe dich ja lieb. Woher kennst du mich? O! von alten Zeiten; auch erzählte mir meine ehmalige Mutter zeither immer von dir? Hast du noch eine Mutter? Ja, aber es ist eigentlich dieselbe. Wie hieß sie? Maria. Wer war dein Vater? Der Graf von Hohenzollern. Den kenn' ich auch. Wohl mußt du ihn kennen, denn er ist auch dein Vater. Ich habe ja meinen Vater in Eysenach? Du hast mehr Eltern. Wo gehn wir denn hin? Immer nach Hause.

Sie waren jezt auf einen geräumigen Platz im Holze gekommen, auf welchen einige verfallne Thürme hinter tiefen Gräben standen. Junges Gebüsch schlang sich um die alten Mauern, wie ein jugendlicher Kranz um das Silberhaupt eines Greises. Man sah in die Unermeß-lichkeit der Zeiten, und erblickte die weitesten Geschichten in kleine glänzende Minuten zusammengezogen, wenn man die grauen Steine, die blitzähnlichen Risse, und die hohen, schaurigen Gestalten betrach-tete. So zeigt uns der Himmel unendliche Räume in dunkles Blau gekleidet und wie milchfarbne Schimmer, so unschuldig, wie die Wangen eines Kindes, die fernsten Heere seiner schweren ungeheu-ren Welten. Sie giengen durch ein altes Thorweg und der Pilger war nicht wenig erstaunt, als er sich nun von lauter seltenen Gewächsen umringt und die Reitze des anmuthigsten Gartens unter diesen Trüm-mern versteckt sah. Ein kleines steinernes Häuschen von neuer Bau-art mit großen hellen Fenstern lag dahinter. Dort stand ein alter Mann hinter den breitblättrigen Stauden und band die schwanken Zweige an Stäbchen. Den Pilgrimm führte seine Begleiterin zu ihm und sagte: Hier ist Heinrich nach den du mich oft gefragt hast. Wie sich der Alte zu ihm wandte, glaubte Heinrich den Bergmann vor sich zu sehn. Du siehst den Arzt Sylvester, sagte das Mädchen. Syl-

vester freute sich ihn zu sehn, und sprach: Es ist eine geraume Zeit
her, daß ich deinen Vater eben so jung bey mir sah. Ich ließ es mir
damals angelegen seyn, ihn mit den Schätzen der Vorwelt, mit der
kostbaren Hinterlassenschaft einer zu früh abgeschiedenen Welt bekannt zu machen. Ich bemerkte in ihm die Anzeichen eines großen Bildkünstlers. Sein Auge regte sich voll Lust ein wahres Auge,
ein schaffendes Werckzeug zu werden. Sein Gesicht zeugte von innrer
Festigkeit und ausdauernden Fleis. Aber die gegenwärtige Welt hatte
zu tiefe Wurzeln schon bey ihm geschlagen. Er wollte nicht Achtung
geben auf den Ruf seiner eigensten Natur. Die trübe Strenge seines
vaterländischen Himmels hatte die zarten Spitzen der edelsten Pflanze
in ihn verdorben. Er ward ein geschickter Handwerker und die Begeisterung ist ihm zur Thorheit geworden.

Wohl, versetzte Heinrich, hab ich in ihm oft mit Schmerzen einen
stillen Mißmuth bemerkt. Er arbeitet unaufhörlich aus Gewohnheit
und nicht aus innrer Lust. Es scheint ihm etwas zu fehlen, was die
friedliche Stille seines Lebens, die Bequemlichkeiten seines Auskom-
mens, die Freude sich geehrt und geliebt von seinen Mitbürgern zu
sehn und in allen Stadtangelegenheiten zu Rathe gezogen zu werden,
ihm nicht ersetzen kann. Seine Bekannten halten ihn für sehr glücklich, aber sie wissen nicht, wie lebenssatt er ist, wie leer ihm oft die
Welt vorkommt, wie sehnlich er sich hinwegwünscht, und wie er nicht
aus Erwerblust, sondern um diese Stimmung zu verscheuchen, so
fleißig arbeitet.

Was mich am Meisten wundert, versetzte Sylvester, daß er eure
Erziehung ganz in den Händen eurer Mutter gelassen hat und sorgfältig sich gehütet in eure Entwicklung sich zu mischen oder euch zu
irgend einem bestimmten Stande anzuhalten. Ihr habt von Glück zu
sagen, daß ihr habt aufwachsen dürfen, ohne von euren Eltern die
mindeste Beschränkung zu leiden, denn die Meisten Menschen sind
nur Überbleibsel eine[s] vollen Gastmahls, das Menschen von verschiednen Appetit und Geschmack geplündert haben.

Ich weis selbst nicht, erwiederte Heinrich, was Erziehung heißt,
wenn es nicht das Leben und die Sinnesweise meiner Eltern ist, oder
der Unterricht meines Lehrers des Hofkaplans. Mein Vater scheint
mir, bey aller seiner kühlen und durchaus festen Denkungsart, die

ihn alle Verhältnisse, wie ein Stück Metall und eine künstliche Arbeit
ansehn läßt, doch unwillkührlich und ohne es daher selbst zu wissen,
eine stille Ehrfurcht und Gottesfurcht vor allen unbegreiflichen und
höhern Erscheinungen zu haben, und daher das Aufblühen eines
Kindes mit demüthiger Selbstverleugnung zu betrachten. Ein Geist
ist hier geschäftig, der frisch aus der unendlichen Quelle kommt und
dieses Gefühl der Überlegenheit eines Kindes in den allerhöchsten
Dingen[,] der unwiderstehliche Gedanke einer nähern Führung dieses
unschuldigen Wesens, das jezt im Begriff steht eine so bedenkliche
Laufbahn anzutreten, bey seinen nähern Schritten, das Gepräge einer
wunderbaren Welt, was noch keine irrdische Flut unkenntlich gemacht
hat, und endlich die Sympathie der Selbst Errinnerung jener fabelhaf-
ten Zeiten, wo die Welt uns heller, freundlicher und seltsamer dünkte
und der Geist der Weissagung fast sichtbar uns begleitete, alles dies
hat meinem Vater gewiß zu der andächtigsten und bescheidensten Behandlung vermocht.

Laß uns hieher auf die Rasenbank unter die Blumen setzen,   unterbrach ihn der Alte.   Zyane wird uns rufen, wenn unser Abendessen
bereit ist, und wenn ich euch bitten darf, so fahrt fort mir von eurem
frühern Leben etwas zu erzählen. Wir Alten hören am liebsten von
den Kinderjahren reden, und es dünkt mich, als ließt ihr mich den
Duft einer Blume einziehn, den ich seit meiner Kindheit nicht wieder eingeathmet hätte. Nur sagt mir noch vorher, wie euch meine
Einsiedeley und mein Garten gefällt, denn diese Blumen sind meine
Freundinnen. Mein Herz ist in diesem Garten. Ihr seht nichts, was
mich nicht liebt, und von mir nicht zärtlich geliebt wird. Ich bin hier
mitten unter meinen Kindern und komme mir vor, wie ein alter
Baum, aus dessen Wurzeln diese muntre Jugend ausgeschlagen sey.

Glücklicher Vater,   sagte Heinrich,   euer Garten ist die Welt.
Ruinen sind die Mütter dieser blühenden Kinder. Die bunte, lebendige Schöpfung zieht ihre Nahrung aus den Trümmern vergangner
Zeiten. Aber mußte die Mutter sterben, daß die Kinder gedeihen
können, und bleibt der Vater zu ewigen Thränen allein an ihrem Grabe
sitzen?

Sylvester reichte dem schluchzenden Jünglinge die Hand, und stand
auf, um ihm ein eben aufgeblühtes Vergißmeinnicht zu holen, das er

an einem Zypressenzweig band und ihm brachte. Wunderlich rührte
der Abendwind die Wipfel der Kiefern, die jenseits den Ruinen standen. Ihr dumpfes Brausen tönte herüber. Heinrich verbarg sein Gesicht in Thränen an dem Halse des guten Sylvester, und wie er sich
wieder erhob, trat eben der Abendstern in voller Glorie über den Wald
herüber.

Nach einiger Stille fieng Sylvester an: Ich möcht euch wohl in
Eysenach unter euren Gespielen gesehn haben. Eure Eltern, die vortreffliche Landgräfin, die biedern Nachbarn eures Vaters, und der
alte Hofkaplan machen eine schöne Gesellschaft aus. Ihre Gespräche
müssen frühzeitig auf euch gewürkt haben, besonders da ihr das einzige Kind wart. Auch stell ich mir die Gegend äußerst anmuthig und
bedeutsam vor.

Ich lerne, versetzte Heinrich, meine Gegend erst recht kennen, seit
ich weg bin und viele andre Gegenden gesehn habe. Jede Pflanze, jeder
Baum, jeder Hügel und Berg hat seinen besondern Gesichtskreis, seine
eigenthümliche Gegend. Sie gehört zu ihm und sein Bau, seine ganze
Beschaffenheit wird durch sie erklärt. Nur das Thier und der Mensch
können zu allen Gegenden kommen; Alle Gegenden sind die Ihrigen.
So machen alle zusammen eine große Weltgegend, einen unendlichen
Gesichtskreis aus, dessen Einfluß auf den Menschen und das Thier
eben so sichtbar ist, wie der Einfluß der engern Umgebung auf die
Pflanze. Daher Menchen, die viel gereißt sind, Zugvögel und Raubthiere, unter den Übrigen sich durch besondern Verstand und andre
wunderbare Gaben und Arten auszeichnen. Doch giebt es auch gewiß
mehr oder weniger Fähigkeit unter ihnen, von diesen Weltkreisen
und ihrem mannichfaltigen Inhalt und Ordnung gerührt, und gebildet zu werden. Auch fehlt bey den Menschen wohl manchen die nöthige
Aufmercksamkeit und Gelassenheit, um den Wechsel der Gegenstände
und ihre Zusammenstellung erst gehörig zu betrachten, und dann darüber nachzudenken und die nöthigen Vergleichungen anzustellen. Oft
fühl ich jezt, wie mein Vaterland meine frühsten Gedanken mit unvergänglichen Farben angehaucht hat, und sein Bild eine seltsame
Andeutung meines Gemüths geworden ist, die ich immer mehr errathe,
je tiefer ich einsehe, daß Schicksal und Gemüth Namen Eines Begriffs
sind.   Auf mich, sagte Sylvester, hat freylich die lebendige Natur,

die regsame Überkleidung der Gegend immer am meisten gewirkt.
Ich bin nicht müde geworden besonders die verschiedene Pflanzen-
natur auf das sorgfältigste zu betrachten. Die Gewächse sind so die
unmittelbarste Sprache des Bodens; Jedes neue Blatt, jede sonderbare
Blume ist irgend ein Geheimniß, was sich hervordrängt und das, weil
es sich vor Liebe und Lust nicht bewegen und nicht zu Worten kommen kann, eine stumme, ruhige Pflanze wird. Findet man in der
Einsamkeit eine solche Blume, ist es da nicht, als wäre alles umher
verklärt und hielten sich die kleinen befiederten Töne am liebsten in
ihrer Nähe auf. Man möchte für Freuden weinen, und abgesondert
von der Welt nur seine Hände und Füße in die Erde stecken, um
Wurzeln zu treiben und nie diese glückliche Nachbarschaft zu verlassen. Über die ganze trockne Welt ist dieser grüne, geheimnißvolle
Teppich der Liebe gezogen. Mit jedem Frühjahr wird er erneuert
und seine seltsame Schrift ist nur dem Geliebten lesbar wie der Blumenstraus des Orients. Ewig wird er lesen und ich nicht satt lesen
und täglich neue Bedeutungen, neue entzückendere Offenbarungen
der liebenden Natur gewahr werden. Dieser unendliche Genuß ist der
geheime Reitz, den die Begehung der Erdfläche für mich hat, indem
mir jede Gegend andre Räthsel löst, und mich immer mehr errathen
läßt, woher der Weg komme und wohin er gehe.

Ja, sagte Heinrich, wir haben von Kinderjahren angefangen zu
reden, und von der Erziehung, weil wir in euren Garten waren und
die eigentliche Offenbarung der Kindheit, die unschuldige Blumen-
welt, unmercklich in unser Gedächtniß und auf unsre Lippen die Errinnerung der alten Blumenschaft brachte. Mein Vater ist auch ein
großer Freund des Gartenlebens und die glücklichsten Stunden seines
Lebens bringt er unter den Blumen zu. Dies hat auch gewiß seinen
Sinn für die Kinder so offen erhalten, da Blumen die Ebenbilder der
Kinder sind. Den vollen Reichthum des unendlichen Lebens, die gewaltigen Mächte der spätern Zeit, die Herrlichkeit des Weltendes
und die goldne Zukunft aller Dinge sehn wir hier noch innig in einander geschlungen, aber doch auf das deutlichste und klarste in zarter Verjüngung. Schon treibt die allmächtige Liebe, aber sie zündet
noch nicht. Es ist keine verzehrende Flamme; es ist ein zerrinnender
Duft und so innig die Vereinigung der zärtlichen Seelen auch ist,

so ist sie doch von keiner Heftigen Bewegung und [k]einer fressenden Wuth begleitet, wie bey den Thieren. So ist die Kindheit in der Tiefe zunächst an der Erde, da hingegen die Wolken vielleicht die Erscheinungen der zweyten, höhern Kindheit, des wiedergefundnen Paradieses sind, und darum so wolthätig auf die Erstere herunterthauen.

Es ist gewiß etwas sehr geheimnißvolles in den Wolken, sagte Sylvester und eine gewisse Bewölkung hat oft einen ganz wunderbaren Einfluß auf uns. Sie ziehn und wollen uns mit ihrem kühlen Schatten auf und davon nehmen und wenn ihre Bildung lieblich und bunt, wie ein ausgehauchter Wunsch unsers Innern ist, so ist auch ihre Klarheit, das herrliche Licht, was dann auf Erden herrscht, wie die Vorbedeutung einer unbekannten, unsäglichen Herrlichkeit. Aber es giebt auch düstre und ernste und entsezliche Umwölkungen, in denen alle Schrekken der alten Nacht zu drohen scheinen. Nie scheint sich der Himmel wieder aufheitern zu wollen, das heitre Blau ist vertilgt und ein fahles Kupferroth auf schwarzgrauen Grunde weckt Grauen und Angst in jeder Brust. Wenn dann die verderblichen Strahlen herunterzucken und mit höhnischen Gelächter die schmetternden Donnerschläge hinterdrein fallen, so werden wir bis ins Innerste beängstigt, und wenn in uns dann nicht das erhabene Gefühl unsrer sittlichen Obermacht entsteht, so glauben wir den Schrecknissen der Hölle, der Gewalt böser Geister überliefert zu seyn.

Es sind Nachhalle der alten unmenschlichen Natur, aber auch weckende Stimmen der höhern Natur, des himmlischen Gewissens in uns. Das Sterbliche dröhnt in seinen Grundvesten, aber das Unsterbliche fängt heller zu leuchten an und erkennt sich selbst.

Wann wird es doch, sagte Heinrich, gar keiner Schrecken, keiner Schmerzen, keiner Noth und keines Übels mehr im Weltall bedürfen?

Wenn es nur Eine Kraft giebt — die Kraft des Gewissens — Wenn die Natur züchtig und sittlich geworden ist. Es giebt nur Eine Ursache des Übels — die allgemeine *Schwäche*, und diese Schwäche ist nichts, als geringe sittliche Empfänglichkeit, und Mangel an Reitz der Freyheit.

Macht mir doch die Natur des Gewissens begreiflich.

Wenn ich das könnte, so wär ich Gott, denn indem man das Gewissen begreift, entsteht es. Könnt ihr mir das Wesen der Dichtkunst begreiflich machen?

Etwas Persönliches läßt sich nicht bestimmt abfragen.

Wie viel weniger also das Geheimniß der höchsten Untheilbarkeit. Läßt sich Musik dem Tauben erklären?

Also wäre der Sinn ein Antheil an der neuen durch ihn eröffneten Welt selbst? Man verstünde die Sache nur, wenn man sie hätte?

Das Weltall zerfällt in unendliche, immer von größern Welten wieder befaßte Welten. Alle Sinne sind am Ende Ein Sinn. Ein Sinn führt wie Eine Welt allmälich zu allen Welten. Aber alles hat seine Zeit, und seine Weise. Nur die Person des Weltalls vermag das Verhältniß unsrer Welt einzusehn. Es ist schwer zu sagen, ob wir innerhalb der sinnlichen Schranken unsers Körpers wircklich unsre Welt mit neuen Welten, unsre Sinne mit neuen Sinnen vermehren können, oder ob jeder Zuwachs unsrer Erkenntniß, jede neu erworbene Fähigkeit nur zur Ausbildung unsers gegenwärtigen Weltsinns zu rechnen ist.

Vielleicht ist beydes Eins, sagte Heinrich. Ich weiß nur so viel, daß für mich die Fabel Gesamtwerckzeug meiner gegenwärtigen Welt ist. Selbst das Gewissen, diese Sinn und Weltenerzeugende Macht, dieser Keim aller Persönlichkeit, erscheint mir, wie der Geist des Weltgedichts, wie der Zufall der ewigen romantischen Zusammenkunft, des unendlich veränderlichen Gesamtlebens.

Werther Pilger, versezte Sylvester, das Gewissen erscheint in jeder ernsten Vollendung, in jeder gebildeten Wahrheit. Jede durch Nachdenken zu einem Weltbild ausgearbeitete Neigung und Fertigkeit wird zu einer Erscheinung, zu einer Verwandlung des Gewissens. Alle Bildung führt zu dem, was man nicht anders, wie Freyheit nennen kann, ohnerachtet damit nicht ein bloßer Begrif, sondern der schaffende Grund alles Daseyns bezeichnet werden soll. Diese Freyheit ist Meisterschaft. Der Meister übt freye Gewalt nach Absicht und in bestimmter und überdachter Folge aus. Die Gegenstände seiner Kunst sind sein, und stehn in seinem Belieben und er wird von ihnen nicht gefesselt oder gehemmt. Und gerade diese allumfassende Freyheit, Meisterschaft oder Herrschaft ist das Wesen, der Trieb des Gewissens. In ihm offenbart sich die heilige Eigenthümlichkeit, das unmittelbare Schaffen der Persönlichkeit, und jede Handlung des Mei-

sters ist zugleich Kundwerdung der hohen, einfachen, unverwickel-
ten Welt — Gottes Wort.

Also ist auch das was ehemals, wie mich däucht, Tugendlehre genannt wurde, nur die Religion, als Wissenschaft, die sogenannte Theo-
logie im eigentlichsten Sinn? Nur eine Gesetzordnung, die sich zur
Gottesverehrung verhält, wie die Natur zu Gott? Ein Wortbau, eine
Gedankenfolge, die die Oberwelt bezeichnet, vorstellt und sie auf
einer gewissen Stufe der Bildung vertritt? Die Religion für das Vermögen der Einsicht und des Urtheils, der Richtspruch, das Gesetz der
Auflösung und Bestimmung aller möglichen Verhältnisse eines persönlichen Wesens?

Allerdings ist das Gewissen, sagte Sylvester, der eingeborne Mitt-
ler jedes Menschen. Es vertritt die Stelle Gottes auf Erden, und ist
daher so Vielen das höchste und lezte. Aber wie entfernt war die
bisherige Wissenschaft, die man Tugend oder Sittenlehre nannte, von
der reinen Gestalt dieses erhabenen, weitumfassenden persönlichen
Gedankens. Das Gewissen ist der Menschen eigenstes Wesen in voller
Verklärung, der himmlische Urmensch. Es ist nicht dies und jenes,
es gebietet nicht in allgemeinen Sprüchen, es besteht nicht aus einzelnen Tugenden. Es giebt nur Eine Tugend — den reinen, ernsten
Willen, der im Augenblick der Entscheidung unmittelbar sich ent-
schließt und wählt. In lebendiger, eigenthümlicher Untheilbarkeit bewohnt es und beseelt es das zärtliche Sinnbild des menschlichen Körpers, und vermag alle geistigen Gliedmaßen in die wahrhafteste
Thätigkeit zu versetzen.

O! trefflicher Vater, unterbrach ihn Heinrich, mit welcher Freude
erfüllt mich das Licht, was aus euren Worten ausgeht. Also ist der
wahre Geist der Fabel eine freundliche Verkleidung des Geistes der
Tugend, und der eigentliche Zweck der untergeordneten Dichtkunst,
die Regsamkeit des höchsten, eigenthümlichsten Daseyns. Eine überraschende Selbstheit ist zwischen einem wahrhaften Liede und einer
edeln Handlung. Das müßige Gewissen in einer glatten nicht wider-
stehenden Welt wird zum fesselnden Gespräch[,] zur alleserzählenden
Fabel. In den Fluren und Hallen dieser Urwelt lebt der Dichter, und
die Tugend ist der Geist seiner irrdischen Bewegungen und Einflüsse.
Sowie diese die unmittelbar wirkende Gottheit unter den Menschen

und das wunderbare Widerlicht der höhern Welt ist, so ist es auch die Fabel. Wie sicher kann nun der Dichter den Eingebungen seiner Begeisterung oder wenn auch er einen höhern überirrdischen Sinn hat, höheren Wesen folgen und sich seinem Berufe mit kindlicher Demuth überlassen. Auch in ihm redet die höhere Stimme des Weltalls und ruft mit bezaubernden Sprüchen in erfreulichere, bekanntere Welten. Wie sich die Religion zur Tugend verhält, so die Begeisterung zur Fabellehre, und wenn in heiligen Schriften die Geschichten der Offenbarung aufbehalten sind, so bildet in den Fabellehren das Leben einer höhern Welt sich in wunderbarentstandnen Dichtungen auf mannichfache Weise ab. Fabel und Geschichte begleiten sich in den innigsten Beziehungen auf den verschlungensten Pfaden und in den seltsamsten Verkleidungen, und die Bibel und die Fabellehre sind SternBilder Eines Umlaufs.

Ihr redet völlig wahr, sagte Sylvester, und nun wird es euch wohl begreiflich seyn, daß die ganze Natur nur durch den Geist der Tugend besteht und immer beständiger werden soll. Er ist das allzündende, allbelebende Licht innerhalb der irrdischen Umfassung. Vom Sternhimmel, diesem erhabenen Dom des Steinreichs, bis zu dem krausen Teppich einer bunten Wiese wird alles durch ihn erhalten, durch ihn mit uns verknüpft, und uns verständlich gemacht, und durch ihn die unbekannte Bahn der unendlichen Naturgeschichte bis zur Verklärung fortgeleitet.

Ja und ihr habt vorher so schön für mich die Tugend an die Religion angeschlossen. Alles was die Erfahrung und die irrdische Wircksamkeit begreift macht den Bezirk des Gewissens aus, welches diese Welt mit höhern Welten verbindet. Bey höhern Sinnen entsteht Religion und was vorher unbegreifliche Nothwendigkeit unserer innersten Natur schien, ein Allgesetz ohne bestimmten Inhalt, wird nun zu einer wunderbaren, einheimischen unendlich mannichfaltigen und durchaus befriedigenden Welt, zu einer unbegreiflich innigen Gemeinschaft aller Seligen in Gott, und zur vernehmlichen, vergötternden Gegenwart des allerpersönlichsten Wesens, oder seines Willens, seiner Liebe in unserm tiefsten Selbst.

Die Unschuld eures Herzens macht euch zum Profeten, erwiederte Sylvester. Euch wird alles verständlich werden, und die Welt und ihre Geschichte verwandelt sich euch in die heilige Schrift, sowie ihr an der heiligen Schrift das große Beyspiel habt, wie in einfachen Worten und Geschichten das Weltall offenbart werden kann; wenn auch nicht gerade zu, doch mittelbar durch Anregung und Erweckung höherer Sinne.

Mich hat die Beschäftigung mit der Natur dahin geführt, wohin euch die Lust und Begeisterung der Sprache gebracht hat. Kunst und Geschichte hat mich die Natur kennen gelehrt. Meine Eltern wohnten in Sizilien unweit dem weltberühmten Berge Aetna. Ein bequemes Haus von vormaliger Bauart, welches verdeckt von uralten Kastanienbäumen dicht an den felsigen Ufern des Meers, die Zierde eines mit mannichfaltigen Gewächsen besetzten Gartens ausmachte, war ihre Wohnung. In der Nähe lagen viele Hütten, in denen sich Fischer[,] Hirten und Winzer aufhielten. Unsre Kammern und Keller waren mit allem, was das Leben erhält und erhöht, reichlich versehn und unser Hausgeräthe ward durch wohlerdachte Arbeit auch den verborgenen Sinnen angenehm. Es fehlte auch sonst nicht an mannichfaltigen Gegenständen, deren Betrachtung und Gebrauch das Gemüth über das gewöhnliche Leben und seine Bedürfnisse erhoben und es zu einem angemessenern Zustande vorzubereiten, ihm den lautern Genuß seiner vollen eigenthümlichen Natur zu versprechen und zu gewähren schienen. Man sah steinerne Menschen Bilder, mit Geschichten bemahlte Gefäße, kleinere Steine mit den deutlichsten Figuren, und andre Geräthschaften mehr, die aus andern und erfreulicheren Zeiten zurückgeblieben seyn mochten. Auch lagen in Fächern übereinander viele Pergamentrollen, auf denen in langen Reihen Buchstaben die Kenntnisse und Gesinnungen, die Geschichten und Gedichte jener Vergangenheit in anmuthigen und künstlichen Ausdrücken bewahrt standen. Der Ruf meines Vaters, den er sich als ein geschickter Sterndeuter zuwege brachte, zog ihm zahlreiche Anfragen, und Besuche, selbst aus entlegenern Ländern, zu, und da das Vorwissen der Zukunft den Menschen eine sehr seltne und köstliche Gabe dünkt, so glaubten sie ihre Mittheilungen gut belohnen zu müssen, so daß mein Vater durch die erhaltnen Geschenke in den Stand gesetzt wurde, die Kosten seiner bequemen und genußreichen Lebensart hinreichend bestreiten zu können.

1.
[Vorarbeiten zum Roman]
(a)

[1.] Poësie ist wahrhafter Idealismus — Betrachtung der Welt, wie Betrachtung eines *großen Gemüths* — Selbstbewußtseyn des Universums.

———

[2.] Glanz, Duft, Farben, und Trockenheit — Ordnung — Köstliche Seltenheiten — Reitzende Figuren — und Mannichfaltigkeit — Schnelle Bedienung — Eigenheiten des prachtvollen Lebens. Der Kayserliche Hof. Gesinnungen eines Fürsten.

———

[3.] Karacteristische Züge des Kriegs — des Seelebens.

———

[4.] Kreutzzüge.

———

[5.] Tausendfache Gestalten der Liebe — der Religion. Religioese Nothwendigkeit des Teufels.

———

[6.] Die alten Zeiten. Astrologie. Arzeneykunst. Alchymie. Das Gedächtniß. Von der *Nothwendigkeit* in der Welt*hast* eine Krone zu erwerben etc.
Die Musik, das Reich der Todten. Der Geitzige. Kinder spielen immer mit Geistern.
Die Dichtungsarten.

———

[7.] Man kann die Poësie nicht gering genug schätzen.

———

[8.] Dem Dichter ist ein ruhiger, aufmercksamer Sinn — ‹Etwa› Ideen oder Neigungen, die ihn von irrdischer Geschäftigkeit u[nd] kleinlichen Angelegenheiten abhalten, eine sorgenfreye Lage — Reisen — Bekanntschaft mit vielartigen Menschen — mannichfache Anschauungen — *Leichtsinn* — Gedächtniß — Gabe zu sprechen — keine Anheftung an Einen Gegenstand, keine Leidenschaft im vollen Sinne — eine vielseitige Empfänglichkeit nöthig.

[9.] Heinrichs Großvater ist ein tiefer Mann — Er trift Clingsohr bey ihm. Abendgespräche.

[10.] Briefe eines Frauenzimmers aus dem 15ten Jahrhundert. [Nach alten Urschriften. Augsburg 1777. Verf. Paul v. Stetten jun., 2. Aufl. 1783, 3. Aufl. 1790].

[11.] Poésie der Armuth — des Zerstörten und Verheerten.

[12.] Gedichte der Minnesinger. Hans Sachsens etc.

[13.] Chevalerie. Sitten der alten Zeit. Indien, Sina und Schweden im 12ten Jahrhundert.

[14.] Deutsche Masken.

(b)

2.

Ein ‹Dichter› junger Mensch verliebt sich in eine Prinzessin — flieht mit ihr — der Vater, ein Dichterfreund, versöhnt sich mit ihm durch eine schöne Romanze.

3.

Einige ‹Brüder› Söhne eines Zauberers wählen Gaben. Der jüngste wählt die Gabe der Poësie — erhält alles dadurch was seine Brüder suchen, u[nd] rettet sie aus großen Gefahren. (Der Glücklichste soll eine Prinzessin haben — das Orakel erklärt den Dichter dafür.)

4.

Auflösung eines Dichters in Gesang — er soll geopfert werden unter wilden Völkern[.]

5.

Legende — der Dichter in *der Hölle* — holt seinen Herrn heraus.

6.

Ein Dichter verliert seine Geliebte ⌈im Bade⌉ — grämt sich und wird ein alter Mann — bald nach ihrem Tode hatte ihm ein wunderlicher Mann einen Schlüssel gegeben — und gesagt, daß er den Schlüssel zum Kayser bringen sollte, der würde ihm sagen, was zu thun sey. Eine Nacht singt vor seinem Bette eine alte treue Magd seiner Geliebten ein Lied — darinn kommt eine Stelle vom tiefen Wasser vor etc. kurz eine Andeutung, wo der Schlüssel läge — den ihm ein Rabe ‹gest[ohlen]› im Schlaf geraubt hat. Er findet den Schlüssel auf der Stelle, wo seine Geliebte wegkam — geht zum Kayser — der ist hocherfreut — gibt ihm eine ⌈alte⌉ Urkunde, wo steht, der Mann, der ihm einst von ohngefähr ein goldnes Schlüsselchen von der Figur bringen würde, dem solle er diese Urkunde zu lesen geben — der würde in einem verborgenen Orte, der ‹aber beschrieben ist› mit jenem Verse bezeichnet ist — ein altes talismanisches Kleinod des kayserlichen Hauses, einen Karfunkel zur Krone finden, zu dem die Stelle noch leer gelassen sey — er findet nach der Beschreibung den Ort, welches derselbe ist, wo die Geliebte wegkam — findet die Geliebte schlafend — erweckt sie ‹mit dem› ⌈indem er den⌉ Karfunkel wegnimmt, der im Kelche einer Blume an ihrem Busen verborgen liegt — ein‹e› überirrdisches kleines Mädchen findet er an ihrem Sarge sitzen, die ihm den Carfunkel zeigt und ihn mit ihrem Athem verjüngt.

———

Märchen.

Das Meer. Das Reich der Sterne — Zerstreute Tropfen — Das Nordlicht — Das Land der Wolken. Das Echo. Der verwandelte Münster — verwandelt sich in einen Garten. Der Phönix. Die Sfinx. Die Träume und

(Anspielungen auf Elektricität, Magnetism und Galvanism.)

die Wiege. Dunkle Beziehungen auf den Kampf der Vernunft — des

Verstandes — der Fantasie, des Gedächtnisses und des Herzens. Ein Mädchen stirbt einen schmerzhaften Tod.

2.

⟨Die Liebe in der Wiege — die Träume.⟩
⟨Vernunft — Fantasie. Verstand. Gedächt-niß. Herz.⟩

⟨⟨Ihre Wohnung — das menschliche Gemüth.⟩⟩
⟨⟨Der Verstand ist feind-selig — er wird verwan-delt.⟩⟩

⟨Der Held zersplittert sein Schwerdt und wirft es über ⌊s⌋ Meer‹e›.⟩
⟨Sprache durch Metallleitungen.⟩
⟨Verwandlung der Erde in das Land der Wolken.⟩
⟨Das Land der Parzen — die ‹dun[kle]› schwarze Son-ne. Die Sfinx vor der Grotte der Parzen.⟩
⟨Die Fabel, die Schwester der Liebe.⟩
⟨Die Fabel geht durch das Land der Wol-ken nach ‹dem› der Pole Wohnung⟩
⟨Ende. Das Land der Wolken — ‹der Ge-stirne› ⌈und der Mond⌉ bilden einen Ring um die neue Erde.⟩
Der Raum verschwindet — als ein banger Traum.
Die ⌈lockre Staub⌉ Erde wird wieder beseelt.
⟨Die Liebe entzieht der Sonne alle Wärme, und alles Licht — die Sonne zergeht⟩
⟨Der Mond ist der König im Lande der Wolken.⟩
⟨Die Fabel geht übers Meer — das tönt wie eine Harmonika.⟩
   Sofie ist Arcturs Frau.
⟨Fabel steigt durch den Altar ins Land der Parzen.⟩
Viel Gespräche noch.

Das
Der Liebe wachsen in der Nacht bey Ginni-stan Flügel. Sie muß un-aufhörlich umherfliegen

⟨Die Liebe⟩ Das Herz wird auf einen
Scheiterhaufen gelegt —
Die Asche lößt Sofie auf in dem Wasser   ⟨und das Herz trinkt sie⟩
                                            ⟨die Liebe wird neugeboren⟩

Der Phönix kommt auf das Spinnrad
der Fabel.

⟨Die Sonne wird von der Glut der Liebe   Das Wasser erhebt sich und
verzehrt.⟩   löscht die Sonne aus und wird
                                           ein Ring um die Erde.

Auferstehung durch die Fabel. All-
gemeines Widersehn.
Das Zimmer wird Arcturs Pallast.
Der Schreiber ‹wird› und die Parzen —? die letztern zu Caryatiden am
                                            Thron.
Der Schreiber in einen Webstuhl.

Die Nadel richtet sich nicht mehr
nach Norden.

                                           Der Mond wird Theater
⟨Die Fabel muß ein Räthsel lösen.⟩   Director.
Asche sammeln — durch den Turmalin.   Aufrichtung Atlas durch
⟨Alle Winkel der Welt durchlaufen⟩   Galv[anischen] Reitz.
⟨Feuer in der Hand ⌈unterm Meere weg⌉
tragen — Stahl und Stein.
Jemanden mit Wasser todtschlagen —
d[urch] Elektricit[ät].⟩
Blumen bringen die im Feuer gewachsen
sind — Zink.
Die Prinzessin zu erwecken bey Tage —
durch einen Galvanischen Bogen.
Der Liebe eine Kette — Ein Kuß der Liebe
weckt sie.
Sie macht sich einen Ableiter an — ⟨und
berührt den Helden, mit einer Hand, mit
der Anderen die Prinzessin mit einer Kohle
v[on] d[er] verbrannten L[iebe].⟩

3.

[Aus den Studienheften des Jahres 1800]

1. Einheiten des Romans.

Kampf der Poësie und Unpoësie.

Der alten und neuen Welt.

Die Bedeutung der Geschichte.

Die Geschichte des *Romans* selbst.

Verschwendung etc.

Passive Natur des Romanhelden. Er ist das Organ des Dichters im Roman. Ruhe und Oeconomie des Styls. poëtische Ausführung und Betracht[ung] aller Begebnisse des Lebens.

———

Die Poësie muß nie der Hauptstoff, immer nur das Wunderbare seyn.

Man sollte nichts *darstellen*, was man nicht völlig übersähe, deutlich vernähme, und ganz Meister desselben wäre — z. B. bey *Darstellungen des Übersinnlichen.*

2. Im Heinrich ist zulezt eine ausführliche Beschreibung der innern Verklärung des Gemüths. Er kommt in Sofieens Land — in die Natur, wie sie seyn könnte — in eine allegorisches Land.

Der kayserliche Hof muß eine große Erscheinung werden. Das Weltbeste versammelt. Dunkle Reden von America und Ostindien etc. Gespräch mit dem Kayser über Regierung, Kaysersthum etc.

Poëtischer Zusammenhang und Anordnung von Heinrich.

4.

[Die Berliner Papiere]

[I.]

Ein Kloster, höchst wunderbar, wie ein Eingang ins Paradies.

1stes Kap[itel] ein Adagio.

⟨Heinrich von Af[terdingen] mischt sich in der Schweitz in bürgerliche Händel.⟩

⟨Ruinen von Vindonissa.⟩

Italiänische Händel. Hier wird H[einrich] Feldherr. Beschr[eibung] eines Gefechts etc.

Meer. ⟨Erzählung⟩

Nach Griechenland verschlagen.

Tunis.

Rückreise über Rom.

Kayserlicher Hof.

Wartburg. Innrer Streit der Poesie. Mystizism dieses Streites. Formlose — förmliche Poesie.

Kyffhäuser.

Erzählung des Mädchens, der blauen Blume.

Offenbarung der Poesie auf Erden — lebendige Weissagung. Afterdingens Apotheose: Fest des Gemüths. Höchst wunderbares Drama in Versen, wie Sakontala.

———

Eingangs und Schlußgedichte und Überschriften jedes Capitels. Zwischen jedem Capitel spricht die Poësie.

Der Dichter aus der Erzählung — König der Poesie. Die Fabel erscheint. Mutter und Vater blühn auf.

Kein rechter historischer Übergang ⟨aus⟩ nach dem 2ten Theile — dunkel — trüb — verworren.

———

Die Vermählung der Jahreszeiten.

———

Blumengespräche. Thiere.

Heinrich von Afterd[ingen] wird Blume — Thier — Stein — Stern. Noch Jacob Böhm am Schluß des Buchs.

———

Die Dichter wetten aus Enthusiasmus und bacchischer Trunkenheit um den Tod.

Gespräch mit dem Kayser über Regierung etc. Mystischer Kayser. Buch de Tribus Impostoribus.

Geburt des siderischen Menschen mit der ersten Umarmung Math[il-

dens] und Heinrichs. Dieses Wesen spricht nun immer zwischen den
Kapiteln. Die Wunderwelt ist nun aufgethan.
Mystizism mit dem kayserlichen Hause. Urkayserfamilie.

———

Sofie ist das Heilige, Unbekannte. Das Licht und Schattenreich leben
durcheinander. Fabel ist mit Fleiß irrdisch. Heinrich kommt in die
Gärten der Hesperiden.
Der Schluß ist Übergang aus der wircklichen Welt in die Geheime —
Tod — lezter Traum und Erwachen.
Überall muß hier schon das Überirrdische durchschimmern — das
Märchenhafte.
Die blaue Blume richtet sich noch nach den Jahrszeiten. Heinrich
vernichtet diesen Zauber — zerstört das Sonnenreich. Klingsohr ist der
König von Atlantis. Heinrichs Mutter ist Fantasie. Der Vater ist der
Sinn.
Schwaning ist der Mond, und der
                              Antiquar ist der
Der Bergmann ⟨war das Eisen⟩
auch das Eisen.
Der Graf von Hohenzollern und die Kaufleute kommen auch wieder.
Nur nicht sehr streng allegorisch. Kayser Fridrich ist Arctur.

Die Morgenländerinn ist auch die Poesie.
Dreyeiniges Mädchen.
Heinrich muß erst von Blumen für die blaue Blume empfänglich ge-
macht werden. Geheimnißvolle Verwandl[ung.] Übergang in die
höhere Natur.
Schmerzen versteinern etc.
Die Erzählung vom Dichter kann gar wohl Heinrichs Schicksal
werden.
Metempsychose.
Kloster — wie eine mystische, magische Loge — Priester des heiligen
Feuers in jungen Gemüthern. Ferner Gesang der Brüder. Vision in
der Kirche. Gespräch über Tod — Magie etc. Heinr[ichs] Ahndungen
des Todes. Stein der Weisen.

(Individueller Geist jedes Buchs.

auch meines Heinrichs.)

Garten am Kloster.

(Pathol[ogischer] Einfluß der Schönheit auf ein freyeres, leichteres Spiel der Gemüthskräfte.)

⟨Heinrichs Kampf mit einem Wolfe rettet einen Klosterbruder. Lamm mit einem goldnen Felle.⟩

Allerhand Wissenschaften poetisirt, auch die Mathematik, im Wettstreit.

Ostindianische Pflanzen — etwas indische Mythologie.

Sakontala.

Gespräche der Blumen und Thiere über Menschen, Religion, Natur und Wissenschaften.

Klingsohr — Poesie der Wissenschaften.

———

(Leichtigkeit zu Dialogiren. Aufgegebne Tendenz, die Natur zu copiren — etc.)

Die Welt — ehmalige Freyheit.

(Der Tod macht das gemeine Leben so poetisch.)

Das Hirtenmädchen ist die Tochter des Grafen von Hohenzollern. Die Kinder sind nicht gestorben.

Ihre Errinnerung ans Morgenland.

Ihr wunderliches Leben in den Gebürgen — Erziehung durch ihre verstorbene Mutter.

Ihre wunderliche Errettung aus dem Grabgewölbe durch einen alten Arzt.

Das Mädchen hat ihren Bruder verlohren. Sie ist heiter und freundlich — Mit dem Wunderbaren so bekannt. Sie erzählt ihm seine eigne Geschichte — als hätt' ihr ihre Mutter einmal davon erzählt.

Die Mönche im Kloster scheinen eine Art von Geistercolonie.

Errinnerung ans Feenmährchen von Nadir und Nadine. Viele Errinnerungen an Mährchen. Heinrichs Gespräche mit dem Mädchen. Wunderliche Mythologie. Die Mährchenwelt muß jezt recht oft durchscheinen. Die wirckl[iche] Welt selbst wie ein Märchen angesehn.

Heinrich kommt nach Loretto.

———

Das Gesicht.
Heldenzeit.
Das Alterthum.
Das Morgenland.
⟨Der Streit der Sänger.⟩
Der Kayser.
Der Streit der Sänger.
Die Verklärung.

————

Skitze der Verklärung.
Anfang in Stanzen. Heinrich.

————

Auch zukünftige Menschen in der Verklärung.

————

Gegen das Gleichniß mit der Sonne ist Heinrich bey mir.
Der Streit der Sänger ist schon der erste Act auf Erden.

————

Heinrich wird im Wahnsinn Stein — ⟨Blume⟩ klingender Baum —
goldner Widder —
Heinrich erräth den Sinn der Welt. Sein freywilliger Wahnsinn. Es
ist das Räthsel, was ihm aufgegeben wird. Die Hesperiden sind *Fremd-*
linge — ewige Fremden — die Geheimnisse.
Die *Erzählung* von mir ⟨nur wie⟩ von dem Dichter, der seine Geliebte
verlohren hat, muß nur auf Heinrichen angewandt werden.

> Wenn nicht mehr Zahlen und Figuren
> Sind Schlüssel aller Kreaturen
> Wenn die so singen, oder küssen,
> Mehr als die Tiefgelehrten wissen,
> Wenn sich die Welt ins freye Leben
> Und in die ⟨freye⟩ Welt wird zurück begeben,
> Wenn dann sich wieder Licht und Schatten
> Zu ächter Klarheit wieder gatten,
> Und man in Mährchen und Gedichten

Erkennt die ⟨alten⟩ wahren Weltgeschichten,
Dann fliegt vor Einem geheimen Wort
Das ganze verkehrte Wesen fort.

———

[II.]

Heinrich könnte von ein *Theater* kommen.
Das Fest kann aus lauter Allegorischen Szenen zur Verherrlichung
der Poësie bestehn.
Heinrich geräth unter Bacchantinnen — Sie tödten ihn — der Hebrus
tönt von der schwimmenden Leyer. Umgekehrtes Märchen.
Mathilde steigt in die Unterwelt und holt ihn.
Poëtische Parodie auf Amphion.

———

Die ganze erste Hälfte des 2ten Theils muß recht leicht, dreist, sorglos und nur mit einigen scharfen Strichen bemerkt werden.
Die Poësie der verschiednen Nationen und Zeiten. *Ossian. Edda.*
Morgenländische Poësie. Wilde. Französische — spanische, griechische,
deutsche etc. Druiden. Minnesinger.
Das Buch schließt just umgekehrt wie das Märchen — *mit einer einfachen Familie.*

Es wird stiller ⌈einfacher⌉ und menschlicher nach dem Ende zu.
Züge aus Heinrichs Jugend. Erzählung seiner Mutter.
Heinrich und Mathildens wunderbares Kind.
Es ist die Urwelt, die goldne Zeit am Ende.

Saturn = Arctur.

Die Szenen im Feste sind Schauspiele.
Die entferntesten und verschiedenartigsten ⌈Sagen und⌉ Begebenheiten
verknüpft. Dies ist eine Erfindung von mir.
(Elysium und Tartarus sind wie Fieber und Schlaf beysammen.)

Sollte es nicht gut seyn, hinten die Familie sich in eine wunderliche mystische Versamlung von Antiken ⟨sich vers[ammeln]⟩ verwandeln zu lassen?

Farbencharacter. Alles blau in meinem Buche.

Hinten Farbenspiel — Individualitaet jeder Farbe.

(Das Auge ist allein *räumlich* — die andern ⌈Sinne⌉ alle zeitlich.)

(Vertheilung Einer Individualitaet auf mehrere Personen.)

(Naturpoët. Kunstpoët.)

Metra müssen *begeistern*. Eigentliche Poësie.

––––––––

Hinten wunderbare Mythologie.

––––––––

Ein altes Muttergottesbild in einem hohlen Baume über ihn. Es läßt sich eine Stimme hören — Er soll eine Capelle bauen lassen. Das hat das Hirtenmädchen in seinem Schutz, und erzieht es mit Gesichten. Es schickt ihn zu *den Todten* — die Klosterherrn sind Todte.

––––––––

Die epische Periode muß ein historisches Schauspiel werden, wenn auch durch Erz[ählung] die Szenen verbunden sind.

Rede Heinrichs in Jamben. Liebe ⟨des⟩ eines jungen vornehmen Pisaners zu einer Florentinerinn.

Heinrich überfällt mit einem flüchtigen Haufen die feindliche Stadt. Alle Elemente des Kriegs in poëtischen Farben.

(Ein großer Krieg, wie ein Zweykampf — durchaus *generoes* — philosophisch — human. Geist der alten Chevalerie. Ritterspiel. Geist der *bacchischen* Wehmuth.[)]

Die Menschen müssen sich selbst untereinander tödten — das ist edler, als durchs Schicksal fallen. Sie suchen den Tod.

Ehre, Ruhm etc. ist des Kriegers Lust, und Leben

Im Tode und als Schatten lebt der Krieger.

Todeslust ist Kriegergeist. Romantisches Leben des Kriegers.

Auf Erden ist der *Krieg* zu Hause — Krieg muß auf Erden seyn.

––––––––

Kriegslieder. Orientalische Gedichte. Lied zu Loretto. Streit der Sänger[.] Verklärung.

———

Heinrich kommt nicht nach Tunis. Er kommt nach Jerusalem. *Wunderliche* Gespräche mit den Todten. Gespräche mit dem alten Mann über Physik etc. besonders Arzeneyk[unde]. Physiognomik. Medicinische Ansicht der Welt. Theophrast Paracels Philosophie[.] Magie. etc. Geographie. Astrologie.

Er ist der höhere Bergmann.

Erzählung des Hirtenmädchens — ⟨Zölestine⟩ *Cyane.*

———

Über den Streit auf der Wartburg und die ⟨lezte⟩ Verklärung noch reiflich nachgedacht.

(An Unger geschrieben. Von Karl — Leben des Nadir Shach.)

(Wer recht poëtisch ist, dem ist die ganze Welt ein fortlaufendes *Drama.*)

Mit dem Griechen Gespräche über Moral etc. Auf dieser Tour, in dem Cap[itel] Alterthum, kommt er auch in ein⟨e⟩ Arsenal.)

———

Keinen Streit auf der Wartburg. Mehrere Szenen an Kayser Fridrichs Hofe.

Hinten ein ordentliches Märchen in Szenen, fast nach Gozzi — nur viel romantischer. Hinten die Poëtisirung der Welt — Herstellung der Märchenwelt. Aussöhnung der kristlichen Relig[ion] mit der heydnischen[.] Die Geschichte des Orpheus — der Psyche etc.

———

Der Fremde von der ersten Seite.

Das ganze Menschengeschlecht wird am Ende poëtisch. Neue goldne Zeit.

Poëtisirter Idealism.

Menschen, Thiere, Pflanzen, Steine und Gestirne, Flammen, Töne, Farben müssen hinten zusammen, wie Eine Familie ⟨handeln⟩ oder Gesellsch[aft] wie Ein Geschlecht handeln und sprechen.

Mystizism der Geschichte. Das Hirtenmädchen, oder Cyane opfert sich für ihn auf.

Heinrich spricht mit Klingsohr über allerhand sonderbare Zeichen. Er hört die Nacht ein Lied, was er ehmals gemacht. Sehnsucht nach dem Kyfhäuser.

Er sagt Klingsohr davon.

Goldner Schlüssel. Urkunde etc.

Der führt ihn auf seinen Mantel nach dem Kyfhäuser.

(Klingsohr, ewiger Dichter, stirbt nicht, bleibt in der Welt. Natürlicher Sohn von Fridrich den 2ten — das hohenstaufische Haus — das künftige Kayserhaus. Der ⌈fehlende⌉ Stein ⌈in⌉ der Krone. Schon in Pisa findet er des Kaysers Sohn. Ihre Freundschaft.)

Johannes kommt und führt ihn in den Berg. Gespräch über die Offenbarung[.] Das Hirtenmädchen folgt ihm treulich nach.

⟨Erzähl[ung]. Der alte Mann erwacht. Das schöne Mädchen. Er kommt in die Höhle, wo Mathilde schläft — das kleine Mädchen. Der Stein im Bouquet. Cyane trägt den Stein zum Kayser.⟩

⟨Er findet den goldnen Schlüssel im Bassin. Zyane trägt den Schlüssel.⟩

Kommt in die Höhle, wo Mathilde schläft. ⟨Man⟩ Meine erfundne Erzählung.

Nur erwacht die Geliebte nicht gleich. Gespr[äch] mit dem kleinen Mädchen, das ist Sein und Mathild[ens] Kind.

Er soll die Blaue Blume pflücken und herbringen — ⟨das Hirtenmädchen pflückt sie für ihn und⟩

Zyane trägt den Stein weg.

Er ⟨holt⟩ pflückt die blaue Blume — und wird ⟨zum klingenden Baume⟩

ein Stein.

⟨Mathilde kommt und macht ihn durch seine eignen Lieder⟩

⟨Edda, die eigentliche blaue Blume⟩

Die Morgenländerinn ⟨ist⟩ opfert sich an seinem Steine, er wird ein klingender Baum. Das Hirtenmädchen haut den Baum um und ⟨er⟩ verbrennt sich mit ihm.

Er wird ein goldner Widder.

⟨Mathilde⟩ ⌈Edda oder Mathilde⌉ muß ihn opfern. Er wird ein Mensch. Während dieser Verwandlungen hört er allerley wunderliche Gespräche.

5.

Heinrich von Afterdingen.

Ein Roman
von
Novalis

2ter Theil.
Die Erfüllung.

———

Das Gesicht.

Beschreibung einer Gegend. / Heinrichs Wallfahrt. / Lied was er singt. / Hirtenmädchen. / begleitet ihn nun beständig.

Das Land erhob sich immer mehr, und ward uneben und mannichfach. In allen Richtungen kreuzten sich Bergrücken — Die Schluchten wurden tiefer und schroffer. Felsen ‹wurden› ⌈blickten schon⌉ überall ‹sichtbar› ⌈durch⌉ und über den dunklen Wäldern ragten steile Kuppen hervor, die nur mit wenigen Gebüsch bewachsen zu seyn schienen. Der Weg lief an einem Abhange fort, und hob sich nur unmercklich in die Höhe. Wenn auch das Grün der Ebene hier mercklich verdunkelt war, so ‹stellten› zeigten dafür verschiedne Bergpflanzen die buntesten Blumen, deren schöner Bau und erquickender Geruch den angenehmsten Eindruck machte. ‹Eine große Einsamkeit› Die Gegend schien ganz einsam und nur von weiten ‹tönten› glaubte man die Glöckchen einer ‹Vieh› Heerde zu vernehmen. In den Abgründen rauschten Bäche. Der Wald war in mannichfaltigen Haufen am Gebürge gelagert, und reizte das Auge ‹durch seine Veränderungen von Laub und Nadelholz› sich in seine duftige ⌈kühle⌉ Tiefe zu verlieren. Einzelne Raubvögel schwebten um die Spitzen der uralten Tannen. ‹Sie waren die einzigen Bewohner dieser Einöden› Der Himmel war dunkel und durchsichtig — Nur leichte, glänzende Wölkchen streiften langsam durch sein blaues Feld. ‹Ein› Auf dem schmalen Fußsteige kam langsam ein Pilger ⌈herauf⌉ aus der Ebene. Mittag war vorbey. ‹⌈Doch⌉›die Hitze war nicht drückend.› Ein ziemlich starker Wind ließ sich in der Luft verspüren

und seine dumpfe, ‹verschwebende› ⌐wunderliche¬ Musik verlor sich in
ungewisse Fernen. Sie wurde lauter und vernehmlicher in den Wipfeln der Bäume — so daß zuweilen die Endsylben und ‹die› einzelne
Worte einer ‹unbekannten› ⌐menschlichen¬ Sprache hervorzutönen
schienen. Durch die Bewegungen der Luft schien auch das Sonnenlicht
sich zu bewegen, und zu schwanken. Es hatten alle Gegenstände einen
ungewissen Schein. ‹Doch lag Ein Sinn in allem und auch die Wärme
schien sich mit auf und ab zu schwingen.› Der Pilgrimm gieng in tiefen
Gedanken. ‹Auf der Höhe› ⌐Nach einiger Zeit¬ sezte er sich auf einen
großen Stein unter einen alten Baum, der nur unten noch grün, und
oben dürr und abgebrochen war.

Gespräch mit sich selbst.
Er geht nachher weiter,
findet die Ruine — verlassne Hütten.
Eine scheint noch bewohnt. Rührende Habseligkeiten.

6.

[„Das Lied der Toten"]
[Urfassung]

—∪—∪—∪—∪	+	
—∪—∪—∪—∪	++	
—∪—∪—∪—∪	+++	
—∪—∪—◠		
—∪—∪—∪—∪	+	
—∪—∪—∪—∪	++	
—∪—∪—∪—∪	+++	
—∪—∪—◠		
—∪—∪—∪—∪—∪	+	Selig sind allein die Todten.

/ alte Kleinodien in Gräbern. Gespenster. Freyheit. Verbrennen. Begraben. *Frieden*. Freundliches Gesicht. Frohes Leben — Liebe. Gottesdienst. Vergangenheit. Was sie bey den Lebenden noch thun. Der
Tod ist des Lebens höchstes Ziel.

1.

[1] Lobt doch unsre stillen Feste,
     Unsre Gärten, unsre Zimmer
     Das bequeme Hausgeräthe,
     Unser Hab' und Gut.
     Täglich kommen neue Gäste
     Diese früh, die andern späte
     Auf den weiten Heerden immer
     Lodert frische Lebens Glut.

⟨3⟩ 4.

[2] Keiner wird sich je beschweren
     Keiner wünschen fortzugehen,
     Wer an unsern vollen Tischen
     Einmal fröhlich saß.
     Klagen sind nicht mehr zu hören
     Keine Wunden mehr zu sehen
     Keine Thränen abzuwischen;
     Ewig läuft das Stundenglas.

⟨4⟩ 5.

[3] Tief gerührt von heilger Güte
     Und versenkt in selges Schauen
     Steht der Himmel im Gemüthe,
     Wolkenloses Blau,
     Lange fliegende Gewande
     Tragen uns durch Frühlingsauen,
     Und es weht in diesem Lande
     Nie ein Lüftchen kalt und rauh.

⟨5⟩ 6.

[4] Süßer Reitz der Mitternächte,
     Stiller Kreis geheimer Mächte,
     Wollust räthselhafter Spiele,
     Wir nur kennen euch.
     Wir nur sind am hohen Ziele

Bald in Strom uns zu ergießen
Dann in Tropfen zu zerfließen
Und zu nippen auch zugleich.

⟨6⟩ 7.

[5] Uns ward erst die Liebe, Leben,
Innig wie die Elemente
Mischen wir des Daseyns Fluten,
Brausend Herz mit Herz.
Lüstern scheiden sich die Fluten
Denn der Kampf der Elemente
Ist der Liebe höchstes Leben
Und des Herzens eignes Herz.

⟨7⟩ 8.

2

[6] Alles was wir nur berühren
Wird zu heißen Balsamfrüchten
Wird zu weichen zarten Brüsten,
Opfer kühner Lust.

1

Leiser Wünsche süßes Plaudern
Hören wir allein, und schauen
Immerdar in selge Augen
Schmecken nichts als Mund und Kuß.

⟨8⟩ 9.

[7] Immer wächst und blüht Verlangen
Am Geliebten festzuhangen
Ihn im Innern zu empfangen,
Eins mit ihm zu seyn,
Seinem Durste nicht zu wehren
Sich in Wechsel zu verzehren,
Von einander sich zu nähren
Von einander nur allein.

13.

[8] Schüttelt eure goldnen Ketten
Mit Schmaragden u. Rubinen,

Und die blanken saubern Spangen
Blitz u. Klang zugleich.
Aus des feuchten Abgrunds Betten
Aus den Gräbern u. Ruinen
Himmelsrosen auf den Wangen
Schwebt ins bunte Fabelreich.

3.

[9] Kinder der Vergangenheiten,
Helden aus den ‹alten› grauen Zeiten,
Der Gestirne Riesen geister
Wunderlich gesellt,
Holde Frauen, ernste Meister,
Kinder, und verlebte Greise
Sitzen hier in Einem Kreise
Wohnen in der alten Welt

⟨9⟩ 10.

[10] So in Lieb' und hoher Wollust
Sind wir immerdar versunken
Seit der wilde trübe Funken
Jener Welt erlosch,
Seit der Hügel sich geschlossen
Und der Scheiterhaufen sprühte
Und dem schauernden Gemüthe
Nun das Erdgesicht zerfloß.

2.

[11] Tausend zierliche Gefässe
Einst bethaut mit tausend Thränen,
Goldne Ringe, Sporen, Schwerdter
Sind in unserm Schatz.
Viel Kleinodien und Juwelen
Wissen wir in dunkeln Höhlen
Keiner kann den Reichthum zählen
Zählt er auch ohn' Unterlaß.

11.

[12] Zauber der Errinnerungen,
Heilger Wehmuth süße Schauer
Haben innig uns durchklungen
Kühlen unsre Glut.
Wunden giebts, die ewig schmerzen
Eine göttlich tiefe Trauer
Wohnt in unser aller Herzen
Lößt uns auf in Eine Flut.

12.

[13] Und in dieser Flut ergießen
Wir uns auf geheime Weise
In den Ozean des Lebens
Tief in Gott hinein.

⟨12⟩

Und aus seinem Herzen fließen
Wir zurück zu unserm Kreise
Und der Geist des höchsten Strebens
Taucht in unsre Wirbel ein.

14.

[14] Könnten doch die Menschen wissen
Unsre künftigen Genossen
Daß bey allen ihren Freuden
Wir geschäftig sind,
Jauchzend würden sie verscheiden
Gern das bleiche Daseyn missen —
O! die Zeit ist bald verflossen
Kommt Geliebte doch geschwind

15.

[15] Helft uns nur den Erdgeist binden
Lernt den Sinn des Todes fassen
Und das Wort des Lebens finden;
Einmal kehrt euch um.
Deine Macht muß bald verschwinden,
Dein erborgtes Licht verblassen,

Werden dich in kurzen binden,
Erdgeist, deine Zeit ist um.

———————

7.
Die Vermählung der Jahrszeiten

Tief in Gedanken stand der neue Monarch. Er gedachte
Jezt des nächtlichen Traums, und der Erzählungen auch,
Als er zu erst von der himmlischen Blume gehört und getroffen
Still von der Weißagung, mächtige Liebe gefühlt.
Noch dünkt ihm, er höre die tiefeindringende Stimme,
Eben verließe der Gast erst den geselligen Kreis
Flüchtige Schimmer des Mondes erhellten die klappernden Fenster
Und in des Jünglings Brust tobe verzehrende Glut.
⟨Seltsame Zeiten verflossen in deß, sie schienen verworren
Wie ein entwichner Traum⟩
Edda, sagte der König, was ist des liebenden Herzens
Innigster Wunsch? was ist ihm der unsäglichste Schmerz?
Sag es, wir wollen ihm helfen, die Macht ist unser, und herrlich
Werde die Zeit, nun du wieder den Himmel beglückst.
Wären die Zeiten nicht so ungesellig, verbände
Zukunft mit Gegenwart und mit Vergangenheit sich,
Schlösse «der» Frühling sich an «den» Herbst, und Sommer an Winter,
Wäre zu spielenden Ernst Jugend mit Alter gepaart:
Dann mein süßer Gemahl versiegte die Quelle der Schmerzen,
Aller Empfindungen Wunsch wäre dem Herzen gewährt.
Also die Königinn; freudig umschlang sie der schöne Geliebte;
⟨Heil dir, daß du gesagt⟩
Ausgesprochen hast du warlich ein himmlisches Wort,
Was schon längst auf den Lippen der tiefer fühlenden schwebte
Aber den deinigen erst rein und gedeyhlich entklang.
Führe man schnell den Wagen herbey, wir holen sie selber
Erstlich die Zeiten des Jahrs, dann auch des Menschengeschlechts.

Erst zur Sonne, holen den Tag. Dann zur Nacht. Dann nach Norden.
Winter. nach Süden. Sommer. Osten — ⟨Herbst⟩ Frühling. Westen.
Herbst. Dann zur Jugend. zum Alter Zur Vergangenheit Zur Zukunft.

8.
Aus den Briefen

An Ludwig Tieck in Jena

Weissenfels, 23. Februar 1800

... Wenn Du die mannichfaltigen Zerstreuungen, Zeitverluste und Geschäfte meines Berufs kenntest, so würdest Du mir ein gutes Lob ertheilen, daß ich soviel nebenbey gemacht habe. Mein Roman ist im vollen Gange. 12 gedruckte Bogen sind ohngefähr fertig. Der ganze Plan ruht ziemlich ausgeführt in meinem Kopfe. Es werden 2 Bände werden — der Erste ist in 3 Wochen hoffentlich fertig. Er enthält die Andeutungen und das Fußgestell des 2ten Theils. Das Ganze soll eine Apotheose der Poësie seyn. Heinrich von Afterdingen wird im 1sten Theile zum Dichter reif — und im Zweyten, als Dichter verklärt. Er wird mancherley Ähnlichkeiten mit dem Sternbald haben — nur nicht die Leichtigkeit. Doch wird dieser Mangel vielleicht dem Inhalt nicht ungünstig. Es ist ein erster Versuch in jeder Hinsicht — die erste Frucht der bey mir wieder erwachten Poësie, um deren Erstehung Deine Bekanntschaft das größeste Verdienst hat. Unter Speculanten war ich ganz Speculation geworden. Es sind einige Lieder drinn, nach meiner Art. Ich gefalle mich sehr in der eigentlichen Romanze.

Ich werde mannichfachen Nutzen von meinem Roman haben — der Kopf wimmelt mir von Ideen zu Romanen und Lustspielen. Sollt ich Dich bald sehn, so bring ich eine Erzählung und ein Märchen aus meinem Roman zur Probe mit ...

An Friedrich Schlegel in Jena

Weissenfels: den 5ten April [1800]

Ich habe mit Fleis lange geschwiegen. Die ganze Zeit bin ich viel beschäftigt gewesen, und erst seit einigen Tagen hab ich den ersten Theil meines Romans zu Ende bringen können. Noch hab ich manche Geschäftsarbeiten, indeß in 8—14 Tagen bin ich auch damit zu einem

Ruhepuncte gelangt. Sobald mein Roman ins Reine geschrieben ist, welches ohngefähr in 8 Tagen seyn wird, so schick ich ihn gleich zu euch. Es sollte mich innig freuen, wenn Ihr an diesem ersten Versuche Gefallen fändet. Er wird gedruckt ohngefähr 20—22 Bogen stark werden — doch muß ich erst wissen, ob Ihr Euer Approbatur darunter sezt. Der Plan ist deutlich genug hingelegt, und der Stoff ein sehr günstiger Stoff. Die Wahl ist geglückt — über die Ausführung mag ich nichts sagen, weil man sich leicht in eine fehlerhafte Ansicht verlieren kann. Der vollständige Titel ist:

Heinrich von Afterdingen.

Ein Roman

von

Novalis.

Erster Theil.

Die Erwartung.

Es sollte mir lieb seyn, wenn ihr Roman und Märchen in einer glücklichen Mischung zu bemerken glaubtet, und der erste Theil euch eine noch innigere Mischung im 2ten Theile prophezeyhte. Der Roman soll allmälich in Märchen übergehn. Es sind einige Lieder drinn, die ich euch mit einiger Gewisheit schon vorlegen kann. Am Neugierigsten bin ich auf Euer Urtheil vom Schlusse des ersten Theils ...

An Ludwig Tieck in Jena

Weissenfels. Den 5ten April [1800]

... Fertig bin ich mit dem ersten Theile meines Romans. Ich laß ihn eben abschreiben und bring ihn mit. Es ist mir lieb einen Anfang mit der Ausführung einer größern Idee gemacht zu haben — Ich habe viele Jahre nicht daran gekonnt einen größern Plan mit Geduld auszuführen, und nun seh ich mit Vergnügen diese Schwierigkeit hinter mir. Eignes Arbeiten bildet in der That mehr, als widerholtes Lesen. Beym Selbstangriff findet man erst die eigentlichen Schwierigkeiten und lernt die Kunst schätzen. Der bloße Liebhaber wird nothwendig

unendlich viel übersehn, und nur das Gemüth des Werks allenfalls rich-
tig beurtheilen können. Deine Schriften sind mir seitdem viel lehrreicher geworden, und ich lese sie nie, ohne neuen Genuß und neue Entdeckungen. Am Schluß hab ich ein Märchen eingeschaltet, das mir
vorzügliche Freude gewährt hat. Es sollte mich recht freuen, wenn
es Dir gefiele . . .

An Friedrich Schlegel in Jena

Weissenfels: den 18. Junius. [1800]

. . . Deinen Tadel fühl' ich völlig — diese Ungeschicklichkeit in Übergängen, diese Schwerfälligkeit in der Behandlung des wandelnden
und bewegten Lebens ist meine Hauptschwierigkeit. Geschmeidige
Prosa ist mein frommer Wunsch. Der 2te Theil wird der Commen-
tar des Ersten. Die Antipathie gegen Licht und Schatten, die Sehnsucht nach klaren, heißen, durchdringenden Aether, das *Unbekannt
Heilige*, die Vesta, in Sofieen, die Vermischung des Romantischen
aller Zeiten, der Petrifizirende und Petrifizirte Verstand, Arctur,
der Zufall, der Geist des Lebens, Einzelne Züge blos, als Arabesken —
so betrachte nun mein Märchen. Der 2te Theil wird schon in der
Form weit poëtischer, als der Erste. Die Poësie ist nun geboren . . .

9.
Tiecks Bericht über die Fortsetzung
[an S. 177 anschließend]

Weiter ist der Verfasser nicht in Ausarbeitung dieses zweiten Theils
gekommen. Diesen nannte er die Erfüllung, so wie den ersten Erwartung, weil hier alles aufgelöst, und erfüllt werden sollte, was
jener hatte ahnden lassen. Es war die Absicht des Dichters, nach
Vollendung des Ofterdingen noch sechs Romane zu schreiben, in
denen er seine Ansichten der Physik, des bürgerlichen Lebens, der
Handlung, der Geschichte, der Politik und der Liebe, so wie im Ofterdingen der Poesie niederlegen wollte. Ohne mein Erinnern wird

der unterrichtete Leser sehn, daß der Verfasser sich in diesem Gedichte nicht genau an die Zeit, oder an die Person jenes bekannten
Minnesängers gebunden hat, obgleich alles an ihn und sein Zeitalter erinnern soll. Nicht nur für die Freunde des Verfassers, sondern
für die Kunst selbst, ist es ein unersetzlicher Verlust, daß er diesen
Roman nicht hat beendigen können, dessen Originalität und große
Absicht sich im zweiten Theile noch mehr als im ersten würde gezeigt
haben. Denn es war ihm nicht darum zu thun, diese oder jene Begebenheit darzustellen, eine Seite der Poesie aufzufassen, und sie durch
Figuren und Geschichten zu erklären, sondern er wollte, wie auch
schon im letzten Kapitel des ersten Theils bestimmt angedeutet ist, das
eigentliche Wesen der Poesie aussprechen und ihre innerste Absicht
erklären. Darum verwandelt sich Natur, Historie, der Krieg und das
bürgerliche Leben mit seinen gewöhnlichsten Vorfällen in Poesie,
weil diese der Geist ist, der alle Dinge belebt.

Ich will den Versuch machen, so viel es mir aus Gesprächen mit
meinem Freunde erinnerlich ist, und so viel ich aus seinen hinterlas-
senen Papieren ersehen kann, dem Leser einen Begriff von dem Plan
und dem Inhalte des zweiten Theiles dieses Werkes zu verschaffen.

Dem Dichter, welcher das Wesen seiner Kunst im Mittelpunkt ergriffen hat, erscheint nichts wiedersprechend und fremd, ihm sind die
Rätsel gelöst, durch die Magie der Fantasie kann er alle Zeitalter und
Welten verknüpfen, die Wunder verschwinden und alles verwandelt
sich in Wunder: so ist dieses Buch gedichtet, und besonders findet der
Leser in dem Mährchen, welches den ersten Theil beschließt, die
kühnsten Verknüpfungen; hier sind alle Unterschiede aufgehoben,
durch welche Zeitalter von ein ander getrennt erscheinen, und eine
Welt der andern als feindselig begegnet. Durch dieses Mährchen wollte
sich der Dichter hauptsächlich den Übergang zum zweiten Theile
machen, in welchem die Geschichte unaufhörlich aus dem Gewöhnlichsten in das Wundervollste überschweift, und sich beides gegenseitig erklärt und ergänzt; der Geist, welcher den Prolog in Versen
hält, sollte nach jedem Kapitel wiederkehren, und diese Stimmung,
diese wunderbare Ansicht der Dinge fortsetzen. Durch dieses Mittel
blieb die unsichtbare Welt mit dieser sichtbaren in ewiger Verknüpfung. Dieser sprechende Geist ist die Poesie selber, aber zugleich der

siderische Mensch, der mit der Umarmung Heinrichs und Mathildens gebohren ist. In folgendem Gedichte, welches seine Stelle im Ofterdingen finden sollte, hat der Verfasser auf die leichteste Weise den innern Geist seiner Bücher ausgedrückt:

> Wenn nicht mehr Zahlen und Figuren
> Sind Schlüssel aller Kreaturen,
> Wenn die, so singen oder küssen,
> Mehr als die Tiefgelehrten wissen,
> Wenn sich die Welt in's freie Leben,
> Und in die Welt wird zurück begeben,
> Wenn dann sich wieder Licht und Schatten
> Zu ächter Klarheit werden gatten,
> Und man in Mährchen und Gedichten
> Erkennt die ewgen Weltgeschichten,
> Dann fliegt vor Einem geheimen Wort
> Das ganze verkehrte Wesen fort.

Der Gärtner, welchen Heinrich spricht, ist derselbe alte Mann, der schon einmal Ofterdingens Vater aufgenommen hatte, das junge Mädchen, welche Cyane heißt, ist nicht sein Kind, sondern die Tochter des Grafen von Hohenzollern, sie ist aus dem Morgenlande gekommen, zwar früh, aber doch kann sie sich ihrer Heimath erinnern, sie hat lange in Gebirgen, in welchen sie von ihrer verstorbenen Mutter erzogen ist, ein wunderliches Leben geführt: einen Bruder hat sie früh verlohren, einmal ist sie selbst in einem Grabgewölbe dem Tode sehr nahe gewesen, aber hier hat sie ein alter Arzt auf eine seltsame Weise vom Tode errettet. Sie ist heiter und freundlich und mit dem Wunderbaren sehr vertraut. Sie erzählt dem Dichter seine eigene Geschichte, als wenn sie dieselbe einst von ihrer Mutter so gehört hätte. — Sie schickt ihn nach einem entlegenen Kloster, dessen Mönche als eine Art von Geisterkolonie erscheinen, alles ist hier wie eine mystische, magische Loge. Sie sind die Priester des heiligen Feuers in jungen Gemüthern. Er hört den fernen Gesang der Brüder; in der Kirche selbst hat er eine Vision. Mit einem alten Mönch spricht Heinrich über Tod und Magie, er hat Ahndungen vom Tode und dem Stein

der Weisen; er besucht den Klostergarten und den Kirchhof; über
den leztern findet sich folgendes Gedicht:

[1] Lobt doch unsre stillen Feste,
    Unsre Gärten, unsre Zimmer,
    Das bequeme Hausgeräthe,
    Unser Hab' und Gut.
    Täglich kommen neue Gäste,
    Diese früh, die andern späte,
    Auf den weiten Heerden immer
    Lodert neue Lebens-Glut.

[2] Tausend zierliche Gefäße
    Einst bethaut mit tausend Thränen,
    Goldne Ringe, Sporen, Schwerdter,
    Sind in unserm Schatz:
    Viel Kleinodien und Juwelen
    Wissen wir in dunkeln Hölen,
    Keiner kann den Reichthum zählen,
    Zählt' er auch ohn' Unterlaß.

[3] Kinder der Vergangenheiten,
    Helden aus den grauen Zeiten,
    Der Gestirne Riesengeister,
    Wunderlich gesellt,
    Holde Frauen, ernste Meister,
    Kinder und verlebte Greise
    Sitzen hier in Einem Kreise,
    Wohnen in der alten Welt.

[4] Keiner wird sich je beschweren,
    Keiner wünschen fort zu gehen,
    Wer an unsern vollen Tischen
    Einmal fröhlich saß.
    Klagen sind nicht mehr zu hören,
    Keine Wunder mehr zu sehen,
    Keine Thränen abzuwischen;
    Ewig läuft das Stundenglas.

[5] Tiefgerührt von heilger Güte
     Und versenkt in selges Schauen
     Steht der Himmel im Gemüthe,
     Wolkenloses Blau;
     Lange fliegende Gewande
     Tragen uns durch Frühlingsauen,
     Und es weht in diesem Lande
     Nie ein Lüftchen kalt und rauh.

[6] Süßer Reitz der Mitternächte,
     Stiller Kreis geheimer Mächte,
     Wollust räthselhafter Spiele,
     Wir nur kennen euch.
     Wir nur sind am hohen Ziele,
     Bald in Strom uns zu ergießen
     Dann in Tropfen zu zerfließen
     Und zu nippen auch zugleich.

[7] Uns ward erst die Liebe, Leben;
     Innig wie die Elemente
     Mischen wir des Daseyns Fluten,
     Brausend Herz mit Herz.
     Lüstern scheiden sich die Fluten,
     Denn der Kampf der Elemente
     Ist der Liebe höchstes Leben,
     Und des Herzens eignes Herz.

[8] Leiser Wünsche süßes Plaudern
     Hören wir allein, und schauen
     Immerdar in selge Augen,
     Schmecken nichts als Mund und Kuß.
     Alles was wir nur berühren
     Wird zu heißen Balsamfrüchten,
     Wird zu weichen zarten Brüsten,
     Opfern kühner Lust.

[9]　Immer wächst und blüht Verlangen
　　　Am Geliebten festzuhangen,
　　　Ihn im Innern zu empfangen,
　　　Einst mit ihm zu seyn,
　　　Seinem Durste nicht zu wehren,
　　　Sich im Wechsel zu verzehren,
　　　Von einander sich zu nähren,
　　　Von einander nur allein.

[10]　So in Lieb' und hoher Wollust
　　　Sind wir immerdar versunken,
　　　Seit der wilde trübe Funken
　　　Jener Welt erlosch;
　　　Seit der Hügel sich geschlossen,
　　　Und der Scheiterhaufen sprühte,
　　　Und dem schauernden Gemüthe
　　　Nun das Erdgesicht zerfloß.

[11]　Zauber der Erinnerungen,
　　　Heilger Wehmuth süße Schauer
　　　Haben innig uns durchklungen,
　　　Kühlen unsre Gluth.
　　　Wunden giebt's, die ewig schmerzen,
　　　Eine göttlich tiefe Trauer
　　　Wohnt in unser aller Herzen,
　　　Löst uns auf in Eine Flut.

[12]　Und in dieser Flut ergießen
　　　Wir uns auf geheime Weise
　　　In den Ozean des Lebens
　　　Tief in Gott hinein;
　　　Und aus seinem Herzen fließen
　　　Wir zurück zu unserm Kreise,
　　　Und der Geist des höchsten Strebens
　　　Taucht in unsre Wirbel ein.

[13] Schüttelt eure goldnen Ketten
    Mit Smaragden und Rubinen,
    Und die blanken saubern Spangen,
    Blitz und Klang zugleich.
    Aus des feuchten Abgrunds Betten,
    Aus den Gräbern und Ruinen,
    Himmelsrosen auf den Wangen
    Schwebt in's bunte Fabelreich.

[14] Könnten doch die Menschen wissen,
    Unsre künftigen Genossen,
    Daß bei allen ihren Freuden
    Wir geschäftig sind:
    Jauchzend würden sie verscheiden,
    Gern das bleiche Daseyn missen, —
    O! die Zeit ist bald verflossen,
    Kommt Geliebte doch geschwind!

[15] Helft uns nur den Erdgeist binden,
    Lernt den Sinn des Todes fassen
    Und das Wort des Lebens finden;
    Einmal kehrt euch um.
    Deine Macht muß bald verschwinden,
    Dein erborgtes Licht verblassen,
    Werden dich in kurzem binden,
    Erdgeist, deine Zeit ist um.

Dieses Gedicht war vielleicht wiederum ein Prolog zu einem zweiten Kapitel. Jetzt sollte sich eine ganz neue Periode des Werkes eröffnen, aus dem stillsten Tode sollte sich das höchste Leben hervorthun; er hat unter Todten gelebt und selbst mit ihnen gesprochen, das Buch sollte fast dramatisch werden, und der epische Ton gleichsam nur die einzelnen Szenen verknüpfen und leicht erklären. Heinrich befindet sich plötzlich in dem unruhigen Italien, das von Kriegen zerrüttet wird, er sieht sich als Feldherr an der Spitze eines Heeres. Alle Elemente des Krieges spielen in poetischen Farben; er überfällt mit einem flüchtigen Haufen eine feindliche Stadt, hier erscheint als Episode die

Liebe eines vornehmen Pisaners zu einem Florentinischen Mädchen. Kriegslieder. „Ein großer Krieg, wie ein Zweykampf, durchaus edel, philosophisch, human. Geist der alten Chevalerie. Ritterspiel. Geist der bacchischen Wehmuth. — Die Menschen müssen sich selbst untereinander tödten, das ist edler als durch das Schicksal fallen. Sie suchen den Tod. — Ehre, Ruhm ist des Kriegers Lust und Leben. Im Tode und als Schatten lebt der Krieger. Todeslust ist Kriegergeist. — Auf Erden ist der Krieg zu Hause. Krieg muß auf Erden seyn." — In Pisa findet Heinrich den Sohn des Kaisers Friedrich des Zweiten, der sein vertrauter Freund wird. Auch nach Loretto kömmt er. Mehrere Lieder sollten hier folgen.

Von einem Sturm wird der Dichter nach Griechenland verschlagen. Die alte Welt mit ihren Helden und Kunstschätzen erfüllt sein Gemüth. Er spricht mit einem Griechen über die Moral. Alles wird ihm aus jener Zeit gegenwärtig, er lernt die alten Bilder und die alte Geschichte verstehn. Gespräche über die griechischen Staatsverfassungen; über Mythologie.

Nachdem Heinrich die Heldenzeit und das Alterthum hat verstehen lernen, kommt er nach dem Morgenlande, nach welchem sich von Kindheit auf seine Sehnsucht gerichtet hatte. Er besucht Jerusalem; er lernt orientalische Gedichte kennen. Seltsame Begebenheiten mit den Ungläubigen halten ihn in einsamen Gegenden zurück, er findet die Familie des morgenländischen Mädchens; (s. den I.Th.); die dortige Lebensweise einiger nomadischen Stämme. Persische Mährchen. Erinnerungen aus der ältesten Welt. Immer sollte das Buch unter den verschiedensten Begebenheiten denselben Farben-Charakter behalten, und an die blaue Blume erinnern: durchaus sollten zugleich die entferntesten und verschiedenartigsten Sagen verknüpft werden, Griechische, orientalische, biblische und christliche, mit Erinnerungen und Andeutungen der Indischen wie der nordischen Mythologie. Die Kreuzzüge. Das Seeleben. Heinrich geht nach Rom. Die Zeit der Römischen Geschichte.

Mit Erfahrungen gesättigt kehrt Heinrich nach Deutschland zurück. Er findet seinen Großvater, einen tiefsinnigen Charakter, Klingsohr ist in seiner Gesellschaft. Abendgespräche mit den beiden.

Heinrich begiebt sich an den Hof Friedrichs, er lernt den Kaiser persönlich kennen. Der Hof sollte eine sehr würdige Erscheinung machen, die Darstellung der besten, größten und wunderbarsten Menschen aus der ganzen Welt versammelt, deren Mittelpunkt der Kaiser selbst ist. Hier erscheint die größte Pracht, und die wahre große Welt. Deutscher Charakter und Deutsche Geschichte werden deutlich gemacht. Heinrich spricht mit dem Kaiser über Regierung, über Kaiserthum, dunkle Reden von Amerika und Ost-Indien. Die Gesinnungen eines Fürsten. Mystischer Kaiser. Das Buch *de tribus impostoribus.*

Nachdem nun Heinrich auf eine neue und größere Weise als im ersten Theile, in der *Erwartung*, wiederum die Natur, Leben und Tod, Krieg, Morgenland, Geschichte und Poesie erlebt und erfahren hat, kehrt er wie in eine alte Heimath in sein Gemüth zurück. Aus dem Verständniß der Welt und seiner selbst entsteht der Trieb zur Verklärung: die wunderbarste Mährchenwelt tritt nun ganz nahe, weil das Herz ihrem Verständniß völlig geöffnet ist.

In der Manessischen Sammlung der Minnesinger finden wir einen ziemlich unverständlichen Wettgesang des Heinrich von Ofterdingen und Klingsohr mit andern Dichtern: statt dieses Kampfspieles wollte der Verfasser einen andern seltsamen poetischen Streit darstellen, den Kampf des guten und bösen Prinzips in Gesängen der Religion und Irreligion, die unsichtbare Welt der sichtbaren entgegen gestellt. „In bacchischer Trunkenheit wetten die Dichter aus Enthusiasmus um den Tod." Wissenschaften werden poetisirt, auch die Mathematik streitet mit. Indianische Pflanzen werden besungen: Indische Mythologie in neuer Verklärung.

Dieses ist der lezte Akt Heinrichs auf Erden, der Übergang zu seiner eignen Verklärung. Dieses ist die Auflösung des ganzen Werks, die *Erfüllung* des Mährchens, welches den ersten Theil beschließt. Auf die übernatürlichste und zugleich natürlichste Weise wird alles erklärt und vollendet, die Scheidewand zwischen Fabel und Wahrheit, zwischen Vergangenheit und Gegenwart ist eingefallen: Glauben, Fantasie, Poesie schließen die innerste Welt auf.

Heinrich kommt in Sophieens Land, in eine Natur, wie sie seyn könnte, in eine allegorische, nachdem er mit Klingsohr über einige sonderbare Zeichen und Ahndungen gesprochen hat. Diese erwachen hauptsächlich bei einem alten Liede, welches er zufällig singen hört, in welchem ein tiefes Wasser an einer verborgenen Stelle beschrieben wird. Durch diesen Gesang erwachen längstvergessene Erinnerungen, er geht nach dem Wasser und findet einen kleinen goldenen Schlüssel, welchen ihm vor Zeiten ein Rabe geraubt hatte, und den er niemals hatte wiederfinden können. Diesen Schlüssel hatte ihm bald nach Mathildens Tode ein alter Mann gegeben, mit dem Bedeuten, er solle ihn zum Kaiser bringen, der würde ihm sagen, was damit zu thun sei. Heinrich geht zum Kaiser, welcher hocherfreut ist, und ihm eine alte Urkunde giebt, in welcher geschrieben steht, daß der Kaiser sie einem Manne zum lesen geben sollte, welcher ihm einst einen goldenen Schlüssel zufällig bringen würde, dieser Mann würde an einem verborgenen Orte ein altes talismanisches Kleinod, einer Karfunkel zur Krone finden, zu welchem die Stelle noch leer gelassen sei. Der Ort selbst ist auch im Pergament beschrieben. — Nach dieser Beschreibung macht sich Heinrich auf den Weg nach einem Berge, er trifft unterwegs den Fremden, der ihm und seinen Eltern zuerst von der blauen Blume erzählt hatte, er spricht mit ihm über die Offenbarung. Er geht in den Berg hinein und Cyane folgt ihm treulich nach.

Bald kommt er in jenes wunderbare Land, in welchem Luft und Wasser, Blumen und Thiere von ganz verschiedener Art sind, als in unsrer irdischen Natur. Zugleich verwandelt sich das Gedicht stellenweise in ein Schauspiel. „Menschen, Thiere, Pflanzen, Steine und Gestirne, Elemente, Töne, Farben, kommen zusammen wie Eine Familie, handeln und sprechen wie Ein Geschlecht." — „ Blumen und Thiere sprechen über den Menschen." — „Die Mährchenwelt wird ganz sichtbar, die wirkliche Welt selbst wird wie ein Mährchen angesehn." Er findet die blaue Blume, es ist Mathilde, die schläft und den Karfunkel hat, ein kleines Mädchen, sein und Mathildens Kind, sitzt bei einem Sarge, und verjüngt ihn. — „Dieses Kind ist die Urwelt, die goldne Zeit am Ende." — „Hier ist die christliche Religion mit der heidnischen ausgesöhnt, die Geschichte des Orpheus, der Psyche, und andere werden besungen." —

Heinrich pflückt die blaue Blume, und erlöst Mathilden von ihrem Zauber, aber sie geht ihm wieder verlohren, er erstarrt im Schmerz und wird ein Stein. „Edda (die blaue Blume, die Morgenländerinn, Mathilde) opfert sich an dem Steine, er verwandelt sich in einen klingenden Baum. Cyane haut den Baum um, und verbrennt sich mit ihm, er wird ein goldner Widder. Edda, Mathilde muß ihn opfern, er wird wieder ein Mensch. Während dieser Verwandlungen hat er allerlei wunderliche Gespräche."

Er ist glücklich mit Mathilden, die zugleich die Morgenländerinn und Cyane ist. Das froheste Fest des Gemüths wird gefeyert. Alles vorhergehende war Tod. Letzter Traum und Erwachen. „Klingsohr kömmt wieder als König von Atlantis. Heinrichs Mutter ist Fantasie, der Vater ist der Sinn, Schwaning ist der Mond, der Bergmann ist der Antiquar, auch zugleich das Eisen. Kaiser Friedrich ist Arktur. Auch der Graf von Hohenzollern und die Kaufleute kommen wieder." Alles fließt in eine Allegorie zusammen. Cyane bringt dem Kaiser den Stein, aber Heinrich ist nun selbst der Dichter aus jenem Mährchen, welches ihm vordem die Kaufleute erzählten.

Das selige Land leidet nur noch von einer Bezauberung, indem es dem Wechsel der Jahreszeiten unterworfen ist, Heinrich zerstört das Sonnenreich. Mit einem großen Gedicht, wovon nur der Anfang aufgeschrieben ist, sollte das ganze Werk beschlossen werden [es folgt das Gedicht *Die Vermählung der Jahrszeiten* S. 198].

Sie fahren zur Sonne, und hohlen zuerst den Tag, dann zur Nacht, dann nach Norden, um den Winter, alsdann nach Süden, um den Sommer zu finden, von Osten bringen sie den Frühling, von Westen den Herbst. Dann eilen sie zur Jugend, dann zum Alter, zur Vergangenheit, wie zur Zukunft. —

Dieses ist, was ich dem Leser aus meinen Erinnerungen, und aus einzelnen Worten und Winken in den Papieren meines Freundes habe geben können. Die Ausarbeitung dieser großen Aufgabe würde ein bleibendes Denkmal einer neuen Poesie gewesen seyn. Ich habe in dieser Anzeige lieber trocken und kurz seyn wollen, als in die Gefahr geraten, von meiner Fantasie etwas hinzuzusetzen. Vielleicht rührt manchen Leser das Fragmentarische dieser Verse und Worte so wie mich, der nicht mit einer andächtigern Wehmuth ein Stückchen von einem zertrümmerten Bilde des Raphael oder Correggio betrachten würde.   L. T.

In der fünften der „Hymnen an die Nacht" steht das Verhältnis von Mythos und Geschichte in Frage. Es ist ein zentrales Motiv in den Schriften Novalis' und findet sich an dieser Stelle in besonders aufschlußreicher Weise behandelt. Zu Beginn der Hymne ruft Novalis die Bildvorstellung der griechisch-antiken Sagenwelt wach. Alles Sein, des Meeres Tiefe, die Flüsse, Bäume, Blumen und Tiere, erscheinen demnach belebt, beseelt und vergöttlicht. Die „Himmelskinder" finden sich vereint mit den „Erdbewohnern" in einem „ewig bunten Fest", gleich einem immerwährenden Frühling. Nichts existiert, was nicht allein schon durch die bloße Tatsache, daß es existiert und sinnlich erfahrbar in Erscheinung tritt, von Sinn erfüllt wäre. Es gibt keine Zufälligkeit und Bedeutungsleere im Dasein, auch nicht in den geringsten Dingen und Vorgängen. Unverkennbar ist der Anklang an das idealisierende Bild von der Antike, wie es in der klassisch-humanistischen Literatur und in der idealistischen Philosophie etwa zwischen 1770 und 1830 in Deutschland entworfen wurde.

Soweit diese Literatur und Philosophie einem symbolischen Kunstbegriff verpflichtet waren, der die unmittelbar gegebene Einheit von sinnlicher Erscheinung und Idee postulierte, galt ihr dieser schöne Schein der antiken Bilderwelt als die welthistorisch höchste Ausprägung der Kunst überhaupt. Bei Novalis freilich erscheint das idealische Gemälde brüchig. Gleich zu Beginn der Hymne ist von der Herrschaft eines eisernen Schicksals auf Erden die Rede, obwohl doch diese der Götter Aufenthalt und Heimat sei. Die Interpreten halfen sich mitunter über diese Dissonanz hinweg, indem sie den zitierten mythischen Zustand als die Darstellung verschiedener Etappen einer Kosmogonie verstanden: Am Anfang sei ein vormythischer, chaotischer Zustand gedacht, in dem das Schicksal mit stummer Gewalt herrsche und aus dem dann allmählich die schöne Welt des Mythos erwachse. Allein, die sagenhaften Götter sind bereits in jenem angeblich ersten Stadium auf Erden. Obwohl sie allen Dingen den schönen Schein der Bedeutung verleihen, scheinen sie doch das Schicksal nicht bannen zu können, das die Sprache sinnerfüllten Lebens zum Verstummen zu bringen droht. Auch in den dann aufgegriffenen kosmogonischen und theogonischen Vorstellungen macht sich jene Dissonanz bemerkbar. Die Herrlichkeit des Göttergeschlechts und mit ihr die festliche Heiterkeit des menschlichen Daseins verdankt sich der Unterdrückung und Vergewaltigung der in den Tartarus verbannten Titanen*. Auch hier wieder wird an das düstere Schicksal erinnert, das unter der lichten Oberfläche der Welt – wenn auch ohnmächtig – präsent bleibt.

Ganz entschieden also rückt Novalis immer wieder ins Bewußtsein, was von einer klassizistischen Aneignung der Mythen verschwiegen oder zum Schönen stilisiert wurde. Entsprechend der etwas später einsetzenden Mythenforschung, etwa eines Creuzer, Görres oder Kanne, ist ihm die Akzentuierung dessen wichtig, was dem klassischen Griechentum vorausgeht bzw. was mit der Vorstellung universaler Versöhnung nicht in Einklang zu bringen ist, oder was, wie das Klingsohr-Märchen im „Heinrich von Ofterdingen" und seine nordische Mythologie, in ganz anderen, weniger idealischen Gefilden sich abspielt. In Novalis' Konfrontation mit der deutschen Klassik sind ihm seine Gedanken zum Mythos eines seiner wichtigsten Mittel zur Artikulation eigener Positionen.

Man kann die nach Novalis' Auffassung zur Auseinandersetzung herausfordernde Aneignung der griechischen Mythen exemplarisch demonstrieren an Schillers 1788 entstandenem Gedicht „Die Götter Griechenlands". Gleich zu Beginn wird sehnsuchtsvoll die Zeit erinnert, „Da der Dichtkunst malerische Hülle / Sich noch lieblich um die Wahrheit wand". Und im Gegensatz zur Seelenlosigkeit der heutigen Zeit rühmt Schiller dann die damalige Lebensfülle und Sinnhaftigkeit des Daseins. Deutlich wird sofort der Projektionscharakter einer solchen Interpretationsperspektive. Aus einer Situation heraus, in der die aufkommende Wissenschaft und Technik und die über den Warentausch vermittelten gesellschaftlichen Funktionszusammenhänge zunehmend den begrenzten Erfahrungshorizont des einzelnen überschreiten und zur Abstraktion vom unmittelbar Wahrgenommenen zwingen, wird die Bedeutungsfülle konkreter Erfahrungsgegenstände als Wunschvorstellung in frühere Zeiten

---

*Vgl. zur Erklärung der Textstellen im einzelnen die Erläuterungen in diesem Band Seite 232ff.

projiziert. Auch die Vorstellung von der Wahrheit, die in der Neuzeit
in Begriffen präsent sei, früher aber durch die Dichtkunst phantasievoll
personifiziert gewesen sei, läßt die Eigenart früherer Vorstellungsformen
und ihre mögliche Befremdlichkeit, ja ihre eventuelle Unvereinbarkeit
mit neuzeitlichen Wünschen und neuzeitlichem Wissen, kaum zur
Geltung kommen.

Novalis hingegen interessieren an den Mythen gerade die Aspekte, die
nicht durch harmonisierende Projektionen geprägt sind, sondern den
Blick auch auf das Befremdliche und vielleicht gar Erschreckende jener
archaischen Vorstellungen freigeben. Sofern im griechischen Mythos
der schöne Schein dominiert, so Novalis in nachweislich direkter Konfrontation mit Schillers genanntem Gedicht, handelt es sich um die
ästhetische Kompensation eines grundlegenden Daseinsproblems und
Schicksals: ,,Die Dichtung sangs dem traurigen Bedarfe'' (handschriftliche Fassung). Angespielt ist damit auf den Tod, das befremdlichste
Ereignis eben auch damaliger Existenz, das Phänomen, das am deutlichsten unbewältigt bleibt in der Schönheit mythischer Bildphantasie.
Bei Schiller hieß es: ,,Ein Kuß / Nahm das letzte Leben von der Lippe, /
Still und traurig senkt' ein Genius / Seine Fackel. Schöne, lichte Bilder /
Scherzten auch um die Notwendigkeit, / Und das ernste Schicksal
blickte milder / Durch den Schleier sanfter Menschlichkeit.'' Im direkten
Bezug auf diese Stelle spricht Novalis alternativ von einem ,,entsetzlichen
Traumbild'', ,,Das furchtbar zu den frohen Tischen trat / Und das
Gemüth in wilde Schrecken hüllte''; und verdeutlichend fährt er in
derselben Stanze der fünften Hymne fort: ,,Es war der Tod, der dieses
Lustgelag / Mit Angst und Schmerz und Thränen unterbrach.''

In der Forschung ist behauptet worden, daß der Unterschied zwischen
Schiller, wie er sich in diesem Gedicht äußert, und dem Novalis der
,,Hymnen'' der sei zwischen dem Künstler, der den vergangenen höchsten
Gestaltungsmöglichkeiten nachtrauert, und dem *geschichtsphilosophisch*
orientierten Poeten, der im Fortgang der fünften Hymne eine historisch
zuversichtliche Daseinsauffassung artikuliere. Die These gilt es zu verfolgen, um weiteren Aufschluß über den spezifischen Charakter Nova-
lisscher Vorstellungsformen zu erlangen.

Ein neues Weltalter wird im weiteren Verlauf der fünften Hymne vorgestellt. Die Götter sind verschwunden, die Festfreude menschlichen

Erdendaseins ist der Herrschaft der „dürren Zahl" und des „strengen Maasses" gewichen. Fast scheint es, als würde der von der sinnlichen Üppigkeit früheren Daseins abstrahierende Verstand ähnlich wie bei Schiller nun unweigerlich die Sehnsucht nach jener heiteren griechischen Welt wachrufen. Jedoch: „Ins tiefre Heiligthum, in des Gemüths höhern Raum zog mit ihren Mächten die Seele der Welt." Die Beseeltheit des Lebens, wie es im Anschluß an Schellings Schrift „Von der Weltseele" (1798) heißt, ist nunmehr aufgehoben in menschlicher Innerlichkeit, ja ihr widerfährt sogar eine Steigerung, sie erschließt ein tieferes Heiligtum. Die nordische Nacht, in der diese Verinnerlichung im Unterschied zur alltäglichen Geschäftigkeit ihren Platz hat, entfaltet gegenüber der lichten, tageshellen Antike höhere Potenzen der Vergöttlichung menschlichen Daseins. Deren Inbegriff ist Christus, der Menschensohn, der sich in die Nacht des Todes begibt, um den Tod zu überwinden. Die Begrenztheit und Endlichkeit menschlicher Existenz wird so in der inneren Gewißheit dieser geoffenbarten Bewältigung des Schicksals besiegt.

Diese Vorstellung von der durch Christus offenbar gewordenen Unsterblichkeit der Seele und damit der Unendlichkeit des Subjekts kann nun durchaus als geschichtsphilosophische Gedankenfolge arrangiert werden. So, wenn etwas später Hegel die Heraufkunft der christlichen Welt als Fortschreiten des Geistes auffaßt, in dem dessen Fähigkeit, alle Grenzen und endliche Beschränktheit mythischen Daseins aufzuheben, den Übergang in ein höheres Stadium der Geschichte bewirke. Und in der Tat entwickelt auch Novalis im weiteren genauere Vorstellungen über die Fähigkeit zur Aufhebung, zum Übersteigen der Grenzen früherer geschichtlicher Lebens- und Vorstellungsformen. Man denke an jenen Sänger, „unter Hellas heiterm Himmel geboren", der mit der Botschaft Christi „voll Freudigkeit nach Indostan" zieht. In ihm ist die Vereinigung aller Religionen, aller Zeiten und auch die Überschreitung aller räumlichen Grenzen symbolisiert. Hegel wird später in seinen »Vorlesungen über die Ästhetik« (1817 ff.) davon sprechen, daß in der neueren Zeit der Geist nicht mehr der „festen Beschränkung auf einen bestimmten Kreis des Inhalts und der Auffassung" unterliege, sondern in seine eigene Brust hinabsteige, um die „Tiefen und Höhen des menschlichen Gemüts" zu vergegenwärtigen. Diese innere Kraft findet ihren höchsten Ausdruck in der auch von Novalis benannten allumfassenden synthetisierenden Potenz

des Christentums. Sie setzt sozialhistorisch gesehen die in der bürgerlichen
Gesellschaft beginnende Lösung von den starren traditionalen Bindungen
archaischer Gesellschaften voraus, welche der idealistischen Philosophie
zufolge die Herausbildung autonomer, unendlicher Subjektivität ermögliche.

Bei Novalis freilich mündet diese Feier des Christentums nicht in Aus-
sagen über entwickeltere geschichtliche Formationen, sondern in das
stark pietistisch und mystisch gefärbte Lied von einem ,,letzten Abendmahle" und von der Hochzeit im Tod als Zeichen allumfassender Vereinigung. Das synkretistische Motiv wird in einer deutlich endzeitlichen,
die Geschichte übersteigenden Vorstellung zu Ende geführt. Dies wird
dann in der abschließenden sechsten Hymne weiter ausgeführt: ,,Was
sollen wir auf dieser Welt / Mit unsrer Lieb' und Treue. / Das Alte wird
hintangestellt, / Was soll uns dann das Neue." Während man die Über-
windung des Alten und auch des Gegenwärtigen noch dialektisch in einer
geschichtsphilosophischen Triade denken könnte als Aussicht auf eine
vollkommenere Zukunft, ist bei Novalis der transhistorische Charakter
der Hoffnung unverkennbar: ,,Was sollen wir auf dieser Welt . . ." Und
abschließend wird dann ja auch die Erfüllung als ,,Rückkehr" apostro-
phiert. Dies steht, wenn man vom christlichen Erlösungsgedanken ab-
sieht, mythisch-zyklischen Weltauffassungen nahe, nicht aber dem geschichtsphilosophischen Entwurf fortschreitender Entwicklung. Wird
schließlich bei Novalis an die Aufhebung naturwüchsiger Begrenzungen
gedacht, so bedeutet das, wie sich zeigte, keine Rechtfertigung der
Objektivierungen menschlichen Geistes, wie sie im Verlaufe einer von
den Menschen zunehmend selbstgemachten Geschichte entstanden sind;
man denke an die die Subjektivität des einzelnen übergreifenden stabilen
Gebilde, wie Staat, soziale und wirtschaftliche Ordnung. Aufhebung
wird vielmehr vorgestellt als Auflösung aller festen Ordnungen und
Bestimmungen, seien es naturwüchsige, seien es von den Menschen
geschaffene historische. Dies reicht hin bis zur Aufhebung der Identität
der Geschlechter, die mehrmals als eine äußerste Form der Vereinigung
aller Gegensätze gedacht wird, so wenn es von Christus und der Beziehung
zu ihm am Ende der sechsten Hymne heißt: ,,Hinunter zu der süßen
Braut, / Zu Jesus, dem Geliebten —" Dies geht ferner bis zur Inzest-
Vorstellung, wie in der ersten Hymne, wo das Bild der Geliebten sich

mit dem der Mutter im Liebeswunsch vereinigt – es geht schließlich
auch bis zur Vorstellung aufgehobener zeitlicher und räumlicher Ordnungen in den Bereichen der Nacht, im Schlaf, im Rausch (zweite
Hymne) und schließlich im Tod.

Die Novalisschen Bilder haben, ohne jegliche Rücksicht auf fort-
geschrittene gesellschaftliche und geschichtliche Ordnungen, einen
regressiven Gehalt. Es sind Wunschphantasien, wie sie aus den konkreten
problematischen Erfahrungen der einzelnen hervorgehen mögen. Geschichtsphilosophische Überlegungen, wie sie Novalis im Unterschied zu
Schiller in diesem Zusammenhang unterstellt wurden, hätten andere
geistige Fähigkeiten in den Mittelpunkt zu stellen, so die Befähigung
zur Planung, zur Langsicht im Hinblick auf eine verbesserte künftige
historische Verfassung und damit die Fähigkeit, über das gegenwärtig
Gegebene abstrahierend hinauszudenken. Hier aber findet sich die
Vergegenwärtigung konkret erlebter Ängste und Hoffnungen. Die dritte
Hymne gibt über diesen konkreten Erfahrungsgehalt nähere Auskunft.
Sie erinnert an das schmerzliche Erlebnis des Besuchs am Grab der
Geliebten Sophie von Kühn. Sie reflektiert die für die Existenz der einzelnen Individuen zentrale Erfahrung der Endlichkeit des Daseins. Sie
ruft die Gefühle der Verzweiflung wach und, um diese zu überwinden,
die Phantasiebilder von der besiegten Endlichkeit, der ewigen Verklärung
der Geliebten. Sie ist damit Ausgangspunkt* von inhaltlich über den
unmittelbar erlebten Anlaß hinausgehenden Spekulationen über Ent-
zweiung und Vereinigung in der Welt. Diese aber bleiben dennoch immer
durchaus lyrisch-persönlich geprägt. Damit finden sich die Hymnen des
Novalis in der Reihe lyrisch-hymnischer Dichtungen von Klopstock bis
Nietzsche und Rilke, in denen die weitausgreifendsten welt- und heils-
geschichtlichen bzw. mythologischen Entwürfe in einer eigentümlich
persönlichen Aneignung präsentiert werden – dabei das Genie des den
Zusammenhang stiftenden Dichters feiernd**.

* Man hat in der Forschung aus dieser dritten Hymne geglaubt eine Urhymne
erschließen zu können, die in unmittelbarer zeitlicher Nachbarschaft zu diesen
Erlebnissen an Sophies Grab, also 1797, zwei bis drei Jahre vor den überlieferten
beiden Fassungen, zu denken sei. Näheres zu dieser Konjektur ist als Erläuterung
zu Seite 13 ausgeführt.
** Vgl. dazu Max Kommerell: Novalis: Hymnen an die Nacht. In: M. K.: Gedanken
über Gedichte. Frankfurt a. M. ²1956, bes. Seite 432 ff.

In der neueren Mythenforschung ist die Eigenart des Mythos gegenüber
anderen Denkformen durch die Formel gekennzeichnet worden, daß der
Mythos Strukturen schaffe aufgrund von Ereignissen, d. h. daß er von
immer wiederkehrenden Erfahrungen grundlegender Daseinsprobleme
ausgeht, um sie in einer Erzählstruktur sinngebend zu bewältigen.
Dies stehe im Gegensatz zu anderen, neueren geistigen Formen, wie
Wissenschaft und Philosophie, welche Ereignisse schaffen aufgrund von
Strukturen, d. h. die Welt von abstrahierenden theoretischen Einstel-
lungen aus geschichtlich neu zu gestalten versuchen*. Diese Bestimmung des Mythos wirft ein begrifflich klärendes Licht auch auf die
poetische Produktion des Novalis in den Hymnen. Denn sie bezieht sich
eben noch bei den umfassendsten Entwürfen auf nicht eliminierbare,
immer wieder präsente Erfahrungsgehalte, die die antiken Sagen ebenso
wie die modernen Bildphantasien prägen. Freilich werden wesentliche
Unterschiede in der Verarbeitung dieser Erfahrungen namhaft gemacht.
Denn in der modernen, besonders bürgerlichen Welt wird vor allem der
Tod als Trauma erfahren. Er erscheint als Einbruch des zunächst
inkommensurablen Schicksals in den Bereich individueller Selbstverant-
wortung. Gegenüber der archaischen Einbettung des Lebens des einzelnen in traditional verbürgte rituelle Vollzüge hat ja der einzelne im
,,Prozeß der Zivilisation'' (Elias) gelernt, sich als mehr oder minder
autonomes, sich selbst beherrschendes Wesen zu begreifen, sich in
seinen Affekten und Regungen zu kontrollieren und sich zur individuellen
Einheit der Person zu formen. Demgegenüber müssen alle naturalen
Abläufe, wie das Sterben, in anderer Weise als früher als Zufälligkeit
erfahren werden und sind nur noch zu verarbeiten durch die Vorstellung
der Unendlichkeit im Innern, in der Seele, dem ,,Gemüt'' des Subjekts.
Daher auch jene vom früheren Mythos abweichende lyrische Prägung
der Todesvorstellung bei Novalis. Vergleichbar aber dem Mythos und
daher gleichsam am Schnittpunkt von Mythos und neuerer Poesie
gelegen ist das Insistieren auf solchen Grunderfahrungen und ihrer
bildschaffenden Bewältigung. – Im frühromantischen Programm einer
neuen Mythologie, das bei Friedrich Schlegel, Novalis bis hin zu den

---

* Claude Lévi-Strauss: Das wilde Denken. Deutsch von Hans Naumann (Originalausgabe: La pensée sauvage, Paris 1962). Frankfurt a. M. 1973, Seite 36.

frühen Schriften Schellings erwogen wird, ist dies auf den Begriff gebracht. Friedrich Schlegels „Rede über die Mythologie" zufolge (vgl. das 1800 erschienene „Gespräch über die Poesie") wird der moderne Mythos sich nicht mehr „unmittelbar anschließen und anbilden an das Nächste, Lebendigste der sinnlichen Welt", sondern aus den Tiefen des Inneren und des Geistes heraus ein allumfassendes synthetisches Kunstwerk schaffen. Aber er wird gegenüber den zeitgenössischen Zweifeln an der Möglichkeit moderner Kunst angesichts der angeblich fortgeschritteneren Formen des Geistes der bildschaffenden Phantasie verpflichtet bleiben.

In den letzten Jahren hat in den wissenschafts- und kunstgeschichtlichen Forschungen die kritische Abkehr von geschichtsphilosophischen und humanistisch-idealistischen Positionen seit dem Ende des 18. Jahrhunderts stärkere Beachtung gefunden. So wird das „Denken des Draußen" (Foucault) in den Blick gerückt, d. h. die Versuche, das zu erfassen, was in die Verpflichtung auf die Vorstellung individueller Autonomie und selbstgemachter Geschichte nicht integrierbar ist. Solche Forschungsgegenstände sind, ausgehend von der Erfahrung der Endlichkeit und des Todes, etwa das Häßliche im Gegensatz zum schönen Schein des Klassizismus, der Wahn im Gegensatz zum gesunden bürgerlichen Menschenverstand und zur Fiktion autonomer selbstverantworteter Subjektivität, die Erörterung des Zufalls im Gegensatz zur Vorstellung von der Kontinuität der Geschichte und schließlich eben die Rekonstruktionsversuche einer Mythologie im Gegensatz zu jenen angeblich avancierteren geistigen Leistungen. Es wird auch im folgenden zu beachten sein, welchen Beitrag die poetischen Schriften des Novalis hierzu leisten, aber ebenso auch, inwiefern sie in dieser Hinsicht ambivalent sind, d. h. doch andererseits auch die idealistischen Vorstellungen, mit denen sie sich auseinandersetzen, sogar noch in recht problematischer Weise steigern.

In einem aus dem Nachlaß überlieferten Fragment schreibt Novalis im Jahre 1800, zur Zeit der Abfassung seines Romans „Heinrich von Ofterdingen" also: „Der Roman ist gleichsam die *freye Geschichte* – gleichsam die Mythologie der Geschichte." „Mytho[logie] hier in meinem Sinn, als freye poëtische Erfindung, die die Wircklichkeit sehr mannichfach symbolisirt etc." Und noch weitergehend überlegt er: „Sollte nicht eine Naturmythologie möglich seyn?" (Fragmente und Studien 1799 bis 1800, III, 668*.)

Wie schlagen sich solche Räsonnements nun in Novalis' eigenem Roman nieder? Zunächst gibt eine Romanfigur selbst, nämlich Klingsohr im siebten Kapitel des ersten Teils, einen zusammenfassenden Überblick über die wichtigsten Abschnitte des bisherigen Geschehnisablaufs. Auf der Reise nach Augsburg, die zugleich der Weg in das in Heinrichs Innerem liegende Reich der Poesie ist, habe die Dichtkunst zuerst in den Erzählungen der Kaufleute über Arion und Atlantis ihre Stimme erhoben (zweites und drittes Kapitel). Sodann habe Heinrich „das Land der Poesie, das romantische Morgenland" begrüßt, so wie es aus den Berichten der Ritter und Zulimas ihm vor Augen trat (viertes Kapitel). Schließlich seien Heinrich die Natur und die Geschichte in Gestalt eines Bergmannes und eines Einsiedlers begegnet (fünftes Kapitel); und, so fügt Heinrich hinzu, das Beste habe Klingsohr in seiner Aufzählung vergessen: „die himmlische Erscheinung der Liebe" (sechstes bis achtes Kapitel). Durch Mathilde, so können wir auf den weiteren Verlauf des Romans blickend ergänzen, lernt er nicht nur das Glück der Vereinigung in der Liebe, sondern, zum zweiten Teil überleitend, auch im Tode kennen. Sein Reifungsprozeß zum Dichter wird ferner im Einklang mit diesen, neue Zusammenhänge stiftenden Ereignissen durch Klingsohrs Anleitungen in den höheren Formen der Poesie befördert. Sie reicht bis hin zur Erzählung des Märchens im neunten Kapitel.

Uns interessiert hier zunächst jene eigentümliche Geschichtsauffassung, die uns im fünften Kapitel entgegentritt. Sie macht verständlich, was eine freie, mythologisch konzipierte Geschichte bedeutet. Der Geschichtsschreiber, so verlautet aus dem Munde des Grafen von Hohenzollern, müsse wohl „nothwendig auch ein Dichter seyn", denn nur der Dichter verstehe sich auf die Kunst, die „Begebenheiten schicklich zu verknüpfen". Er bemerke „die geheime Verkettung des Ehemaligen und Künftigen", er ermögliche so, „daß jede sorgfältige Betrachtung der Schicksale des Lebens einen tiefen, unerschöpflichen Genuß" gewähre, uns über die irdischen Übel erhebe und uns eine himmlisch

---

* Zitiert wird aus den Schriften, die nicht in diesem Band abgedruckt sind, nach der von Samuel u. a. herausgegebenen historisch-kritischen Ausgabe (zweite Auflage), Bandzahl in römischen Ziffern, Seitenzahl in arabischen Ziffern.

,,tröstende und erbauende Freundinn" werde. Ästhetisierend und erbau-
lich also ist diese ,,freye poetische Erfindung" einer mythologischen
Geschichte und ihrer geheimen und einfachen Zusammenhänge. Dies
steht dem Geschichtsverständnis recht fern, welches sich seit der zweiten
Hälfte des 18. Jahrhunderts mit der Erfahrung zunehmend beschleu-
nigter Abläufe, des schnellen Veraltens des Überlieferten und der um-
stürzenden Qualität der neuen Geschehnisse langsam durchsetzt. Die
damit verbundene Hoffnung auf eine selbstgemachte zukunftsorientierte
Geschichte löst das alte erbauliche Ideal einer ,,historia magistra vitae",
einer Geschichte als Lehrmeisterin des Lebens, ab. Denn ein solches
Ideal gründet auf einer statischen Geschichtserfahrung des immer
Wiederkehrenden, dessen Erkenntnis daher auch alle künftigen Lebens-
vollzüge bestimmen könne. Dieselbe, zunächst unmodern anmutende
Auffassungsweise finden wir im Naturverständnis bei Novalis. Auch die
moderne Trennung von Natur und Geschichte als dem fortschreitenden
Geiste der Freiheit gegenüber dem Reich der Gesetze, des kausal
Determinierten und Erklärbaren, macht sich Novalis nicht zu eigen.
Die Natur wird von ihm poetisch verlebendigt und in mythisch bedeutsamen Konfigurationen arrangiert. Das Wissen des alten Bergmanns ist
keine technisch-wissenschaftliche Theorie im heute geläufigen Sinn,
sondern allegorische Naturgeschichte.

Voraussetzung für die Sichtbarmachung jener verborgenen Verknüpfungen und Konstellationen ist, wie verschiedentlich betont wird, die Zerstörung, der Krieg, die Auflösung aller überkommenen, das geschichtliche
Leben bestimmenden Bindungen. So, wenn der Graf von Hohenzollern
vom ,,hohen poetischen Geist" spricht, ,,der ein Kriegsheer begleite",
oder wenn Klingsohr im achten Kapitel die ,,große Auflösung", den
Untergang und den Wahnsinn preist, den der Krieg hervorrufe. In den
Paralipomena zum Roman heißt es denn auch kurz und bündig: ,,Poésie
der Armuth – des Zerstörten und Verheerten." Immer wieder erscheint
dieses Motiv in Novalis' Schriften an exponierter Stelle, insbesondere an
denen, wo er sich mit Geschichte und Politik befaßt. So etwa, wenn er
in dem Essay ,,Die Christenheit oder Europa" (1799) die Anarchie und
die ,,Vernichtung alles Positiven" feiert (III, 517). Gelegentlich ist in
diesem Zusammenhang auch von Revolution die Rede. Dies ist aufschlußreich. Denn ursprünglich dachte Novalis dabei an die französische

Revolution von 1789 und ihre fortschrittsorientierten, aufklärerischen Errungenschaften. Nachdem im letzten Jahrzehnt des 18. Jahrhunderts ihr weiterer Verlauf als ein Weg in die Despotie sichtbar geworden war (vgl. die Zeittafel in diesem Band), trat bei den meisten, zunächst begeisterten deutschen Intellektuellen Ernüchterung ein. Novalis gar hielt man vor, zu ausgesprochen restaurativen politischen Idealen, etwa im Sinne des englischen Revolutionskritikers Edmund Burke, Zuflucht gesucht zu haben. Aber Novalis' Überlegungen sind viel zu unorthodox und spekulativ auf eine Mythologie der Geschichte gerichtet, als daß ihr auf konkrete politische und geschichtliche Fragen zu beziehende Kategorien wie „progressiv" oder „restaurativ" gerecht werden könnten. Wo die Zerstörung als Voraussetzung für poetische Konjunktionen propagiert wird, ist keine verantwortungsbewußte tagespolitische Stellungnahme beabsichtigt.

Wiederum in einem der Paralipomena zum Ofterdingen-Roman heißt es, daß die Menschen im Krieg sich töten müßten und daß der Tod vor allem jene poetisch-romantischen Farben male, auf die es ihm, Novalis, ankomme. Und tatsächlich ist der Tod wiederum, wie schon in den Hymnen, als Grunderfahrung auch im Roman selbst allseits gegenwärtig. Der Einsiedler gewinnt seine Einsichten über eine poetische Geschichte, nachdem er sich aus Gram über den Verlust seiner engsten Angehörigen in den unterirdischen Bereich der Höhle zurückgezogen hat und in der Nachbarschaft der Zeugen von Vergänglichkeit lebt, der Knochen und Skelette verendeter Tiere. Heinrich selbst kann erst endgültig zum Dichter reifen und im zweiten Teil als Dichter verklärt werden, nachdem er den Tod Mathildes erlebt hat. Und ganz so ist im Klingsohr-Märchen des neunten Kapitels ja der Tod der Mutter das wichtigste Ereignis und die Voraussetzung für die Herbeiführung eines goldenen Zeitalters. Denn im Tod, wie sich schon in den Hymnen zeigte, erfährt der Dichter die Endlichkeit als Problem und eröffnen sich ihm Möglichkeiten der Imagination, sie zu überwinden. Erst auf dieser Voraussetzung der universellen und unendlichen Verknüpfung allen Daseins erschließt sich die wahre poetische Welt. Deshalb und um diese poetische Potenz zu veranschaulichen, greift Novalis auf Spekulationen der damaligen romantischen Naturphilosophie zurück, wie etwa die im Märchen über die geheimen verbindenden Naturkräfte der Elektrizität, des Magnetismus und des Galvanismus (vgl. die Paralipomena und die Erläuterungen zum Klingsohr-Märchen).

„Poesie der Wissenschaften" lautet dazu der Kommentar. Entsprechend auch ist in den Paralipomena von der Metempsychose, der Lehre von der Seelenwanderung und Reinkarnation der Seele, die Rede. Unter Auflösung jeglicher Grenzen personaler Identität gehen die Figuren ineinander über. Heinrich, so lautet ein Entwurf zur Fortsetzung des Romans, „wird im Wahnsinn Stein, – ‹Blume› klingender Baum – goldner Widder –". Und schließlich ist es die enzyklopädische Tendenz, welche den ganzen Roman in seinen ausgeführten und projektierten Teilen durchzieht und strukturiert, die so gesehen verständlich wird. Das Heterogenste und Entlegenste soll in einen Zusammenhang gebracht werden: „Die entferntesten und verschiedenartigsten Sagen und Begebenheiten verknüpft. Dies ist eine Erfindung von mir." In einem Brief an Friedrich Schlegel aus dem Jahre 1800 ist in diesem Sinn von der „Vermischung des Romantischen aller Zeiten" als einer Hauptabsicht des Romans die Rede. „In diesem Menschenkreis, wo man um die Wette Kulturabläufe wendete, Aufklärungen rückgängig machte, Überlieferungen zerbrach und Kirchen stiftete, ist hier wohl der Gipfel der verwegensten Freiheit erreicht", heißt es in einer treffenden Charakteristik der Frühromantik (Kommerell), die für die Hymnen des Novalis ebenso gilt wie für den „Ofterdingen". – In seiner Notizensammlung „Das Allgemeine Brouillon" aus den Jahren 1798/99 hatte Novalis in der Tat auch bereits Pläne zu einer allumfassenden „Enzyklopädistik" entworfen. Wichtig war ihm dabei nicht zuletzt, die geeigneten Formen der Verknüpfung zu eruieren, eine „Constructionslehre des schaffenden Geistes" zu erstellen, derzufolge in paradoxer Art noch das Extremste die Zusammenhänge stiftet. An anderer Stelle ist in diesem Sinne von einer „Wechselrepraesentationslehre des Universums" (III, 266) die Rede.

Die synkretistischen Tendenzen finden ihren Niederschlag auch und vor allem in Novalis' Kunstbegriff. Im Gegensatz zur klassizistischen Vorstellung von der Verbindlichkeit und objektiven Bedeutung der Gattungsgrenzen favorisiert Novalis die Mischung aller Künste. „Epos, Lyra und Drama" sind ihm zufolge „unzertrennliche Elemente, die in jedem freien Kunstwesen zusammen" vorkommen sollten (II, 546). Als eine diesem Postulat besonders weit entgegenkommende Kunstform wird der

Roman verstanden. Im damaligen Sprachgebrauch ist „romantisch"
sogar weitgehend identisch mit „romanhaft" und meint die alle Formen
mischende und umfassende, antiklassische Kunstübung. Sie wird gedacht
als unendliche Progression, als Poetisierung des Gedanken- und Vor-
stellungsmaterials auf immer neuen Ebenen und unter Zuhilfenahme
der verschiedensten Ausdrucksformen, wie im Ofterdingen-Roman der
Prosaerzählung, des Gedichts, des Märchens. Eine solche Kunstpraxis
verlangt ganz offenkundig jene bereits besprochene Abkehr auch von
der klassizistischen Symbolvorstellung: Die Bedeutung soll nicht im
konkreten Vorstellungsgehalt unmerklich und wie selbstverständlich
einfach präsent sein, sondern es soll gerade die poetisierende Kraft
sichtbar werden, die noch das Entfernteste verbindet. Wenn Novalis
daher von Symbolisieren spricht, so ist das, was Goethe in seinem
bekannten Diktum aus den „Maximen und Reflexionen" als Allegorie
streng vom Symbol getrennt wissen will, durchaus mitenthalten. Man
denke hinsichtlich der Kunstpraxis nur an die allegorische Bedeutung
sämtlicher Erscheinungen und Vorgänge im Klingsohr-Märchen*. Mit
diesem Bewußtsein von der poetischen Kraft moderner Dichtung ist
die „Querelle des Anciens et des Modernes", die jahrhundertealte
Streitfrage über die Vorbildhaftigkeit klassisch-antiker Dichtung, zu-
gunsten der Moderne entschieden. Das Problem, daß die Kunst in ihrer
angeblich höchsten Form, nämlich als symbolische, wie sie Schiller
zufolge auf der Grundlage des griechischen Mythos möglich war, vorüber
sei, stellt sich so gesehen nicht mehr.

Der Roman, die prosaische Gattung, die im 18. Jahrhundert das Epos
ablöst und die an sich unpoetische moderne, bürgerliche Wirklichkeit
verarbeiten soll, wird gemäß diesem Kunstverständnis auf ganz eigentümliche Weise poetisiert. Es herrscht im Ofterdingen-Roman gerade
keine widerständige, der Innerlichkeit des einzelnen zunächst fremd
gegenüberstehende Welt, an der sich das Individuum abzuarbeiten hätte.
Die prosaische Wirklichkeit hat kein Eigenrecht, sondern erhält nur die
Funktion zugewiesen, dem Helden Bereiche zu erschließen, die in seinem

---

* Aufschlußreich zu Symbol und Allegorie im Klassizismus und der Romantik ist
Walter Benjamins Kapitel über „Allegorie und Trauerspiel" in seiner Schrift „Der
Ursprung des deutschen Trauerspiels", in: W. B.: Gesammelte Schriften. Band I, 1.
Frankfurt a. M. 1974, Seite 335 ff.

inneren Selbst bereits angelegt sind. So sind etwa die Kaufleute im „Ofterdingen" nicht in ihrer ökonomischen Funktion vorgestellt, sondern agieren als Märchenerzähler. Der Krieg wird nicht als reales, leidbringendes Geschehen vergegenwärtigt, sondern als eine zur Poesie inspirierende Macht. Der Bergbau ist nicht als entbehrungsreiche Arbeit von Bedeutung, sondern als Tätigkeit, die den Weg zu den Schönheiten des Erdinneren erschließt – um nur an einiges aus den einzelnen Reiseabschnitten zu erinnern. Die Reise überhaupt hat im sonstigen Roman zumeist die Funktion, durch räumliche Veränderung und zeitliche Erstreckung eigenständige, bislang dem Helden unbekannte Wirklichkeit zu vergegenwärtigen. Hier heißt es bereits bei Heinrichs Abreise aus Thüringen nach Augsburg im zweiten Kapitel, daß Heinrich den Eindruck habe, er werde in sein Vaterland zurückkommen, ja er reise diesem in der Entfernung von ihm eigentlich zu. Die räumliche Ferne und die Zeitentiefe sind im Modus der Rückkehr zu sich selbst gedacht. Am Ende sollte Heinrich nach Thüringen zurückkommen; die Vermählung der Jahreszeiten sollte den falschen Zauber zeitlichen Ablaufs zerstören. Mit all dem entfällt auch die Aufgabe psychologischer Differenzierung, die sonst den bürgerlichen Roman prägt. Wenn etwa Wilhelm Meister in Goethes Roman seine inneren Dispositionen zur Geltung bringt, wie zu Beginn seinen Phantasiereichtum und seine Theaterleidenschaft, so erscheint das im Kontext seiner Lebenswelt als psychische Pathologie: Er wird blind gegenüber den Erfordernissen der Realität und muß lernen, seine Wünsche und Vorstellungen mit dieser zu vermitteln. Der Roman entfaltet sich demgemäß als ein Bildungsroman, wie es im Titel „Wilhelm Meisters Lehrjahre" auch seinen Ausdruck findet. In einem Brief an Caroline Schlegel (27. 2. 1799) hingegen bemerkt Novalis, daß in bezug auf seinen Roman der Ausdruck „Lehrjahre" falsch sei, sofern er „ein bestimmtes *Wohin*" ausdrücke, eine Bewegung auf ein fernes, noch nicht gegenwärtiges Ziel zu (IV, 281).

Im „Ofterdingen" ist eben im Gegensatz zum Entwicklungsgedanken des Bildungsromans das Ziel im Anfang schon gegenwärtig. Das Symbol der blauen Blume weist darauf hin. Heinrichs Reifungsprozeß ist in jenem Buch des Einsiedlers bereits vorgezeichnet. Es besteht keine Gefahr, daß er seinen Weg verfehlt und sich etwa aufgrund problematischer innerer Anlagen schicksalhaft verstrickt. Alles Spätere ist in den bedeutungsvollen Vorkommnissen von Anfang an präfiguriert. – Goethes „Meister", den wichtigsten Roman jener Jahre, kritisiert Novalis denn auch aufs heftigste. Überspitzt und maßlos, gemessen an seiner Verehrung Goethes, heißt es über den Meister, er sei „ein fatales und albernes Buch", „undichterisch im höchsten Grade". „Die Oeconomische Natur" sei die ihn durchdringende (III, 646), das höhere Recht der Innenwelt werde durch sie beschnitten.

Am Anfang des zweiten Teils finden sich die ebenso berühmten wie schönen und prägnanten Formeln für jene Gestaltungsweise: „Wo gehn wir denn hin? Immer nach Hause", denn vorausgesetzt ist, „daß Schicksal und Gemüth Namen Eines Begriffs sind". Der Roman als eigentlich prosaische Form wird zum Märchen mit seiner traumhaften Sicherheit geglückter Beziehungen. „Es sollte mir lieb seyn", so schreibt Novalis an Friedrich Schlegel im April 1800, „wenn ihr Roman und Märchen in einer glücklichen Mischung zu bemerken glaubtet, und der erste Theil euch eine noch innigere Mischung im 2ten Theile prophezeyhte. Der Roman soll allmälich in Märchen übergehn."

Novalis' Denken und poetische Produktion ist durch diverse geistige Strömungen geprägt. Von der neuen Mythologie und der romantisch-spekulativen Naturwissenschaft war bereits die Rede. Hingewiesen sei noch auf die Einflüsse neuplatonischer Philosophie, vermittelt durch die Schriften eines Tiedemann oder entsprechend durch Hemsterhuis und Franz von Baader. In ihnen wird ein Monismus der Welterklärung vorgeführt, der alles Existierende als ursprüngliche Einheit auffaßt. Dieser Gedanke birgt offenkundig ein gewichtiges Problem, das auch die Schriften Novalis' beinhalten. Es ist dies die Gefahr der Indifferenz gegenüber sachlichen Unterschieden, der Inhaltsleere einer in allen Gegenständen nur dieselbe Form ihrer Vereinigung wiederfindenden Spekulation. Novalis selbst erkennt und reflektiert dieses Problem in der ihn ebenfalls stark prägenden Fichteschen Wissenschaftslehre, in der die Aufhebung alles Fremden ihm immer schon vorab als gesichert erscheint. Er entgeht aber dieser Problematik solcher idealistischen Philosophie nicht, obwohl er als Präventiv empfiehlt, nicht nur das Fremde sich anzueignen, sondern ebenso das Eigene fremd zu machen (III, 405). Ja er steigert sie aufgrund seiner ungehemmten spekulativen Tätigkeit bis zum Extrem. Bereits Hegel und aus anderen Motiven heraus Kierkegaard machten den Frühromantikern denn auch den Vorwurf eines leeren Subjektivismus, der in allem nur sich selbst genieße und zu einer adäquaten Durchdringung der Objektivationen menschlicher Existenz nie gelangen könne.

Die Anregungen der französischen „Encyclopédie" – Novalis studiert genau d'Alemberts „Discours préliminaire des Editeurs" von 1751 (vgl. III, 933 ff.) – mit ihrem Anspruch, das unterschiedlichste Wissen zu akkumulieren im Interesse vernunftgeleiteten praktischen Handelns, verflüchtigt sich ihm zu jener formalen „Constructionslehre des schaffenden Geistes". Im Roman macht sich die Problematik geltend in dem unaufhörlichen Zwang, die poetische Formkraft an immer neuen, immer entlegeneren Gegenständen zu bestätigen. Alle begrenzte Gegenständlichkeit, an die ja jegliche literarische Phantasie und mithin auch die imaginierte Annäherung an ein goldenes Zeitalter um der poetischen Veranschaulichung willen gebunden ist, verlangt demnach in einem unendlichen Progreß immer wieder auch ihre Aufhebung in der Beziehung zu anderen sie noch überbietenden Vorstellungsgehalten. Der Roman muß daher wohl nicht nur als faktisch fragmentarisch, sondern als überhaupt unabschließbar gedacht werden. Schon Novalis' Zeitgenossen, wie Friedrich Schlegel oder Achim von Arnim, haben dies gemutmaßt. – Noch kurz vor seinem Tod soll Novalis übrigens eine völlig neue, das Bisherige nochmals übersteigende Konzeption entworfen haben.

Im Rahmen jener genannten neueren Forschungsrichtungen, die das „Denken des Draußen" seit dem 18. Jahrhundert verfolgen und weiterzutreiben versuchen, wurde die Bedeutung des Todes als eines vom einzelnen als narzißtische Kränkung erfahrenen Schicksals untersucht. Die Literatur betreibe in einigen ihrer wichtigsten Exemplare ein „unendliches Sprechen", um die stumme Sinnlosigkeit der so erfahrenen Zufälligkeit in immer neuen Sprachakten der Bedeutungsgebung zu übertönen (Foucault). Als ein methodisches Vorbild solcher Untersuchungen können die Studien Freuds gelten. Dieser versuchte, u. a. auch dieses moderne narzißtische Syndrom zu erklären, indem er zu zeigen suchte, wie wenig das bürgerliche Subjekt seiner selbst mächtig ist und daher zwanghaft und oft bis zum Wahn gesteigert versuchen müsse, sich Systeme zu errichten, in denen alles Fremde dem eigenen Auffassungs-

horizont und den eigenen libidinösen Wünschen kommensurabel er-
scheine. – Novalis spricht wiederholt und in der problematisierten
Intention davon, daß alles Fremde zum Eigenen werden müsse. Zu über-
legen wäre, ob sich darin nicht ganz entsprechende Wünsche und Ängste
anmelden. Seine Leistung ist es jedenfalls, wie kompromißlos und konse-
quent er den eingeschlagenen Weg verfolgt. Dadurch wird anschaulich,
wie ihm das Eigene unter der Hand zum Zwanghaften und unsouverän
Fremden wird.

In anderen Werken jener Zeit und dann im weiteren Verlauf deutscher
Literaturgeschichte wird dies explizit. So etwa, wenn in Jean Pauls
,,Titan'' oder wenn in den ,,Nachtwachen des Bonaventura'' der Zwang
zur Selbstreflexion und Selbstbespiegelung als Wahnsinn erscheint. Oder,
wenn deutlicher noch in E. T. A. Hofmanns Erzählungen die Selbst-
verantwortlichkeit und Souveränität des Individuums sich endgültig in
zwanghafter Phantasieproduktion verliert. Diese Phantasien sind dann
nicht mehr als bloße Wahngebilde gegenüber dem ,,Normalen'' auf-
klärbar, sondern bestimmen in angstvoller und todbringender Weise
die Existenz. Freud hat einem solchen Sachverhalt, ausgehend von
E. T. A. Hofmann, einen Essay gewidmet, der im Gegensatz zur heime-
ligen Selbstgewißheit des bürgerlichen Subjekts das ,,Unheimliche'' in
den Mittelpunkt rückt. So gesehen ist es alles andere als verbürgt, daß
alle Wege ,,immer nach Hause'' führen.

Helmut Pfotenhauer

1772　2. Mai: Friedrich von Hardenberg (späterer Dichtername: Novalis) auf dem Familiengut Oberwiederstedt als Sohn des Gutsherrn, Verwaltungs- und Bergfachmanns Heinrich Ulrich Freiherr von Hardenberg geboren.

1751–1772: Erscheinen der französischen Enzyklopädie unter der Leitung von Diderot und d'Alembert; geistige Wegbereitung der Französischen Revolution.

1781 Kant: Kritik der reinen Vernunft.

1788　Erste dichterische Versuche Friedrich von Hardenbergs.

Kant: Kritik der praktischen Vernunft.

1789　Begegnung mit Gottfried August Bürger; Sonette und Gedichte.

14. 7.: Erstürmung der Bastille, Ausbruch der Französischen Revolution; Erklärung der Menschenrechte in der Nationalversammlung; weitgehende Sympathie und Begeisterung deutscher Intellektueller, besonders auch der Frühromantiker (Novalis, Friedrich Schlegel, Tieck); spätere Ernüchterung (etwa ab 1793).

1790　Immatrikulation an der Universität Jena, Jurastudium; Besuch von Vorlesungen Schillers.

Burke: Reflections on the Revolution in France (dt. 1793).

Kant: Kritik der Urteilskraft.

1791　Engere Beziehung zu Schiller; Universität Leipzig.

1792　Beginn der Freundschaft mit Friedrich Schlegel.

Hemsterhuis: Œuvres philosophiques.

1793　Universität Wittenberg.

Hinrichtung Ludwigs XVI. in Frankreich; Errichtung der Republik, Jakobinerherrschaft; 1793 f.: Herrschaft Robespierres.

1793 ff.: Schillers ästhetische Schriften (Über Anmut und Würde, Über die ästhetische Erziehung des Menschen, Über naive und sentimentalische Dichtung).

1794　Juristisches Examen in Wittenberg; Aktuarius beim Kreisamt Tennstedt. Erste Begegnung mit Sophie von Kühn (geb. 1782), „eine Viertelstunde" habe über sein Leben entschieden.

Fichte: Wissenschaftslehre.

1795   Inoffizielle Verlobung mit Sophie von Kühn. Begegnung mit Fichte, Hölderlin. Studium der Fichteschen „Wissenschaftslehre".
1795 f.: Goethe: Wilhelm Meisters Lehrjahre.
1795/97: Friedrich Schlegel: Über das Studium der griechischen Poesie.

1796   Chemie-Studien in Langensalza. Im Anschluß an seine Fichte-Studien nach Friedrich Schlegels Meinung in „absolute Schwär-merey" verfallen. Erkrankung Sophie von Kühns.
1796 ff.: Aufstieg Napoleons.

1797   19. März: Tod Sophie von Kühns. 14. April: Tod des Bruders Erasmus. Besuche an Sophies Grab; Beginn eines „Journals" nach Sophies Tod: „Abends gieng ich zu Sophieen. Dort war ich unbeschreiblich freudig – aufblitzende Enthusiasmus Momente – Das Grab blies ich wie Staub, vor mir hin – Jahrhunderte waren wie Momente – ihre Nähe war fühlbar – ich glaubte sie solle immer vortreten" (13. Mai); „Beym Grabe fiel mir ein – daß ich durch meinen Tod der Menschheit eine solche Treue bis in den Tod vorführe" (19. Mai). Kritische Auseinandersetzung mit Goethes „Wilhelm Meister". Begegnung mit August Wilhelm Schlegel, Schelling. Studium an der Bergakademie Freiberg.
Friedrich Schlegel: Lyceums-Fragmente.
Franz von Baader: Beyträge zur Elementar-Phisiologie.

1798   „Vermischte Bemerkungen" („Blüthenstaub") an A. W. Schlegel für das „Athenaeum" geschickt; Bitte um die Unterschrift „Novalis", „welcher Name ein alter Geschlechtername von mir ist, und nicht ganz unpassend". Zusammentreffen mit Goethe, Schiller in Jena. Arbeit an den „Lehrlingen zu Sais". Aufsatz „Glaube und Liebe" erscheint. Fragmente zur romantischen Philosophie; Dialogen; Monolog; Teplitzer Fragmente. Auseinandersetzung mit Schellings „Von der Weltseele"; Beginn einer Materialiensammlung für eine Enzyklopädie, das „Allgemeine Brouillon". Begegnung mit Jean Paul. Verlobung mit Julie von Charpentier.
Schelling: Von der Weltseele.
Friedrich Schlegel: Athenaeums-Fragmente.

1798–1800: F. Schlegel zusammen mit A. W. Schlegel Herausgeber der Zeitschrift „Athenaeum".

Tieck: Franz Sternbalds Wanderungen.

Johann Wilhelm Ritters Schrift über den Galvanismus.

1799   Studium des Bergbaus und der Naturwissenschaften in Freiberg. Beginn der Freundschaft mit Tieck; Besuch bei Herder in Jena und Goethe in Weimar. Niederschrift von „Die Christenheit und Europa"; „Geistliche Lieder". „Romantikertreffen" in Jena (Novalis, Brüder Schlegel, Tieck, Schelling, Ritter). Ende November: Beginn der Arbeit am „Heinrich von Ofterdingen". Ernennung zum Salinenassessor.

Friedrich Schlegel: Lucinde.

1800   Abschluß der handschriftlichen Fassung der „Hymnen an die Nacht". Arbeit am „Ofterdingen", Studium der Werke Jakob Böhmes. Die „Hymnen an die Nacht" erscheinen in revidierter Fassung im letzten Heft des „Athenaeum". Verschlechterung des Gesundheitszustandes (tuberkulöse Erkrankung); Ernennung zum Supernumerar-Amtshauptmann im Thüringischen Kreise.

Schelling: System des transzendentalen Idealismus.

1801   1. Januar: Novalis schreibt an Tieck, daß ihn „eine langwierige Kranckheit des Unterleibes und der Brust völlig außer Thätigkeit gesezt" habe; Mitte Februar: weitere Verschlechterung des Gesundheitszustandes; währenddessen Pläne zu einer gänzlich veränderten Fortsetzung des „Heinrich von Ofterdingen" und zu „herrlichen Gedichten und Liedern". 25. März, 12 Uhr 30: Tod Friedrich von Hardenbergs.

ERLÄUTERUNGEN*

Hymnen an die Nacht**

9   *sinnige:* die mit Sinnen, mit Wahrnehmungsfähigkeit begabte Pflanze.

brennende: das von seinen Begierden getriebene Tier.

Fremdling: Fremdlinge in dieser Welt sind in Novalis' Werk häufig diejenigen, die sich einer vergangenen Zeit der Eintracht erinnern und an deren Wiederkunft glauben (vgl. z.B. ,,Heinrich von Ofterdingen", zweiter Teil, ,,Die Erfüllung").

aus dem Bündel Mohn: Mohn, aus dem Opium gewonnen wird, ist Sinnbild des Schlafs.

11   *der Mutter liebe Jugend:* Das Bild der jugendlichen Mutter ist wohl eine inzestuös angereicherte Vision der verstorbenen jugendlichen Geliebten (vgl. vierte Hymne).

der Liebe geheimes Opfer: Dies bezieht sich auf den Schluß der ersten Hymne in der handschriftlichen Fassung und deren Rede von der Liebe süßem Opfer; nach der Umarbeitung bleibt der Bezug in der Druckfassung, für sich gelesen, unklar.

Heiliger Schlaf: Zustand, in dem der Mensch mit dem Unendlichen kommuniziert, im Gegensatz zum allnächtlichen Schlaf aus bloßer physischer Müdigkeit, den Novalis ,,Schatten" nennt (Zeile 26).

des Mandelbaums Wunderöl: Bittermandelwasser, das man in der Medizin der Zeit häufig gegen Krampfzustände anwendete.

11/13   *dem braunen Safte des Mohns:* Opium.

* Vgl. dazu die Angaben in: Novalis: Schriften. Band I. 3. Auflage. Hrsg. von Paul Kluckhohn und Richard Samuel unter Mitarbeit von Heinz Ritter und Gerhard Schulz. Stuttgart 1977, und in: Novalis: Werke. Hrsg. von Gerhard Schulz. München 1969.
** Zwei Fassungen der ,,Hymnen an die Nacht" sind überliefert: eine handschriftliche Fassung (entstanden um die Jahreswende 1799/1800) und eine spätere Druckfassung, die im August 1800 in der Zeitschrift ,,Athenaeum" erschien. Ausgegangen wird bei den Erläuterungen von der Druckfassung.

13   *Einst . . .:* Allein schon das Präteritum hebt die Hymne aus dem Zusammenhang; Novalis nimmt direkten Bezug auf ein vergangenes persönliches Erlebnis, nämlich eine Vision am Grabe der Geliebten Sophie von Kühn (vgl. die Tagebucheintragung vom 13. Mai 1797, S. 36 des vorliegenden Bandes). — Da der Text somit dem auslösenden Todeserlebnis nähersteht, hat man geglaubt, aus ihm eine „Urhymne", entstanden im Herbst 1797, erschließen zu dürfen. Ein solches Verfahren, wie leicht auch die anderen Konjekturen früherer Fassungen der Hymnen, neigt freilich der durchaus nicht selbstverständlichen hermeneutischen Prämisse zu, daß Novalis' Dichtung vor allem und ursprünglich Erlebnisausdruck sei. Dagegen spricht jedoch vieles im überlieferten Text selbst: die mythologischen Arrangements des Persönlichen, der Rückgriff auf vorgegebene, die Verarbeitung des Erlebnisses von 1797 wahrscheinlich selbst schon strukturierende literarische Vorlagen (vgl. dazu unten).

Zur Staubwolke wurde . . .: Vgl. die Tagebuchnotiz vom 13. Mai. Es läßt sich zeigen, daß diese Vorstellung durchaus literarische Vorbilder hat; so, wenn Karl von Hardenberg, Novalis' Bruder, zwei Tage vorher (Brief vom 11. Mai 1797, S. 36 des vorliegenden Bandes) in einem Schreiben an ihn in bezug auf Jean Pauls „Unsichtbare Loge" ein ganz verwandtes Erweckungserlebnis paraphrasiert (vgl. Schriften, IV, 483).

15   *zum heiligen Grabe, drückend das Kreutz:* charakteristische Vermischung christlicher Symbolik und persönlicher Erfahrung; das heilige Grab ist sowohl das Grab Christi als auch das der Geliebten.

Die krystallene Woge: stilistisch häufige Eigenart in Novalis' Schriften: die Vereinigung der Extreme (kristallin und flüssig) zu einem Oxymoron; die ästhetische Vereinigung des Flüssigen und Festen weist gegenüber den Trennungen des Verstandes (vgl. fünfte Hymne) hin auf die vergangene und noch ausstehende Harmonie der Dinge.

Hütten des Friedens: Im Pietismus war die Hütte der Ort mystisch-religiöser Gemeinschaft (vgl. Matthäus 17,4).

die willkommenste aller Stunden: der Tod.

deiner gewaltigen, leuchtenden Uhr: Der Stand der Sonne zeigt die Zeit an; die Nacht ist demgegenüber zeitlos.

Sie: Gemeint ist offenbar die Geliebte als Tochter der Nacht.

17 *Den kühlenden Kranz:* Gemeint ist unter Anspielung auf antikes Brauchtum der Totenkranz.

Geliebter: Christus; erneut wird die persönliche Disposition mit der Heilsgeschichte verbunden (vgl. sechste Hymne).

19 *Ein alter Riese:* Atlas.

die Ursöhne der Mutter Erde: das Titanengeschlecht; es wurde gezeugt vom Himmel (Kronos) und der Mutter Erde (Gaia). Das „neue herrliche Göttergeschlecht" (Zeile 10) sind die Kinder des Titanen Kronos, die Kroniden (unter ihnen Zeus), die die Titanen in der sog. Titanomachia bekämpfen und besiegen; sie werfen sie in den Tartaros, einen Raum, der noch unter der Unterwelt gelegen ist.

einer Göttin: Aphrodite, die aus dem Schaum des Meeres Geborene.

hatten menschlichen Sinn: In der antiken Mythologie wird nach klassisch-romantischer Auffassung die Natur durch die Götter belebt und vermenschlicht (vgl. Friedrich Schlegel, „Geschichte der Poesie der Griechen und Römer").

21 *von sichtbarer Jugendfülle:* Hebe, Göttin der Jugend, Mundschenkin im Olymp.

ein Gott in den Trauben: Dionysos.

eine liebende, mütterliche Göttin: Demeter, die alles Ernährende.

der schönsten Götterfrau: Aphrodite.

die zarte, tausendfältige Flamme: bei Novalis Topos der Synthese und der Harmonie.

Ein entsetzliches Traumbild: Der Tod, den nach Novalis die antike Mythologie nicht zu fassen imstande sei, was ihre Grenze darstelle. Die folgenden Stanzen wurden häufig als eine Auseinandersetzung mit Schillers Gedicht „Die Götter Griechenlands" (1788) gesehen, das die schöne, heitere Welt der antiken Mythologie feiert und, ohne jene Grenze zu sehen, ihren Verlust betrauert.

Ein sanfter Jüngling: der Tod als Knabe, der eine umgekehrte
Fackel in der Hand trägt (vgl. Schiller, „Die Götter Griechenlands", Verse 105 ff.).

das Lied: die Dichtung, Mythologie.

23   *den freyeren, wüsten Raum:* die von den mythischen Göttern verlassene, dadurch aber auch verödete Welt.

die dürre Zahl und das strenge Maaß: Zeichen des die sinnliche
Üppigkeit der Mythologie beschneidenden Verstandes.

dunkle Worte: In der Handschrift steht statt dessen „Begriffe".

in des Gemüths höhern Raum zog [...] die Seele der Welt: Die
Vorstellung von der Weltseele ist beeinflußt von Schellings
Schrift „Von der Weltseele" (1798); ihr zufolge sei die neue
„Weltherrlichkeit" (Zeile 13) nicht als eine höhere *historische*
Stufe zu denken, sondern sei im *Innern* (vgl. Novalis: „Gemüth")
jedes Menschen potentiell enthalten. Ihre Erweckung sei durch
Christus zu erhoffen.

in neuen herrlichern Gestalten: Novalis spricht hier in einer, gemessen an christlicher Dogmatik, recht unorthodoxen Weise
von einer *Metamorphose* und damit Wiederkunft der alten Götter
in der durch Christus „veränderten Welt". Dies ist im Zusammenhang zu sehen mit dem frühromantischen Plan (Novalis,
Friedrich Schlegel, Schelling), eine neue Mythologie zu imagi-
nieren, die die Gehalte der verschiedensten überlieferten Religionen und Sagenbereiche verschmilzt.

Im Volk: die Juden.

Ein Sohn: Christus.

Des Morgenlands [...] Weisheit: die Weisen aus dem Morgenland (Matthäus 2,1 f.).

mit Glanz und Duft: Gold, Weihrauch und Myrrhe (Matthäus
2,11).

25   *der Botschaften fröhlichste:* das Evangelium (Matthäus 11,5).

ein Sänger: Über diese Gestalt ist in der Forschung viel gerätselt
worden. Eine der häufigsten Auffassungen ist, der Dichter
selbst sei gemeint, da er (Novalis) wie jener Sänger sich die Ver-
kündigung eines neuen Reiches der Liebe und des ewigen
Lebens zur Aufgabe macht (vgl. Kommerell, „Gedicht und

Gedanke"). Der Versuch eindeutiger Identifizierung ist freilich
nicht ganz unproblematisch, bedenkt man, daß es Novalis ja um
die synkretistische Anverwandlung der verschiedensten Mythen
einschließlich der Selbstmythisierung geht.

Der Jüngling bist du: Christus ist der verwandelte sanfte Jüngling
von S. 21; auch die Wiederaufnahme der Stanzenform weist
darauf hin.

Der Sänger zog [. . .] nach Indostan: Häufig in Novalis' Schriften
ist der Gedanke an eine Synthese aller Religionen zu einer Welt-
religion; hier zieht der zum Christentum bekehrte antike
Sänger in den Orient (Hindustan).

dunkeln Kelch: Matthäus 26,39.

27   *das bebende Land:* Matthäus 28,2.

unversieglichen Becher: Anspielung auf das Abendmahl.

Die Mutter: Maria folgt Christus als erste in den Himmel; Vorbereitung der Marienverehrung in den folgenden Strophen.

27/29   *Im letzten Abendmahle. Zur Hochzeit ruft der Tod:* Verbindung der
Vereinigungssymbole des Abendmahls und der Hochzeit als
Ausdruck der durch den Tod herbeigeführten höchsten Ver-
einigung in Gott.

29   *Zur Hochzeit [. . .] Die Lampen brennen:* Gleichnis von den zehn
Jungfrauen (Matthäus 25,1–3).

So manche: die Märtyrer.

Wird keinem nicht: Der Archaismus der doppelten Verneinung
dient als Stilmittel, um die Schlichtheit des Glaubens zu
insinuieren.

31   *Die Sternwelt wird zerfließen:* stark pietistisch geprägter Wort-
schatz in dieser und der nächsten Strophe: Rede vom Zer-
fließen und Verschmelzen der Seele vor Gott, Wassermeta-
phorik (bei Novalis meist mit erotischen Assoziationen verbunden).

Und unser aller Sonne: Gott als die Sonne und das ewige Licht
(vgl. zu diesem Bild Psalm 84,12; Jesaja 60, 19–20, und Offenbarung 22,5). Novalis verbindet in diesem Zusammenhang
(„Wie ein unendlich Meer. / Nur Eine Nacht der Wonne – /
Ein ewiges Gedicht – / Und unser aller Sonne") überdies die

Extreme Licht und Nacht im Angesicht Gottes.

Hinunter in der Erde Schooß: Der Himmel befindet sich nach
diesem Bild in der Tiefe der Erde. Wiederum sind verschiedene
Vorstellungsgehalte darin verschmolzen: die des Orpheus auf
der Suche nach der toten Geliebten, die des Grabes, der Höhle,
des Erdinnern als Ort nicht nur des Todes, sondern ebenso der
Wiedergeburt.

Die Lust der Fremde: die Lust an der Fremde.

33   *Das Alte:* Das „Alte" und das „Neue" meinen Vorzeit und
Gegenwärtiges; erwartet wird demgegenüber ein künftiges
Reich. Auffällig ist, daß im folgenden gegenüber der dem
geschichtlichen Denken geläufigen Triade von Vergangenheit,
Gegenwart und Zukunft diese Bewegung nicht, wie zu jener
Zeit häufig, im Medium einer geschichtsphilosophischen, am
Fortschreiten des Geistes orientierten Dialektik gedacht wird
(Schiller, Hegel), sondern mythisch als zyklische Bewegung der
Rückkehr.

für Liebe: vor Liebe.

35   *Hinunter zu der süßen Braut, | Zu Jesus, dem Geliebten:* Die Ver-
einigung und Aufhebung der Unterschiede wird symbolisiert
durch die paradoxe Kontamination der Geschlechter.

Heinrich von Ofterdingen

38   *Schutzgeist:* Der Ausdruck bezeichnet mitunter Novalis' Geliebte Sophie; sein Verlobungsring trug die Inschrift „Sophia
sey mein Schuz Geist"; das erste Sonett bezieht sich aber nicht
allein auf eine Person.

39   *Wanduhr:* Der Roman spielt im 13. Jahrhundert, Uhren waren
aber erst seit dem 16. Jahrhundert verbreitet. Der Anachronis-
mus rührt wohl daher, daß Novalis' Mittelalter-Bild durch die
Schriften Wackenroders und Tiecks geprägt war und deren
Begeisterung für die altdeutsche Frömmigkeit in der Zeit
Albrecht Dürers.

des Fremden: Er wird am Ende des zweiten Teils noch wichtig werden (vgl. S. 190 und 198); hier hat er Heinrich offenbar eine Geschichte erzählt, die der thüringischen Sage von der Wunderblume im Kyffhäuser entspricht.

die blaue Blume: Für dieses Symbol dürfte es viele Anregungen gegeben haben: Die genannte thüringische Sage von der blauen Blume in der Johannisnacht, in der der Roman ja beginnt (vgl. S. 46), ist eine davon; vgl. ferner Georg Forster, „Sakontala", 1. Aufzug, und Gustavs Traum von der blauen Blume in Jean Pauls „Unsichtbarer Loge", 20. Sektor.

44   *Ein alter Mann:* Er gibt sich später (zweiter Teil, erstes Kapitel) als Sylvester zu erkennen; vgl. S. 168/9.

45   *an einen hohen Berg:* der Kyffhäuser; er steht im Mittelpunkt der genannten thüringischen Sage und der Sage von Kaiser Friedrich II., der später auch als Friedrich Barbarossa vorgestellt wird. Der Kaiser ist der Sage zufolge in den Kyffhäuser entrückt, der Bart ist ihm dort durch den eisernen Tisch gewachsen. Von dort auch soll er als Einiger der Christenheit wieder auferstehen. Dieser Erweckungsgedanke verschmilzt in den Plänen zur Fortsetzung des „Ofterdingen" mit Novalis' eigenen Vorstellungen von einem goldenen Zeitalter.

die goldne Aue: Tal der Helme zwischen Kyffhäuser und Artern.

47   *Vaterstadt:* Eisenach am Fuß der Wartburg.

55   *einer jener sonderbaren Dichter:* Novalis erzählt die Geschichte des Arion von Lesbos.

59   *Rustan:* berühmtester Held des persischen Heldenepos; aus Firdûsis Heldenepos „Königsbuch" („Shah-Nameh"), 10. Jahrhundert.

62   *Karfunkel:* Diesem Edelstein wird schon seit dem Mittelalter schützende Kraft zugesprochen; außerdem wurde er mit dem „Waisen" in der Kaiserkrone in Verbindung gebracht, worauf Novalis in den Entwürfen zum zweiten Teil des Romans zu sprechen kommt (S. 180 und 191).

70   *in Hütten:* Die Hütte gilt im 18. Jahrhundert (vgl. Rousseau) oft als Ort unmittelbarer Menschlichkeit, an dem im Gegensatz zum Palast die Standesgrenzen aufgehoben sind. Novalis kehrt diese Vorstellung um, aber nicht, weil er im Gegensatz

zum sozial*kritisch* akzentuierten Topos der Hütte die gegebenen
feudalen Verhältnisse *affirmieren* will, sondern weil er jenseits
aktueller politischer Fragen das Ideal einer übergeordneten,
dem Ganzen verpflichteten Staatsleitung in spekulativ-poeti-
scher Absicht entwirft (vgl. seine Idee vom ,,poetischen Staat''
in der Fragment-Sammlung ,,Glauben und Liebe'' von 1798).

73   *Atlantis:* ein jenseits der Säulen des Herkules liegender Konti-
     nent, der nach antiker Überlieferung (vgl. Platon, ,,Timaios''
     und ,,Kritias'') vom Meer verschlungen wurde.

75   *Der Kayser selbst:* Friedrich II., der 1228/29 einen Kreuzzug
     leitete und Jerusalem eroberte.

77   *Die heil'ge Jungfrau schwebt:* eigenartige Vermischung des Bildes
     der Mutter Gottes mit dem einer germanischen Walküre und
     Heldenjungfrau.

78   *eine Laute:* symbolisches Instrument der Poesie; Zulima (S. 82),
     die schöne Morgenländerin (S. 75), spielt sie zu dem folgenden
     Lied. Das Morgenland gilt Novalis, wie vielen seiner Zeit-
     genossen, als das Ursprungsland der Poesie.

82   *Zulima:* Den Namen hat Novalis wohl aus J. G. Jacobis ,,Nessir
     und Zulima'' (1782). Zulima sollte im zweiten Teil als Poesie
     und ,,dreyeiniges Mädchen'' wiedererscheinen (S. 185) und sich
     für Heinrich opfern.

84   *Eula:* 20 km südlich von Prag; seit dem Mittelalter berühmt
     wegen seines Goldbergbaus.

85   *Anbrüche:* Erzfunde.

87   *seiner Geburt nach ein Lausitzer und hieß Werner:* Novalis setzt
     hier seinem Freiberger Lehrer, dem Lausitzer Abraham
     Gottlob Werner, ein Denkmal.

90   *Gang:* mit Mineralien ausgefüllte Spalte im Gestein.
     mächtig: dick, breit.
     gebräch: aus leicht brechbarem und zu gewinnendem Gestein.
     arm: wenig erzhaltig.
     Kluft: sehr schmaler Erzgang.
     brechen die edelsten Geschicke ein: treten die gold- und silber-
     haltigen Erze auf.
     verunedlen: vermindern den Erzgehalt.

schaart: zusammenläuft.

zerschlägt: zerteilt.

Trümmern: Gänge von geringer Mächtigkeit.

Höflichkeit (auch: Höfflichkeit): zu erhoffende reiche Ausbeute.

ausrichtet: auffindet und Vorbereitungen für den Abbau trifft.

92   *Ihm folgen die Gewässer:* Gemeint sind wohl die Pumpwerke zur Grubenbewässerung.

Am Fuß: der Gebirge.

Ruthengänger: Wünschelrutengänger, denen man ein sympathetisches Verständnis der Natur zuschreibt.

Ein stiller König: im Sprachgebrauch der Alchimisten das Gold.

Troß: die anderen Mineralien.

93   *unsichtbare Wächter:* Gefahren der Tiefe.

vom bunten Dach: Erdoberfläche.

Mutter (auch Erzmutter): bergmännischer Ausdruck für metallführende Mineralien; in Quarzadern kam in Eula häufig Gold vor.

Es sank herab aus tiefen Meeren: Nach A. G. Werners neptunischer Theorie sind alle Mineralien Sedimente eines Urmeeres, das ursprünglich die Erde bedeckte.

94   *Der Heimlichkeit urmächtgen Baum:* der Mensch als Messias, Erlöser der Natur.

Vertreibt die Geister durch die Geister: Die Berggeister werden durch die menschliche „Einsicht" vertrieben.

der wilden Fluten Meister: Zu den Wasserkünsten vgl. die erste Anmerkung zu S. 92.

Je mehr er nun: Das Gold büßt nach alchimistischer Lehre seine Macht ein, je mehr es sich ausbreitet.

Das Meer: als Bild für die Zeit der Harmonie, für das Goldene Zeitalter, korrespondierend dem Urmeer am Anfang der Welt.

98   *der Liebe volle Schaale:* das Abendmahl.

Königinn der Frauen: Maria.

Thon: vielleicht Anspielung auf den aus einem Erdenkloß geformten Menschen (1. Mose 2,7).

101   *Friedrich und Marie von Hohenzollern:* Graf Friedrich III. von Zollern aus dem Gefolge Barbarossas und Heinrichs VI., späterer

Burggraf von Nürnberg; freilich ist hier keine genaue Personen-
beschreibung beabsichtigt, der Graf ist vielmehr als eine
Variante der verschiedenen Lehrergestalten gedacht.

104   *nach Illyrien, nach Sachsen und Schwedenland:* Alle drei Länder
(Illyrien ist das Land an der Ostküste der Adria) waren als
Stätten des Bergbaus berühmt.

106   *wie in einem Zaubergarten:* Beschreibung der Erscheinungen des
Silbers im Quarz oder Bergkristall; vgl. den Metallgarten in
Arcturs Palast (neuntes Kapitel, S. 135).

108   *ein Buch:* Das Buch enthält Heinrichs eigene Geschichte, wie
sie im weiteren Verlauf des Romans ausgeführt worden wäre.
Der Schluß bleibt, wie wohl Novalis selbst zu diesem Zeitpunkt,
unklar.

109   *Ein Mann von ernstem Ansehn:* Präfiguration Klingsohrs.
in provenzalischer Sprache: Die provenzalische Dichtung galt um
1800 als Ursprung der neueren Kultur (Herder, „Briefe zur
Beförderung der Humanität", 1796) und Vorläuferin der
romantischen Poesie (Friedrich Schlegel 1798).

113   *ein Mann:* Die Gestalt Klingsohrs (vgl. den Zauberer in Wolf-
rams „Parzival") ist Novalis als „meyster Clingissor ûz Unger-
lant" aus J. Rothes „Vita S. Elisabethae" bekannt; dort ist er
berühmt als Arzt, Dichter, Astrolog, Magier und Bergbausach-
verständiger.

114   *Sein edles Ansehn:* Diese Beschreibung ist oft als eine ideali-
sierte Darstellung Goethes aufgefaßt worden.

116   *ein Fest:* In die Darstellung der Sinnenfreude des Festes sind
Symbole einer weiteren Bedeutungsebene eingefügt; so das
„himmlische Öl" (Zeile 19), das nach Böhmes „Aurora" Gott-
erfülltheit signalisiert, die Rede vom Verstehen des Weines und
der Speisen (Zeile 17/18) als Hinweis auf das Abendmahl und
das Einssein mit dem Göttlichen in ihm, der „klingende Baum"
(Zeile 14) als Vorausdeutung auf den zweiten Teil (vgl. S. 191)
und den dort imaginierten Zustand universeller Harmonie der
Dinge. Das Fest figuriert also hier als Vorstufe eines goldenen
Zeitalters.

118   *Der Gott [. . .] das goldne Kind:* Dionysos, d. h. der Wein.

enge Wiegen: die Garfässer.

unsichtbare Wächter: offenbar Anspielung auf das bei der Wein-
gärung freiwerdende Kohlendioxyd.

119   *Krystallgewand:* Pokal.

Verschwiegener Eintracht volle Rose: Bei Festen der Römer wurde
über den Gästen eine Rose aufgehängt als Mahnung der Ver-
schwiegenheit über das im Zustand des Rausches Ausgeplau-
derte.

129   *Der Krieg:* Vgl. S. 189 und des öfteren Novalis' Vorstellung von
der Vorbereitung der goldenen Zeit durch Anarchie, Zerstörung
und deren so gesehen poetische Funktion.

132   *Wo zwey versammelt sind:* Matthäus 18,20.

133   *ein ewiges Urbild:* theosophische Vorstellung vom Urbild als
dem eigentlichen, dem inneren und unvergänglichen Bild des
Menschen.

134   *Der alte Held:* später Eisen, Perseus; als magnetisches Metall
ist Eisen dem Norden zugeordnet.

135   *der Garten:* Vgl. die Beschreibung des unterirdischen Zauber-
gartens durch den alten Bergmann im fünften Kapitel.

Metallbäumen: Metallabscheidungen aus silbrigen Blättern.

Krystallpflanzen: pflanzenartige Kristallisationen, wie sie etwa
durch Lösung von Zink und Kupfer entstehen.

die schöne Tochter Arcturs: Freya (Seite 136), germanische
Göttin der Liebe, hier auch: Friede. – Arctur: Hauptstern im
Sternbild des Bootes, unter dem Sternbild der Krone. Arctur
ist König des nördlichen Sternhimmels; er verkörpert bei
Novalis den „Geist des Lebens", der dem Menschen nur als
„Zufall" faßbar ist. Allein die Poesie (Fabel, S. 137) kann
in diesen Zufällen den Zusammenhang, d. h. das Regiment
und Reich Arcturs, erkennen. Die Fabel wird daher zum Wegweiser in dieses Reich. – Arcturs Gemahlin Sophie, die Weisheit, hat sich von ihm getrennt und ist in die Menschenwelt
hinabgestiegen; seither ist sein Reich zu Eis erstarrt; Naturkräfte und Sternbilder bevölkern seinen Palast.

rieben [...] ihre [...] Glieder: Das Reiben der Glieder ist ein
magnetischer Prozeß. Magnetische, elektrische und galvanische

Vorgänge spielen im weiteren Verlauf der Erzählung eine große
Rolle; sie symbolisieren die Belebung und Beseelung der im
Gang der Weltgeschichte zur Leblosigkeit erstarrten und aus
dieser wiederzuerweckenden Natur. Novalis knüpft damit an
Spekulationen der romantischen Naturphilosophie an (vgl. u. a.
Johann Wilhelm Ritter).

von einem großen Schwefelkrystall: Beschreibung eines Elektri-
sierungsprozesses (Elektrizität kann durch Reiben von Schwefel-
kristall mit anderen Körpern erzeugt werden); Freya überträgt
die Elektrizität dann auf den Helden.

136   *ein prächtiger Vogel:* später als Phönix identifiziert (S. 146).
Nach der griechischen Sage kommt er alle fünfhundert Jahre
aus Indien zu seinem Tempel in Heliopolis, um sich dort
selbst zu verbrennen und aus der Asche neu zu erstehen (Symbol
der Wiedergeburt; auch: Sternbild des südlichen Himmels).
Die Königin: Freya.

137   *Eros:* Gott der Liebe.
Ginnistan: Phantasie, Tochter des Mondes. Der Name ist ab-
geleitet aus „Dschinnistan“, der Bezeichnung für das arabische
Märchenreich, das Novalis aus Wielands „Dschinnistan oder
auserlesene Feen- und Geistermährchen“ (1786 ff.) kannte.
Fabel: Poesie; hier: Tochter der Ginnistan und des Vaters (vgl.
die Anmerkung zu S. 138), Halbschwester des Eros.
der Schreiber: der petrifizierende Verstand (vgl. S. 201).

138   *Der Vater:* der Sinn, zu verstehen als die Verkörperung aller
Sinne; vermählt mit dem Herzen, verführt von der Phantasie
(Ginnistan).
einer edlen, göttergleichen Frau: Sophie, Gemahlin des Arctur.
eine Menge Zahlen und geometrische Figuren: Vgl. zur Charakteri-
sierung der Herrschaft des trocknen Verstandes und deren Aufhebung das Lied der Astralis S. 187 („Wenn nicht mehr Zahlen
und Figuren“).
Die Mutter des Knaben: das Herz, Gemüt. Der Knabe ist Eros.
ein zartes eisernes Stäbchen: ein Splitter vom Schwert, welches
der alte Held in die Welt geworfen hat. Das Schwert war von
Freya magnetisiert worden, so daß die Splitter nun als Kompaß-

nadeln nach Norden zeigen und den Weg in Arcturs Reich
weisen. Der Schreiber vermag den Splitter nur auf seine Nütz-
lichkeit hin zu untersuchen, Ginnistan spielt mit ihm, gibt ihm
die Gestalt einer sich in den Schwanz beißenden Schlange
(Uroboros, gnostisches und alchimistisches Symbol der Ewigkeit
und der Vereinigung von Mann und Frau; hier Zeichen der
Verführung, der dann Eros erliegt), Eros versteht die Bestimmung des magnetischen Splitters, den Ruf nach Norden (S. 141),
zur Erweckung des Reichs der Ewigkeit.

140   *die Gestalt deiner Mutter:* Ginnistan wird Eros später demnach
in Gestalt von dessen eigener Mutter verführen. Das Inzest-
Motiv findet sich häufig in Novalis' Dichtung; es signalisiert die
Aufhebung eines die Geschichte und deren verschiedene soziale
Ordnungen strukturierenden Tabus und bezeichnet damit die
Vorbereitung der goldenen Zeit.

141   *Die Liebe:* Eros.

        Die Sehnsucht: Gemeint ist wohl Freya.

142   *ihre alten Bekannten:* die Naturgewalten; nach astrologischen
Vorstellungen werden sie vom Mond beeinflußt (vgl. Ebbe und
Flut).

        Die Schatzkammer: das Reich der Träume, über das der Mond
herrscht.

        Wetterbäumen: große, nach oben ausgebreitete Wolken.

143   *Auf einer Anhöhe erblickten sie:* Das Schauspiel, das der Mond
seinen Gästen darbietet, zeigt in nuce den Ablauf vom paradie-
sischen Urzustand über das Zeitalter des Schicksals, des Todes
und des Chaos zum neugeborenen Goldenen Zeitalter, eine Vorstellung, die das Märchen und den ganzen Roman prägt.

145   *Sphinx:* in der griechisch-ägyptischen Mythologie ein Fabel-
wesen mit dem geflügelten Oberleib einer Frau und dem Unter-
leib eines Löwen. Im griechischen Mythos findet Oedipus vor
Theben eine Sphinx und überwindet sie durch die Lösung eines
Rätsels; entsprechend verfährt später Fabel (S. 152). Hier
denkt Novalis zunächst an die Sphingen der ägyptischen Pyra-
miden, die als Wächterinnen des Totenreiches gedacht sind.

        die alten Schwestern: die drei Parzen der griechischen Mythologie; sie spinnen den Schicksalsfaden der Menschen.

146   *Wocken:* niederdeutsch für Rocken: Holzstab, um den beim
Spinnen das Fasergut gewunden wird.

das Sternbild des Phönixes: von Fabel begrüßt als Zeichen der
Wiederkunft und Neugeburt.

Erwacht in euren Zellen: an die Toten gerichtetes Lied.

147   *die heil'ge Drey:* die drei Parzen.

unzählige Lichterchen: die Seelen der Toten, die nun ausführen,
wozu sie Fabel in ihrem Lied aufgefordert hat.

Alraunwurzel: im Volksglauben Zaubermittel gegen Behexungen.

Hippe: sichelförmiges Messer.

Gänsespulen: Gänsekiele als Schreibfedern.

Pflaum: Flaum.

148   *Taranteln:* giftige Erdspinnen; Bild für die Leidenschaften, die
der unstete Eros weckt und die die Parzen benötigen, um den
Lebensfaden der Menschen zu verkürzen.

Scheere: zum Abschneiden des Lebensfadens.

Die nördliche Krone: Sternbild der Krone über Bootes, dessen
Hauptstern Arctur ist.

Lilie: Symbol königlicher Würde.

Wage, Adler, Löwe: Sternbilder, die „Räthe" (Zeile 20), von
denen der König umringt ist, und zugleich Zeichen königlicher
Würde (Waage: Symbol der Gerechtigkeit, Sternbild des südlichen Himmels; Adler, Löwe: Symbole königlicher Macht,
Sternbilder des nördlichen Himmels).

Weisheit: Sophie, die noch unter den Menschen weilt.

Frieden: Freya, die noch schläft.

Liebe: Eros, der nach der Verführung durch Ginnistan noch
rastlos umherirrt.

des Herzens: der Mutter, die auf dem Scheiterhaufen sterben
wird.

Leyer: symbolisches Instrument der Poesie, nördliches Sternbild.

Eridanus: ausgedehntes, oft als Fluß gesehenes Sternbild des
südlichen Himmels.

149   *liebe Mutter:* hier: Ginnistan.

150   *wunderlicher Kinder:* Amoretten, hervorgegangen aus der Ver-
       bindung von Eros und Ginnistan; sinnliche Begierden, die des-
       halb ihrem Großvater (Eros' Vater), dem Sinn, ähnlich sind.

151   *die hohe Flamme des Scheiterhaufens:* auf dem die Mutter (das
       Herz) verbrannt wird.

152   *Meine Feindinn:* die Sonne.

153   *Zink:* Zinkoxyd wird auch Zinkblume genannt.
       Perseus: in der griechischen Mythologie Sohn des Zeus, der der
       Medusa das Haupt abschlägt und es auf den Schild der Athene
       heftet, wo es durch seinen Anblick alle Feinde versteinert; hier
       identisch mit dem alten Helden, dem Eisen.

154   *Turmalin:* Turmalin, Zink und Gold sind die drei Elemente des
       Galvanismus. Der Turmalin ist hier für die Erzeugung eines
       elektrischen Vorganges wichtig: Durch Reiben und Erhitzen
       aufgeladene Turmalinkristalle ziehen leichte Teile, wie Asche,
       an (der Turmalin wird daher auch „Aschenzieher" genannt);
       mit ihm soll die Asche der Mutter aufgesammelt werden.
       der alte Träger: Vgl. Zeile 18: „den alten Riesen": Atlas, der
       durch einen galvanischen Prozeß erweckt wird.
       Hesperiden: Töchter des Abends. Sie pflegen einen Garten mit
       goldenen Äpfeln am Abhang des Atlasgebirges; im Altertum
       Sinnbild des Gartens Eden, hier identisch mit dem Garten vor
       Arcturs Palast, der zu Beginn des Märchens zu Eis erstarrt war.

156   *Asche in die Schaale:* dem Abendmahl ähnliche Transsubstan-
       tiation.

157   *eine Kette:* weiterer Erweckungsprozeß durch eine galvanische
       Kette.

158   *ein Schachspiel:* Anspielung auf den persischen Ursprung des
       Spiels (Schah, persisch = „König"). Perseus übergibt dem
       König ein Schachspiel; Perses, der Sohn des Perseus, soll nach
       der griechischen Sage den Persern den Namen gegeben haben.
       einen goldnen unzerreißlichen Faden: Das alte barbarische
       Schicksal wird von der Poesie abgelöst.

159   *Drey Karyatiden:* steinerne Mädchenfiguren, die von den Grie-
       chen statt Säulen zur Stützung des Gebälks verwendet wurden;

hier sind die drei Parzen ebenso wie die Sphinx versteinert
worden.

160   *Astralis:* Sterngeist, siderischer Mensch, empfangen mit dem
ersten Kuß von Heinrich und Mathilde (vgl. S. 184/5 und 188).
Die Verschmelzung der Astralwelt mit der irdischen war in
Klingsohrs Märchen bereits vollzogen worden; nun wird sie
direkt in die Haupthandlung des Romans übernommen.

An jenem frohen Abend: die erste Begegnung zwischen Heinrich
und Mathilde, erster Teil, sechstes Kapitel.

an den Kuß: Vgl. S. 127 und 131.

161   *Die Worte des Profeten:* Anspielung auf die Worte Klingsohrs,
S. 123.

Eins in allem und alles im Einen: Einfluß mystischer und theo-
sophischer Vorstellungen; Parallelen zu J. Böhme.

Die Fabel: in Klingsohrs Märchen.

162   *jenes Band:* das Band, das die Menschen an die irdische Welt
fesselt.

Der Leib wird aufgelöst: Damit ist Heinrichs innere Situation,
die schmerzhafte Todeserfahrung, angedeutet, die, wie im
Märchen der Tod des Herzens („Das Herz, als Asche, niederfällt"), Voraussetzung ist für die Wiedergeburt in einem
höheren Leben.

163   *des furchtbaren, geheimnißvollen Stroms:* der Strom, in dem
Mathilde ertrunken ist.

164   *Ihr Herz war voller Freuden:* nur geringfügig verändertes nieder-
ländisches Weihnachtslied („Es fiel ein Himmelstaue").

166   *mit seinen Splittern:* Hinweis auf die wundertätigen Splitter vom
Kreuz Christi.

168   *Der Graf von Hohenzollern:* Vgl. den ersten Teil, fünftes Kapitel.

Sylvester: nach Novalis der „höhere Bergmann" (S. 190) wie
auch der Fremde, der Heinrich und dessen Vater in das Ge-
heimnis der blauen Blume eingeweiht hat.

170   *Zyane:* vom griechischen „Kýanos", die blaue Kornblume.

172   *Blumenstraus des Orients:* Anspielung auf die orientalische Blumen-
sprache (Selam), in der Blumen als Zeichen der Mitteilung
verwendet werden.

173   *die allgemeine Schwäche:* In Sylvesters Erklärung stützt sich
        Novalis auf John Browns Reizlehre, der zufolge eine Krankheit
        aus zu geringer Reizempfänglichkeit entsteht.

178   *Der Kayserliche Hof:* Aus den folgenden Notizen geht hervor,
        daß es sich um den Hof Kaiser Friedrichs II. (regierte 1212 bis
        1250) handelt. Dieser war Novalis bekannt als Förderer der
        Dichtkunst und als Freund der Araber (in K. W. F. von Funks
        „Geschichte Kaiser Friedrichs des Zweiten", 1792, die Novalis
        las, schließt der Kaiser in Jerusalem Freundschaft mit dem
        Sultan).

179   *Briefe eines Frauenzimmers:* Ritterroman von Paul von Stetten,
        1777.

179/180 *2.–6.:* Diese Absätze stellen Entwürfe dar zu Episoden, die im
        Roman Verwendung finden sollten: 2 ist der Entwurf zum
        Atlantis-Märchen, 3 und 5 wurden nicht verwendet, 4 kehrt mit
        dem Orpheus-Motiv in den späteren Berliner Papieren wieder,
        6 war für den zweiten Teil bestimmt (vgl. die Notiz „Meine
        erfundne Erzählung", Seite 191).

180   *Märchen:* Entwurf zu Klingsohrs Märchen.
        Anspielungen auf Elektricität, Magnetism und Galvanism: Vgl. die
        fünfte Anmerkung zu S. 135.

183   *Vindonissa:* heute Windisch im Aargau/Schweiz; in der Nähe
        Überreste des römischen Legionslagers Vindonissa.

184   *Sakontala:* von Georg Forster 1791 übersetztes Sanskrit-Drama.
        Sophie von Kühn wurde im Kreis um Novalis und seine Brüder
        seit 1795 „Sakontala" genannt.
        die Poësie: Astralis.
        Der Dichter aus der Erzählung: Vgl. das Atlantis-Märchen.
        Die Vermählung der Jahreszeiten: Vgl. S. 198.
        Mystischer Kayser: Gemeint könnte eine mystische Vereinigung
        von Vergangenheit und Zukunft sein als Vereinigung der Per-
        sonen Friedrichs II. und Arcturs (vgl. S. 185). Dies würde auch
        der Prophetie der Kyffhäuser-Sage entsprechen.
        de Tribus Impostoribus: von den drei Betrügern. Papst Gregor IX.
        schrieb Friedrich II. 1239 fälschlich die Äußerung zu, daß
        Mose, Jesus und Mohammed Betrüger gewesen seien. Novalis'

Vater besaß das Manuskript eines auf diesen Vorwurf sich gründenden Buches.

185   *Dreyeiniges Mädchen:* Möglicherweise ist die „Morgenländerin" Zulima gemeint, jedenfalls aber die Vereinigung der Eigenschaften von Mutter, Schwester und Geliebter.

Metempsychose: Seelenwanderung, Reinkarnation der Seele; vgl. Platon, „Timaios" (worin auch die Atlantis-Sage erzählt wird).

186   *Das Hirtenmädchen:* Zulima, die damit Zyanes Halbschwester wäre.

Nadir und Nadine: Feenmärchen aus Wielands „Dschinnistan".

Loretto: Stadt an der italienischen Adria (Loreto), wohin der Sage nach im Jahre 1295 die Engel das Geburtshaus Marias brachten, um die „casa santa" in den Dom einbauen zu lassen.

187   *Gegen das Gleichniß mit der Sonne:* In der Erzählung vom „Wartburgkrieg" wird Heinrich von Ofterdingen dadurch besiegt, daß er den Herzog von Österreich mit der Sonne vergleicht, sein Gegner Walther von der Vogelweide aber den Landgrafen von Thüringen mit dem Tage, welcher höher zu werten sei. Novalis, für den der Tag nicht das Höchste bedeutet (vgl. die „Hymnen an die Nacht"), steht demgegenüber auf Ofterdingens Seite.

188   *unter Bacchantinnen:* ein Motiv aus dem Orpheus-Mythos: Orpheus wird von thrakischen Mänaden getötet und sein Kopf in den Fluß Hebros geworfen, in welchem er singend schwimmt, während die Leier weiter tönt.

Amphion: thebanischer Herrscher, dessen Leierspiel Steinblöcke bewegt haben soll.

Ossian: James Macpherson, „Ossian. Fragments of Ancient Poetry. Collected in the Highlands", 1760/73.

Edda: Novalis lernte die nordische Mythologie der Edda aus dem Werk D. F. Gräters „Nordische Blumen", 1789, kennen; daher der Name Freya ebenso wie die Vorstellung vom Norden als Ausgangspunkt einer Welterlösung. Die Beschäftigung mit der nordischen Mythologie steht im Gegensatz zur klassizistischen Favorisierung der griechischen Antike, sie verrät bei Novalis eine deutlich antiklassizistische Tendenz.

Druiden: keltische Priester.

Saturn: römischer, ursprünglich etruskischer Gott, seit dem 3. Jahrhundert v. Chr. mit dem griechischen Kronos gleichgesetzt; im Mythos auch Herrscher im Goldenen Zeitalter.

Elysium und Tartarus: Aufenthaltsort der Seligen bzw. unterirdischer Verbannungsort der Titanen.

190   *nicht nach Tunis:* Vgl. S. 184.

mit dem alten Mann: Sylvester, der wie *Theophrast Paracels* (Zeile 6 [Paracelsus]) Arzt und Philosoph ist.

An Unger: Berliner Verleger, mit dem A. W. Schlegel über den Druck des „Ofterdingen" verhandelte.

Von Karl: Novalis' Bruder; von ihm sollte wohl das Buch „Herkunft, Leben und Taten des persianischen Monarchen Schach Nadir" (1738) entliehen werden.

Cap[itel] Alterthum: das dritte Kapitel des zweiten Teils sollte so betitelt sein.

Gozzi: Carlo Gozzi (1720–1806) schrieb Märchenspiele im Stil der Commedia dell'arte, mit denen sich Novalis im Sommer 1800 beschäftigte.

der Psyche: Vgl. die Novelle „Amor und Psyche" in Apuleius' (um 150 n. Chr.) Roman „Der goldene Esel"; Psyche ist die schöne Tochter eines kretischen Fürsten, Geliebte des Eros (Amor).

Der Fremde: Vgl. S. 39.

191   *Goldner Schlüssel:* Vgl. S. 180.

Natürlicher Sohn: Enzio (1220–72), seit 1242 König von Sardinien, Friedrichs Feldherr in der Lombardei.

Johannes: Das „Gespräch über die Offenbarung" deutet auf den Apokalyptiker Johannes hin.

Edda: hier als Person gesehen; in der Vermählung der Jahreszeiten (S. 198) als Heinrichs Gemahlin und als die wiedererstandene Mathilde vorgestellt.

goldner Widder: vielleicht Anspielung auf den Widder mit dem goldenen Vließ, dem der Argonautenzug galt.

193   *[„Das Lied der Toten"]:* Diese Überschrift ist nicht von Novalis, sondern von dem späteren Herausgeber Minor.

198   *Die Vermählung der Jahrszeiten:* Zur Vernichtung des Zaubers der Jahreszeiten und damit zur Aufhebung der Zeit vgl. S. 185.

BIBLIOGRAPHISCHE HINWEISE

Zur Forschungs- und Editionsgeschichte

J. F. Haussmann: German Estimates of Novalis from 1800 to 1850. In: Modern Philology 9 (1911/12), S. 399–415

Ders.: Die deutsche Kritik über Novalis von 1850–1900. In: Journal of English and Germanic Philology 12 (1913), S. 211–244

Walter Müller-Seidel: Probleme neuerer Novalisforschung. In: Germanisch-Romanische Monatsschrift 3 (1953), S. 274–292

Richard Samuel: Zur Geschichte des Nachlasses Friedrich von Hardenbergs (Novalis). In: Jahrbuch der deutschen Schillergesellschaft 2 (1958), S. 301–347

Erstausgaben

Hymnen an die Nacht (Athenaeumsfassung). In: Athenaeum. Eine Zeitschrift von August Wilhelm und Friedrich Schlegel. Dritten Bandes zweites Stück. Berlin 1800, S. 188–202. [Zur Überlieferung der handschriftlichen Fassung vgl. Novalis: Schriften. Band I, S. 601.]

Heinrich von Ofterdingen. Ein nachgelassener Roman von Novalis. Zwei Theile [tatsächlich veröffentlicht aber nur der erste Teil]. Erstveröffentlichung des zweiten Teils in: Novalis: Schriften. Hrsg. von Friedrich Schlegel und Ludwig Tieck. Band II. Berlin 1802

Neuere Ausgaben

Novalis: Schriften. Die Werke Friedrich von Hardenbergs. Hrsg. von Paul Kluckhohn und Richard Samuel. Dritte, nach den Handschriften ergänzte, erweiterte und verbesserte Auflage in vier Bänden und einem Begleitband. Band I: Das dichterische Werk. Hrsg. von Richard Samuel unter Mitarbeit von Heinz Ritter und Gerhard Schulz, revidiert von Richard Samuel. Stuttgart 1977

Ergänzend dazu:

Band II: Das philosophische Werk I. Hrsg. von Richard Samuel in Zusammenarbeit mit Hans-Joachim Mähl und Gerhard Schulz. Zweite Auflage. Stuttgart 1965

Band III: Das philosophische Werk II. Hrsg. von Richard Samuel in Zusammenarbeit mit Hans-Joachim Mähl und Gerhard Schulz. Zweite Auflage. Stuttgart 1968

Band IV: Tagebücher, Briefwechsel, zeitgenössische Zeugnisse. Hrsg. von Richard Samuel und Gerhard Schulz. Zweite Auflage. Stuttgart 1975

Band V: Materialien und Register. Hrsg. von Hans-Joachim Mähl und Richard Samuel. Bearbeitung der Register von Hermann Knebel. Stuttgart 1988

Novalis: Werke. Hrsg. und kommentiert von Gerhard Schulz. München 1969 (= Beck's kommentierte Klassiker)

Novalis: Werke, Tagebücher und Briefe Friedrich von Hardenbergs. Hrsg. von Hans-Joachim Mähl und Richard Samuel. 2 Bände. München und Wien 1978. Band 3: Kommentar von Hans Jürgen Balmes. München und Wien 1987

Novalis: Werke in einem Band. Hrsg. von Hans-Joachim Mähl und Richard Samuel. Kommentiert von Hans-Joachim Simm unter Mitwirkung von Agathe Jais. München und Wien 1981

Dichter über ihre Dichtungen: Novalis. Hrsg. von Hans-Joachim Mähl. München 1976

Novalis (Friedrich von Hardenberg): Fragmente und Studien. Die Christenheit oder Europa. Hrsg. von Carl Paschek. Stuttgart 1984

Allgemeine Literatur zu Novalis

Wilhelm Dilthey: Novalis [1865]. In: W. D.: Das Erlebnis und die Dichtung: Lessing, Goethe, Novalis, Hölderlin. Vierzehnte Auflage. Göttingen 1965, S. 187–241 (= Kleine Vandenhoeck-Reihe 191)

Georg Lukács: Zur romantischen Lebensphilosophie: Novalis [1907]. In: G. L.: Die Seele und die Formen. Essays. Sonderausgabe Neuwied und Berlin 1971, S. 64–81 (= Sammlung Luchterhand 21)

Walter Benjamin: Der Begriff der Kunstkritik in der deutschen Romantik [1920]. In: W. B.: Gesammelte Schriften. Band I. Hrsg. von Rolf Tiedemann und Hermann Schweppenhäuser. Frankfurt a. M. 1974

Paul Kluckhohn: Friedrich von Hardenbergs Entwicklung und Dichtung. Einleitung zu Novalis: Schriften. Band I. Hrsg. von Paul Kluckhohn und Richard Samuel. Leipzig 1929, S. 9–80. Vgl. dasselbe in: Novalis: Schriften. Die Werke Friedrich von Hardenbergs. Band I. Stuttgart 1977, S. 1–67

Hugo Kuhn: Poetische Synthesis oder ein kritischer Versuch über romantische Philosophie und Poesie aus Novalis' Fragmenten [1950/51]. In: Gerhard Schulz (Hrsg.): Novalis. Beiträge zu Werk und Persönlichkeit Friedrich von Hardenbergs. Darmstadt 1970, S. 203–258

Ingrid Strohschneider-Kohrs: Die romantische Ironie in Theorie und Gestaltung. Tübingen 1960

Hans-Joachim Mähl: Die Idee des goldenen Zeitalters im Werk des Novalis. Studien zur Wesensbestimmung der frühromantischen Utopie und zu ihren ideengeschichtlichen Voraussetzungen. Heidelberg 1965

Erika Voerster: Märchen und Novellen im klassisch-romantischen Roman. Zweite Auflage. Bonn 1966

Heinz Ritter: Der unbekannte Novalis. Friedrich von Hardenberg im Spiegel seiner Dichtungen. Göttingen 1967

Manfred Dick: Die Entwicklung des Gedankens der Poesie in den Fragmenten des Novalis. Bonn 1967

Gerhard Schulz: Novalis in Selbstzeugnissen und Bilddokumenten. Hamburg 1969 (= rowohlts monographien 154)

Eckhard Heftrich: Novalis. Vom Logos der Poesie. Frankfurt a. M. 1969

Ulrich Gaier: Krumme Regel. Novalis' Konstruktionslehre des schaffenden Geistes. Tübingen 1970

Rolf-Peter Janz: Autonomie und soziale Funktion der Kunst. Studien zur Ästhetik von Schiller und Novalis. Stuttgart 1973

Richard Brinkmann: Deutsche Frühromantik und französische Revolution. In: Deutsche Literatur und französische Revolution. Sieben Studien. Göttingen 1974, S. 172–191 (= Kleine Vandenhoeck-Reihe 1395)

Jochen Hörisch: Die fröhliche Wissenschaft der Poesie. Der Universalitätsanspruch von Dichtung in der frühromantischen Poetologie. Frankfurt a. M. 1976

Gerhard Neumann: Ideenparadiese. Untersuchungen zur Aphoristik von Lichtenberg, Novalis, Friedrich Schlegel und Goethe. München 1976

Richard Brinkmann (Hrsg.): Romantik in Deutschland. Ein interdisziplinäres Symposium. Stuttgart 1978

Ulrich Stadler: „Die theuren Dinge". Studien zu Bunyan, Jung-Stilling und Novalis. Bern und München 1980

Josef Haslinger: Die Ästhetik des Novalis. Königstein/Ts. 1981

Friedrich Strack: Im Schatten der Neugier. Christliche Tradition und kritische Philosophie im Werk Friedrich von Hardenbergs. Tübingen 1982

Barbara Senckel: Individuum und Totalität. Aspekte zu einer Anthropologie des Novalis. Tübingen 1983

Nicholas Saul: History and Poetry in Novalis and the Tradition of the German Enlightenment. London 1984

Jochen Fried: Die Symbolik des Realen. Über alte und neue Mythologie in der Frühromantik. München 1985 (= Literatur in der Gesellschaft, Neue Folge 11)

Jurij Striedter: Die Fragmente des Novalis als „Präfigurationen" seiner Dichtung. München 1985

Gerhard Schulz (Hrsg.): Novalis. Beiträge zu Werk und Persönlichkeit Friedrich von Hardenbergs. Zweite, erweiterte Auflage. Darmstadt 1986

Otto F. Best: Vom „blauen Blümchen" zur „blauen Blume". In: Germanisch-Romanische Monatsschrift 36 (1986), S. 289–303

Hans A. Neunzig: Lebensläufe der deutschen Romantik-Schriftsteller. München 1986

Heinz Ritter-Schaumburg: Novalis und seine erste Braut. Sie war die Seele meines Lebens. Stuttgart 1986

Ernst Behler und Jochen Hörisch (Hrsg.): Die Aktualität der Frühromantik. Paderborn, Wien und Zürich 1987. Darin: Willy Michel: Der „innere Plural" in der Hermeneutik und Rollentheorie des Novalis, S. 33–50; Hans Georg Pott: Der „zarte MaaßStab" und die „sanfte Sorge". Aspekte einer Metaphysik der Sprache bei Novalis und Heidegger, S. 63–74; Ulrich Stadler: Hardenbergs „poetische Theorie der Fernröhre". Der Synkretismus von Philosophie und Poesie, Natur-

und Geisteswissenschaften und seine Konsequenzen für eine Hermeneutik bei Novalis

Klaus Hartmann: Die freiheitliche Sprachauffassung des Novalis. Bonn 1987 (= Abhandlungen zur Philosophie, Psychologie und Pädagogik 208)

Hermann Kurzke: Vorspiel zu einer Novalis-Monographie. In: Literatur für Leser (1987), S. 59–64

Ders.: Novalis. München 1988 (= Becksche Reihe 606)

John Neubauer: Novalis und der Postmodernismus. In: Geschichtlichkeit und Aktualität. Studien zur deutschen Literatur seit der Romantik. Festschrift für Hans-Joachim Mähl zum 65. Geburtstag. Hrsg. von Klaus-Detlef Müller u. a. Tübingen 1988, S. 207–220

Timothy F. Sellner: Novalis's Diaries and Lavater's „Geheimes Tagebuch. Von einem Beobachter seiner selbst". In: Deutsche Vierteljahrsschrift für Literaturwissenschaft und Geistesgeschichte 62 (1988), S. 451–475

Hans-Heino Ewers: Kindheit als poetische Daseinsform. Studien zur Entstehung der romantischen Kindheitsutopie im 18. Jahrhundert: Herder, Jean Paul, Novalis und Tieck. München 1989

Luciano Zagari: „Die Leiche der Venus". Griechische Mythologie und Kunst der Deformation in romantischen Gedichten und Erzählungen. In: Jacques e i suoi quaderni 13 (1989), S. 249–262

Ludwig Stockinger: „Tropen und Räthselsprache". Esoterik und Öffentlichkeit bei Friedrich von Hardenberg (Novalis). In: Geschichtlichkeit und Aktualität. Studien zur deutschen Literatur seit der Romantik. Festschrift für Hans-Joachim Mähl zum 65. Geburtstag. Hrsg. von Klaus-Detlef Müller u. a. Tübingen 1988, S. 182–206

Literatur zu den „Hymnen an die Nacht"

Heinz Ritter: Novalis' „Hymnen an die Nacht". Ihre Deutung nach Inhalt und Aufbau auf textkritischer Grundlage. Heidelberg 1930. Zweite, erweiterte Auflage mit Faksimiles der Handschriften. Heidelberg 1974

Max Kommerell: Novalis' „Hymnen an die Nacht". In: Heinz Otto Burger (Hrsg.): Gedicht und Gedanke. Auslegungen deutscher Gedichte. Halle 1942, S. 202–236. Neudruck in: Gerhard Schulz (Hrsg.): Novalis. Darmstadt 1970, S. 174–202. Vgl. auch Max Kommerell: Novalis: Hymnen an die Nacht. In: M. K.: Gedanken über Gedichte. Zweite Auflage. Frankfurt a. M. 1956, S. 449–456

Heinz Ritter: Die Datierung der „Hymnen an die Nacht". In: Euphorion 52 (1958), S. 114–141

Lawrence Frye: Spatial Imagery in Novalis' „Hymnen an die Nacht". In: Deutsche Vierteljahrsschrift für Literaturwissenschaft und Geistesgeschichte 41 (1967), S. 568–591

Ders.: Prometheus under a Romantic Veil. Goethe and Novalis's „Hymnen an die Nacht". In: Euphorion 61 (1967), S. 318–336

Einleitung der Herausgeber zu Novalis: Schriften. Band I. Stuttgart 1977, S. 115–127

Timothy F. Sellner: „Sophia sey mein Schuz Geist". A New Source for Novalis's „Hymnen an die Nacht"? In: Journal of English and German Philology 86 (1987), S. 33–57

Literatur zum „Heinrich von Ofterdingen"

Oskar Walzel: Die Formkunst von Hardenbergs „Heinrich von Ofterdingen". In: Germanisch-Romanische Monatsschrift 7 (1915–1919), S. 403–444 und S. 465–479

Paul Kluckhohn: Neue Funde zu Friedrich von Hardenbergs (Novalis) Arbeit am „Heinrich von Ofterdingen". In: Deutsche Vierteljahrsschrift für Literaturwissenschaft und Geistesgeschichte 32 (1958), S. 391–409

Heinz Ritter: Die Entstehung des „Heinrich von Ofterdingen". In: Euphorion 55 (1961), S. 163–195

Richard Samuel: Novalis: Heinrich von Ofterdingen. In: Benno von Wiese (Hrsg.): Der deutsche Roman. Struktur und Geschichte. Band I. Düsseldorf 1963, S. 252–300

Gerhard Schulz: Die Poetik des Romans bei Novalis. In: Jahrbuch des freien deutschen Hochstifts 3 (1964), S. 120–157

Johannes Mahr: Übergang zum Endlichen. Der Weg des Dichters in Novalis' „Heinrich von Ofterdingen". München 1970

Hans-Joachim Beck: Ökonomie des Stils. Novalis' „Wilhelm Meister"-Rezeption im „Heinrich von Ofterdingen". Bonn 1976

Einleitung der Herausgeber zu Novalis: Schriften. Band I. Stuttgart 1977, S. 183–192

Helmut Pfotenhauer: Aspekte der Modernität bei Novalis. Überlegungen zu Erzählformen des 19. Jahrhunderts, ausgehend von Hardenbergs „Heinrich von Ofterdingen". In: Dieter Bänsch (Hrsg.): Zur Modernität der Romantik. Stuttgart 1977, S. 111–142 (= Literaturwissenschaft und Sozialwissenschaften 8)

Hartmut Böhme: Montan-Bau und Berg-Geheimnis. Zum Verhältnis von Bergbauwissenschaft und hermeneutischer Naturästhetik bei Novalis. In: KultuRRevolution. zeitschrift für angewandte diskurstheorie 12 (1987), S. 29–43

Hans Esselborn: Poetisierte Physik. Romantische Mythologie in Klingsohrs Märchen. In: Aurora 47 (1987), S. 137–158

Gail Newman: The Status of the Subject in Novalis's „Heinrich von Ofterdingen" and „Kleist's „Die Marquise von O.". In: The German Quarterly 62 (1989), S. 59–71

Ders.: Poetic Process as Intermediate Area in Novalis's „Heinrich von Ofterdingen". In: Seminar 26 (1990), S. 16–33

Zum literatur- und theoriegeschichtlichen Kontext

Georg Wilhelm Friedrich Hegel: Vorlesungen über die Ästhetik [gehalten 1817–1829, erstmals herausgegeben 1835–1838]. In: G. W. F. H.: Werke. Hrsg. von Eva Moldenhauer und Karl Markus Michel. Band 14. Frankfurt a. M. 1970. Darin: Die Auflösung der romantischen Kunstform, S. 220–242

Fritz Strich: Die Mythologie in der deutschen Literatur von Klopstock bis Wagner. Zwei Bände. Halle 1910

Walter Benjamin: Der Ursprung des deutschen Trauerspiels [1928]. In: W. B.: Gesammelte Schriften. Band I, 1. Hrsg. von Rolf Tiedemann und Hermann Schweppenhäuser. Frankfurt a. M. 1974. Darin: Allegorie und Trauerspiel, S. 336–365

Norbert Elias: Über den Prozeß der Zivilisation. Soziogenetische und psychogenetische Untersuchungen. Zwei Bände [1936]. Zweite, um eine Einleitung vermehrte Auflage. Frankfurt a. M. 1976 (= suhrkamp taschenbuch wissenschaft 158/159)

Werner Vordtriede: Novalis und die französischen Symbolisten. Zur Entstehungsgeschichte des dichterischen Symbols. Stuttgart 1963

Odo Marquard: Über einige Beziehungen zwischen Ästhetik und Therapeutik in der Philosophie des neunzehnten Jahrhunderts [1963]. In: O. M.: Schwierigkeiten mit der Geschichtsphilosophie. Frankfurt a. M. 1973, S. 85–106

Michel Foucault: Die Ordnung der Dinge. Eine Archäologie der Humanwissenschaften. Deutsch von Ulrich Köppen (Originalausgabe: Les mots et les choses. Paris 1966). Frankfurt a. M. 1971 (= suhrkamp taschenbuch wissenschaft 96)

Wolfgang Preisendanz: Zur Poetik der deutschen Romantik I: Die Abkehr vom Grundsatz der Naturnachahmung. In: Hans Steffen (Hrsg.): Die deutsche Romantik. Poetik, Formen und Motive. Göttingen 1967, S. 54–74

Odo Marquard: Zur Bedeutung der Theorie des Unbewußten für eine Theorie der nicht mehr schönen Künste. In: Hans Robert Jauß (Hrsg.): Die nicht mehr schönen Künste. Grenzphänomene des Ästhetischen. München 1968, S. 375–392 (= Poetik und Hermeneutik III)

Heinz Gockel: Mythos und Poesie. Zum Mythosbegriff in Aufklärung und Frühromantik. Frankfurt a. M. 1981

Silvio Vietta (Hrsg.): Die literarische Frühromantik. Göttingen 1983 (= Kleine Vandenhoeck-Reihe 1488)

Verantwortung und Utopie. Zur Literatur der Goethezeit. Ein Symposium. Hrsg. von Wolfgang Wittkowski. Tübingen 1988